YR ARCHESGOB ROWAN WILLIAMS:
EI DYLWYTH, EI ATHRYLITH
A'I DRAFFERTHION

YR ARCHESGOB ROWAN WILLIAMS:
EI DYLWYTH, EI ATHRYLITH
A'I DRAFFERTHION

Braint cael cyflwyno'r sylwadau hyn, James Nicholas Cyfaill Waldo a Rowan.

gan

Y Parchedig CYNWIL WILLIAMS

a'ch cu, Cynwil.

GWASG PANTYCELYN

ISBN 1-903314-78-X

Dymuna'r cyhoeddwyr
gydnabod cymorth
Adrannau Cyngor Llyfrau Cymru.

YMWADIAD
Datganiad y wasg.

Mae'r wasg wedi ceisio'n daer i gysylltu â deiliaid hawlfraint
ar gyfer y gyfrol hon.

Cyhoeddwyd gan Wasg Pantycelyn
ac argraffwyd gan Wasg y Bwthyn, Caernarfon

CYNNWYS

DIOLCHIADAU		7
RHAGAIR		13
PENNOD 1	OCHR DRAW'R MYNYDD	21
2	MAIR A'R GAIR	45
3	DYSGU PENLINIO	60
4	GOSOD CARIAD LLE NAD OES CARIAD	88
5	YR ATGYFODIAD	115
6	CYMDEITHAS GREF O GARIAD	134
7	ANAWSTERAU LU	175
8	RHOI'R BYD YN EI LE	227
9	MYFYRDOD Y BARDD-DDIWINYDD	296
LLYFRYDDIAETH		309

Mae'r eicon enwog o Fair yn dal y "cawr mawr bychan"
(geiriau hen fardd o'r canrifoedd cynnar)
wedi dilyn Rowan trwy ei yrfa.
Fe'i gwelir ym mhortread Louise Courtnell
ar glawr y gyfrol hon.

DIOLCHIADAU

Rhaid dechrau diolch lle mae'r llyfr hwn yn dechrau, yng Nghwm Tawe. Cefais groeso a chymorth parod o fewn y cylch sy'n cwmpasu Cwmgïedd, Ystradgynlais a'r Gurnos, man geni'r Archesgob Rowan. Rhoddwyd fi ar ben y ffordd gan y ddwy chwaer, Miss Megan Hutchings a Miss Ann Hutchings, dwy sy'n dal i gynnal traddodiad Brynygro's ac yn ymfalchïo ynddo fel eu cefnder parod â'i atgof, Mr Jenkin Thomas sy'n byw yn Llundain.

Y tri yma a gododd ynof yr awydd i anelu at yr amhosibl, sef dilyn y 'wythïen fawr' a chreu derwen deuluol. Ar fin diffygio, cyfeiriwyd fy sylw gan Mrs Margaret Adams o Benygroes, Shir Gâr, ffrind teuluol, at waith enfawr Mr Leonid Morgan a fagwyd rhwng Abercraf ac Ystradgynlais. Bu ef yn hael â'i amser, ac wele yn y gyfrol dderwen anferthol yn ei phlyg. Rhyw ddydd, wedi iddo ymddeol, gall yr enwocaf o'r teulu yn ei oriau hamdden chwilio am ei dylwyth! A diolch i Mr David James, Aberystwyth, awdur *Myddfai, its Land and its People*, am ei gyfarwyddyd cyn i Leonid ddod i'r adwy.

Y ddwy chwaer Hutchings a'm cyflwynodd i Miss Ceridwen Williams – Anti Ceridwen i Rowan a phobl y fro. Ar ei haelwyd cefais y croeso hwnnw a roddodd hi i'w nai trwy'r blynyddoedd. Roeddwn wedi gobeithio cael cipolwg ar ambell lun teuluol yn ei chwmni. Prin iawn oedd y lluniau, ond roedd ganddi stôr o storïau! 'Dyn llyfrau oedd Rowan ac nid dyn am lun' oedd ei sylw. Erbyn hyn mae camerâu'r cyfryngau torfol wedi'i orfodi yntau i blygu i drefn y dydd, a phrin bod papur dyddiol heb lun o Rowan Williams yn rhywle. Gan fod ei chof yn pallu, bu Mrs Gwenda Preece, ei nith yma yn Rhiwbeina, a'i diweddar briod, Mr Hubert Preece, yn llanw nifer o fylchau i mi.

Roedd digon o help parod yng Nghwmgïedd yn ystod fy ymweliadau â Yorath, yr unig addoldy yn y pentref. Bu Mr Eifion Williams a'i chwaer, Mrs Ann Finch, blaenoriaid yn Yorath, a'u brawd Mr John Williams, yr hanesydd lleol, yn hael â'u cefnogaeth. Hefyd, un o ferched Cwmgïedd sy'n byw yng Nghaerdydd, Mrs Jean Ewart Jones, merch Mrs Nellie Powell a gadwai siop loshin yn y pentref.

Yma a thraw yn y gyfrol, rwy'n cydnabod fy nyled i'r Parchedig John Walters, ficer poblogaidd Pontarddulais, cyfaill ysgol yr Archesgob, a Chymro pybyr a rannodd ei Gymreictod ag ef yn Ysgol Dinefwr yn Abertawe. Bu yntau'n barod i rannu'i atgofion a'i gynghorion, a chan iddo ofyn i'w ffrind yn yr ysgol fod yn was priodas iddo, roedd ganddo luniau a gynhwysir yma.

Dyddiau dedwydd oedd dyddiau Dinefwr ac Ystumllwynarth, ac mae'n fraint cael cynnwys y darlun o'r Archesgob gyda Ms Judith Porch, y caligraffydd, ar ddydd y cyflwynodd Cyngor Cymuned Ystumllwynarth ryddfraint y dref iddo yn 2003. Diolch i'r Cyngor hwn am y llun, ac am y diwrnod hwn, ac i'r Dr Rosina Davies am ei chymwynas yn chwilio am y llun, a'i gyflwyno i mi. Roeddwn yn falch iawn o gael llun priodas Mr a Mrs Elfed Morgan, llun sy'n cynnwys Mr Sydney Morgan, a fu'n aelod yn Eglwys y Crwys. Sydney Morgan oedd y gŵr a gyflwynodd Rowan yn gynnar iawn i'r iaith Ladin a'i baratoi ar gyfer ei yrfa academaidd. Fe'i cefais gan Mrs Elaine Price, merch o Lanymddyfri sy'n byw, fel y ddau a oedd yn priodi, yng nghylch Caerfyrddin.

Gwn y gwerthfawrogir cartwnau Mr Tegwyn Jones, cyfaill i mi ers ein dyddiau yn y coleg ger y lli. Mewn rhai cylchoedd crefyddol rhaid ymatal rhag defnyddio'r cartŵn. Ond gwn y bydd Rowan Williams, sy'n llawn o hiwmor a gras, yn mwynhau celfyddyd gynnil y gŵr o Geredigion.

Y mae eraill y dymunaf ddiolch iddynt yma hefyd. Bu'r Canon James M. Rosenthal, Cyfarwyddwr Cyfathrebu y Cyfundeb Angliaidd, a fu gyda'r Archesgob a'i wraig Jane yn Affrica, yn hael a llawen ei ganiatâd ar gyfer nifer o ddarluniau. Yn yr un modd bu swyddfa Esgobaeth Mynwy yn ddiwyd a charedig parthed cyfnod Rowan Williams yno.

Mae'r eiconau enwog y gwelir darluniau ohonynt yn y gyfrol hon ar hyn o bryd yn Oriel Tretiakov ym Mosgo. Ac yma yng Nghymru yr wyf yn ddyledus i Mrs. Janet Jenkins a'r *Lloffwr* am gyfraniad. Carol, fy ngwraig fu'n tynnu'r llun yn eglwys Sant Hywyn, Aberdaron.

Bu cyfraniad Ysgol Athronyddol Abertawe a'i phwyslais ar ddefnyddio iaith ddealladwy ac ar risialu ystyr brawddegau a diffinio geiriau yn ddylanwad ar feddwl a gwaith y Dr Rowan Williams. Yma mae'n rhaid i mi gydnabod fy nyled i'w gyfaill a'm cyfaill innau, yr Athro Dewi Z. Phillips, am daflu golau ar rai materion sy'n dywyll i mi, ond a wyntyllwyd ganddo ef trwy gydol ei yrfa ddisglair. Gall Cwm Tawe ymfalchïo iddo godi diwinydd ac athronydd gwir gynhyrchiol ar gyfer ein dyddiau ni. Dyma ddau enw sy'n rhagori ac yn blaenori yn eu meysydd, ac yn mynd ati i'w pontio.

Dyma fy nghyfle i ddiolch i'r Parchedigion E.R. Lloyd Jones, a'r ddau John Owen, y naill o Fethesda a'r llall o Ruthun, am drefnu cyfarfyddiad yn Llandudno i drafod gwaith yr Archesgob, a rhannu gyda'u cyfeillion eu gwerthfawrogiad a'u harweiniad. Cefais aml sgwrs â'r Parchedig Ddr. Vivian Jones, yr Hendy, ac ambell gyfeiriad at erthygl neu frawddeg oedd yn esboniad ar aml osodiad yng ngweithiau dyfnaf yr Archesgob. Cefais help gan lawer o gyfeillion oedd yn dod o hyd i'w anerchiadau ym mhob rhan o'r byd. Bu Miss Annette Angharad Strauch, cyn iddi ymadael â Chaerdydd, yn tynnu o'i chyfrifiadur unrhyw wybodaeth am ymateb yr

Almaen i gyfraniad yr Archesgob, ac yn barod i gyfieithu ambell erthygl. Diolch hefyd i'r Athro John Gwynfor Jones am ddiweddaru geiriau'r Esgob John Davies i mi, ac i'r Dr Meredydd Evans am ei help i ddeall cerdd R.S. Thomas – 'Roger Bacon'.

Daeth yr Archesgob Barry Morgan â llyfryn am Rowan o Ganada i mi, a buan y sylweddolais fod yr un hynawsedd ymysg y rhai oedd yn gweithio ym mhencadlys yr Eglwys yng Nghymru yn y brifddinas. Bûm yno droeon, a chefais gymwynasau yno yn ddiffael. Yno, yn awyddus i wrando a chyfarwyddo, roedd Mr Sion Brynach a'r staff yn ei swyddfa. Nid oedd dim yn ormod iddynt, a chefais bob arweiniad ynglŷn â nifer o luniau sydd yn y gyfrol. Mrs Sue Blackbrook a Sion a'm tywysodd at y portread o'r Archesgob sydd ar y clawr, a chyflwyno cais Gwasg y Bwthyn i Mr John Shirley am ganiatâd i'w ddefnyddio.

Cydsyniodd yr arlunydd o Gernyw, Louise Courtnell, â'n cais, a dyma ddatgelu i ddarllenwyr llyfrau Cymraeg y portread a gomisiynwyd gan yr Eglwys yng Nghymru o'r Archesgob cyntaf a roddodd hi i Gaergaint. Y cymwynaswr cyson, Mr Robin Griffith a'i gamera parod, a ddaeth â'r portread o'r coridor dirgel i law fedrus Mr Elgan Davies yn Aberystwyth. Fel arfer, mae graen ar waith y ddau ac, fel yr arlunydd, rwy'n ddiolchgar y bydd y cyhoedd yn awr yn gweld yr Archesgob yn ei gadair yn ei gapel, a'r eicon enwog o Fair a'i baban yn y cefndir.

Fel y Dr Rowan Williams, a llawer o'i gyfoeswyr yntau a minnau, mae fy nyled i'r Parchedig Ddr A.M. Allchin yn enfawr. Bûm yn ddigon call i alw i'w weld am gyngor cyn dechrau paratoi'r penodau sy'n dilyn. Ar ein ffordd i Fiwmaris a Phenmon, mynnai ef fod angen llyfr yn y Gymraeg gan un fyddai'n pwysleisio Cymreictod Rowan Williams, a'i gariad fel gŵr sydd â'i wreiddiau'n ddwfn yng nghymoedd y de, at ei bobl a'u diwylliant. Ac fe wêl y darllenydd fy mod wedi ceisio dilyn cyfarwyddyd y cyfaill hwn o Sais. Gwelodd ef yn dda i ganmol yn y Saesneg y traddodiad a'r bywyd ysbrydol cyfoethog a flagurodd yn emynau Ann Griffiths, traddoliad sy'n dwyn ffrwyth unwaith eto ym mywyd a gwaith Archesgob Caergaint. Dyma rodd pobl William Morgan, Edmwnd Prys a William Williams i'r byd.

Roedd yr Esgob Stephen Verney, gŵr arall sy'n 'caru'n cenedl ni', o'r farn mai'r Archesgob presennol – 'Cymro sy'n wrandawr da, yn ŵr o ddiwylliant ac o allu anghyffredin, yw'r unig fod meidrol a all ddal yr Eglwys Anglicanaidd ynghyd y dyddiau hyn.' Mawr fy nyled i ddau fu'n bileri yn Eglwys Loegr am roi hyder i ni sy'n Gymry i ganmol un o'n cydwladwyr. Daliwn ati i gredu y gall un a godwyd yn ein plith argyhoeddi'r byd iddo golli'r ffordd, a hynny cyn iddi fynd yn rhy hwyr.

Diau y bydd darllenwyr y gyfrol a'r Archesgob yntau yn canfod ynddi frychau a bylchau lawer. Cyn i neb ei phrynu dyma fi'n cydnabod mai fi sy'n gyfrifol am bob bai a welir ynddi. Byddai llawer mwy ohonynt oni bai i'r Esgob Saunders Davies a'i briod Cynthia roi oriau lawer o'u hamser yn dileu'r gwallau ac yn ystyried gwelliannau. Pan fydd gweinidog yn mentro i ddalgylch yr Anglicaniaid, mae angen esgob i'w gyfarwyddo a'i warchod rhag cymryd cam gwag! A da oedd cael dau a fu'n ffrindiau da am ddegawdau, dau a dreuliodd eu bywydau yn cyfoethogi meddwl ac addoliad yr Eglwys Gristnogol, a dau oedd yn cynghori ac yn calonogi yr un pryd wrth fy mhenelin. Fel Esgob Bangor, bu Saunders a Rowan yn rhannu mainc yr esgobion, ac felly, roedd yn adnabod yr Archesgob fel dyn, ac yn gwybod am ei gryfder fel diwinydd. Oni bai am Saunders, Cynthia a Sion Brynach, eu mab, byddai'r deipysgrif wedi'i hanfon i Wasg y Bwthyn gyda chryn dipyn llai o hyder.

Bu fy merch Catrin Haf, yng nghanol ei phrysurdeb, yn craffu ar nifer o'r penodau cynnar, yn cynnig barn a chyngor cyn eu trosglwyddo o un i un i'w chymydog a'i ffrind, Mrs Beti Llewellyn. Beti fu'n gosod y gwaith ar ddisg ac ofnaf iddi orfod ymarfer amynedd mawr tra'n disgwyl am ail hanner y gyfrol. Rwy'n arbennig o ddiolchgar iddi am barhau'n siriol a hynaws yn ôl arfer merched sir Gaerfyrddin.

Er i mi gadw Gwasg y Bwthyn i aros yn hwy na'r disgwyl, ni phallodd amynedd Mrs June Jones, y Rheolwr. Bûm yno droeon a chael croeso cynnes ganddi hi a'i staff. Fel aelod o'r Eglwys yng Nghymru, roedd hi'n amlwg yn awyddus i gyflwyno'r Archesgob i'w gyd-wladwyr. Ac o'r cychwyn cefais y teimlad fod Mr Maldwyn Thomas, a fu'n llywio'r gwaith, yn ymfalchïo bod y wasg yng Nghaernarfon wedi cael y fraint o gyhoeddi cyfrol am un o feddylwyr mawr ein dydd ac yn dal bod yn rhaid wrth lyfr fyddai'n deilwng ohono! A bu yno gydweithio hapus i wireddu breuddwyd teulu'r 'Bwthyn'.

Ar ôl treulio deugain mlynedd yn y weinidogaeth, rwy'n cydnabod nawr, ar ôl gorffen y gwaith, bod y Cyngor Llyfrau wedi gwneud cymwynas â mi trwy fy ngwahodd i 'ymgodymu' â chyflwyno un o'r diwinyddion mwyaf dylanwadol yn y byd heddiw. Ar ôl derbyn gwahoddiad Mr Richard Owen dair blynedd union yn ôl, bûm yn gaeth ddydd ar ôl dydd i'm desg. Ni wnaeth y dasg les i'm corff, ond fe'm cyfoethogwyd yn feddyliol a thawelwyd fy ysbryd. Mae gwybod yn ddisgyblaeth lem ond ni cheir adnabod heb brofi clwyf. Carwn ddiolch yn ddidwyll i Miss Gwerfyl Pierce Jones a'r Cyngor am eu hymddiriedaeth ac am fod yn hirymarhous. Efallai nad oedd yn nhrefn Rhagluniaeth i'r llyfr ymddangos cyn codi pabell yr Eisteddfod Genedlaethol ar gyrion Abertawe, a gweld ar y Maes yr enwocaf o feibion Cwm Tawe yn mwynhau diwylliant ei bobl yn ei gynefin.

RHAGAIR

Flynyddoedd yn ôl rwy'n cofio gofyn i'r Parchedig Ganon A.M. Allchin pam y bu iddo roi cymaint o sylw i Ann Griffiths a chyn lleied i William Williams, Pantycelyn. Mae ei ateb parod wedi aros: 'Mae Williams yn rhy fawr i mi'. Erbyn hyn cododd Cymro arall, â'r un cyfenw, a gwneud cyfraniad digon tebyg ei natur, sef yr Archesgob Rowan Williams. Mae mwy na dwy ganrif yn eu gwahanu, ond yr un yw nod yr Archesgob â'r Pêr Ganiedydd gynt, sef adnewyddu bywyd ysbrydol pobl ei ddydd. Yn ei emynau a'i lyfrau, gweld y grym achubol sydd ym mywyd a chariad Crist mae William Williams, ac mae Rowan Williams yn gwbl argyhoeddedig yn ein dyddiau ni mai hwn yw'r grym a fedr newid dyn a thrawsnewid ein byd gwyrgam a dryslyd. Gobaith y ddau yw gweld grym cariad y crud, y groes a'r bedd gwag yn ennill y dydd. Ac i'r Archesgob, sy'n arwain Anglicaniaid y byd ar ddechrau mileniwm newydd, y grym hwn a all ddileu erchyllterau rhyfel, a'r trais a'r trachwant sy'n parlysu'n bywydau heddiw.

Cymru Gymraeg y ddeunawfed ganrif oedd llwyfan y Pêr Ganiedydd, ond mae geiriau a gweinidogaeth yr Archesgob yn cyrraedd cyrrau'r ddaear. Siarad yn freuddwydiol a chenhadol a wnâi John Wesley, cyfoeswr William Williams, pan dywedodd mai'r byd oedd ei blwyf. Ond mae'r byd yn llythrennol yn esgobaeth i'r Cymro cyntaf a wahoddwyd i Gaer-gaint. Er ei fod yn ŵr gwylaidd a dirodres, fe osododd ei Gymru yn ddiogel ar fap y byd. Yn bersonoliaeth encilgar a'i ddwyster, fel ei hoffter o ddistawrwydd, yn tarddu o'i swildod cynhenid, fe'i daliwyd ym maglau bagad o ofalon. Nid yw'n ddyn i chwennych enwogrwydd, ond mae'i ddygnwch cydwybodol, dyfnder ei ddeall a'i ddoethineb, ac ehangder ei weledigaeth Gristnogol a chrefyddol, yn ei gadw gerbron y cyhoedd ar lwyfan y byd trafferthus.

Ar 17 Chwefror eleni, o fewn ychydig ddyddiau i bedwerydd pen-blwydd ei orseddu yng Nghaer-gaint, fe'i gwahoddwyd i annerch seithfed Cynhadledd Cyngor Eglwysi'r Byd. Thema'r gynhadledd hon yn Porto Alegre ym Mrasil oedd y deisyfiad, 'Duw, yn dy ras trawsnewidia'r byd'. Hon, mi wn, fu gweddi gyson Rowan Williams yn ein byd bregus, ac wrth fabwysiadu'i ddyhead taer, dyma'r eglwys fyd-eang yn cydnabod ei hymddiriedaeth yn y Cymro hwn fel diwinydd ac arweinydd diogel. Fe'i gwelir ar draws y gwledydd fel gŵr diymhongar sy'n aeddfed i dywys cenhedloedd byd i rannu rhoddion Duw a'i dangnefedd ac i gyflwyno, mewn gair a gweithred, addoliad ac esiampl, amodau'r deyrnas y dymunai Iesu ei gweld ar y ddaear.

Cyn i mi glywed am raglen a thema Porto Alegre, bûm yn ystyried rhoi 'Proffwyd y Trawsnewid' yn deitl i'r cyflwyniad hwn i'w feddwl a'i waith. Ni wneuthum hynny, ond yn hytrach dewis dilyn y dylanwadau a'r cyfnewidiadau a fu ym mywyd yr Archesgob. Iddo ef, nid oes dim yn ddigyfnewid, na dyn na'i iaith, wrth iddo geisio Duw. Nid llyffetheiriau yw'r sylfeini diwinyddol a geir yn y Beibl ac yng ngweithiau'r Tadau. Ymddifyrru yn y rhain a dychwelyd atynt yn fynych yw byw'n llawn a newid, tyfu a newid drachefn. Wrth ystyried ac addoli, myfyrio a gweddïo, holi a stilio drosodd a thro, cawn ein gweddnewid oddi mewn a chanfod, o dipyn i beth, y byd sydd y tu allan yn cael ei newid hefyd.

Mae'n bosibl olrhain yr elfen radicalaidd sydd yn ei ddiwinyddiaeth, fel ei ucheleglwysyddiaeth, yn ôl i flynyddoedd ei lencyndod yn Ystumllwynarth a'i dymor yn Ysgol Ramadeg Dinefwr. Mae'r Dr Rowan Williams wedi cyfeirio droeon at y dröedigaeth honno dan weinidogaeth y Parchedig

Ganon James Edmund Crowden Hughes yn eglwys hynafol Yr Holl Saint. Daw ei radicaliaeth wleidyddol i'r wyneb yng nghylchgronau Ysgol Dinefwr, ac mae fy nyled yn fawr i'r Parchedig John Walters, ficer Pontarddulais, am dynnu fy sylw at ysgrifau ei gyfaill Rowan yn y cyfnod cyn iddo ymadael am Gaer-grawnt. Yn yr ysgrifau hyn gwelir ei radicaliaeth a'i Gymreictod yn egino, a cheir yma esboniad ar y modd y llwyddodd i briodi'i geidwadaeth a'i ryddfrydiaeth a'u cadw ynghyd i fod at ei wasanaeth fel meddyliwr arloesol. Yn ystod ei flynyddoedd olaf yn yr ysgol mae'n medru dygymod yn rhyfeddol â'r tyndra creadigol hwn. Yn ddiweddarach yn ei fywyd, bydd yn ei feithrin yn egni ymenyddol, yn rym i gwmpasu'n rhyfeddol y byd diwylliannol, ac i ddarparu'n ddiwinyddol ar gyfer y mileniwm newydd, a'r oes ôl-fodern.

Yn y cyswllt hwn y mae deall sylwadau'r Parchedig Athro A.M. Allchin yn *Cristion* (Rhifyn 115) ar achlysur gollwng Archesgob Cymru i Gaer-gaint:

Diwinydd o'r radd flaenaf yw Archesgob newydd Caer-gaint, sy'n dilyn ei drywydd ei hun ym mhob mater, gan olrhain pob cwestiwn yn ôl i'w fan cychwyn eithaf. Oherwydd hyn, ni roddodd ateb ystrydebol i ddim byd erioed, a dyma pam mae ei atebion yn aml mor wreiddiol ac annisgwyl. Gan ei fod wedi ymwreiddio mor ddwfn mewn gweddi a myfyrdod ac yn nhraddodiad hanesyddol y ffydd, mae'n rhydd i ddelio o'r newydd â chwestiynau dadleuol ynghylch materion megis rhywioldeb, trefn eglwysig, neu'r problemau aneirif sy'n tarddu o arbrofi gwyddonol a thechnolegol. Daw'r rhyddid hwn o natur uniongred ei ffydd, o'i ddealltwriaeth helaeth o ystyr gwirioneddau canolog megis y Drindod a Pherson Crist. Mae'n ddyn sy'n hynod gyfarwydd â chyfoeth yr Ysgrythurau. Nid gwirioneddau i'w credu a'u hamddiffyn mo bannau canolog y Ffydd, ond yn hytrach

15

dyma'r gwirioneddau sy'n ein hamgylchynu ac yn ein hamddiffyn ni.

Yn yr un rhifyn o *Cristion*, mae'r Athro Densil Morgan wedi cyfieithu rhai geiriau o araith yr Archesgob yn Lambeth ym mis Gorffennaf 2002, ac yntau newydd gael ei ddewis i ddilyn y Dr George Carey. Dyma'r geiriau cofiadwy sy'n gofnod o'i freuddwyd ar y pryd:

> Un peth yr wyf yn hiraethu amdano yn fwy na dim arall, fydd gweld, yn y blynyddoedd nesaf, Cristnogaeth yn gafael o'r newydd yn nychymyg ein diwylliant, a thynnu egnïon ein meddwl a'n teimladau, er mwyn i ni archwilio o'r newydd y gwirioneddau sy'n oblygedig yn ein ffydd.

Blynyddoedd digon anodd fu dechrau'r mileniwm newydd, ac ni chafodd yr Archesgob y rhwyddineb a haeddai ym mhalas Lambeth. Ac yntau'n hoff iawn o ddramâu Shakespeare ers dyddiau ysgol, rhaid ei fod wedi dyfynnu iddo'i hun droeon eiriau'r tywysog Hamlet wrth ei gyfaill Horatio:

> The time is out of joint, O cursed spite,
> That ever I was born to set it right!

Cyfieithwyd *Hamlet* i'r Gymraeg gan y diweddar J.T. Jones, Porthmadog, a dyma'i gyfieithiad o'r cwpled hwn:

> Mae'r oes oddi ar ei hechel, gwae fyfi
> Fy ngeni 'rioed i geisio'i hadfer hi.

Ni chiliodd hiraeth y diwinydd a godwyd yng Nghwm Tawe am adfer y byd a'i osod yn ôl ar ei echel. Chwarter canrif cyn ei eni, roedd yma fardd arall o'r un Cwm, Crwys Williams, wedi ymgodymu â'r un broblem mewn darn i'w adrodd a fu'n boblogaidd iawn mewn eisteddfodau, sef 'Rhoi'r Byd yn ei Le' (*Cerddi Newydd Crwys*).

I oedfa'r hwyr daeth y gweinidog â map o'r byd a fu ar fur

ei stydi, ond wedi'i ddarnio'n jig-so â'i gyllell boced. Gosododd dasg anodd i blant y festri, gan obeithio y câi dawelwch i bregethu tra byddent hwy yn rhoi'r byd ynghyd! Ond, roedd y darlun yn gyfanwaith ynghynt na'r disgwyl! Sylwodd y plant fod darnau o gorff 'dyn o faint aruthrol' yn y gymysgfa:

A chyn pen fawr o amser fe gaed y dyn i'w le
A'r map yr ochr arall, y map wrth gwrs o dde.

Cyflwynwyd y broblem yn syml gan y cyn-Archdderwydd, ond mae ystyried dyn, a luniwyd ar ddelw Duw ac a osodwyd yn y byd i gyd-fyw â'i gyd-ddyn, yn fater astrus iawn i'r Archesgob. Dyfarniad un beirniad llenyddol ar ôl darllen *Hamlet* oedd: 'Ni elli roi *Hamlet* yn dy waled'. Mae ynddi ormod o ymofyn ingol.

Bydd yn rhaid i'r sawl sydd am ddilyn trywydd y diwinydd hwn a gododd yn ein plith dderbyn mai amhosibl hefyd yw rhoi Rowan mewn ysgrepan! Bu'n rhaid imi egluro i'r rhai a fu'n holi pa bryd y byddai'r llyfr hwn yn ymddangos, pa mor anodd fu rhychwantu cyfraniad gŵr mor alluog, un sydd wedi mynnu byw 'yng nghanol pethau'. Mae'n anodd i'r sawl sy'n anghyfarwydd â'i waith sylweddoli pa mor enfawr yw mewnbwn yr Archesgob. Roeddwn wedi darllen ei lyfrau defosiynol cyn ymddeol, a phrynu nifer o'i gyfrolau trymion, ond anodd fu ymgyfarwyddo â llifeiriant geiriau awdur mor athrylithgar.

Does ond gobeithio'n awr y caiff y darllenwyr disgwylgar brofi'r awelon gwanwynol a ddaeth i'm hadnewyddu innau o dro i dro wrth i mi ymdrechu i gyfleu ar bapur 'feddylie' Cymro mwyaf ein dydd. Fel y dywedodd un a ddaeth i gyfarfod a drefnwyd gan y diweddar Barchedig Alma Roberts, yr heddychwraig frwd, ym Mhen-y-groes, Sir Gâr: 'Ymfalchïwn fel Cymry! Mae gennym yr anthem genedlaethol orau, y faner orau, a Rowan Williams'. Yn genedl fechan, gallwn ymffrostio i ni roi benthyg ei lais cyfoethog i'r byd. Diwrnod bythgofiadwy oedd hwnnw inni'r Cymry pan gyflwynodd Mr Huw Edwards yn gynnes a choeth ein Harchesgob ni i Anglicaniaid y byd. Ar 27 Chwefror 2003, ar drothwy gŵyl ein nawddsant, Dewi, goleuwyd y gerddi o gwmpas Cadeirlan Caer-gaint, dawnsiodd y cennin pedr ar y lawntiau a chodwyd calonnau cenedl gan awel wanwynol iach. Wedi canrifoedd o offrymu aberthau mawl a chodi yn ein tir saint a diwygwyr, emynwyr a phregethwyr, beirdd a cherddorion, agorwyd y pyrth i ŵr gwylaidd o Gymro, a seiniwyd nodau cyfarwydd i ni ar y delyn ac ambell air yn iaith hynaf yr ynysoedd hyn. Nid yw'n rhyfedd bod Prif Weinidog ein Cynulliad wedi datgan, adeg ymadawiad yr Archesgob â Chymru: 'Rowan Williams is a man in a million and people of his calibre come along only every 200–300 years'.

Yn fuan wedyn, ar ddiwrnod heulog digon tebyg, daeth cyfle i ymweld ag Ynys Enlli am y tro cyntaf, a theimlo yno yr un awelon. Roedd yn rhaid mynd i mewn i'r unig addoldy sydd ar yr ynys. Capel y Methodistiaid Calfinaidd ydoedd gynt, gyda'r pulpud yn ganolog ac yn wynebu'r drws. Daeth llawer yno mewn hindda a drycin i wrando pregeth. Ond nawr fe wisgwyd y bwrdd cymun o dan y pulpud â lliain allor gwyn traddodiadol eglwys y plwyf, ac fe'i haddurnwyd â chanwyllbrennau pres. Ar ganllawiau'r pulpud, ac ar gefn y sêt fawr, roedd gwisgoedd offeiriad Eglwys Rufain a fu'n cynnal yr offeren yno. Ar y mur y tu cefn i'r pulpud, lle y disgwylid gweld rhif yr emynau, roedd eicon, ac eicon arall yn y sêt fawr, yn pwyso ar gadair lle bu traed blinedig pererin o flaenor yn y dyddiau gynt. Yma, lle machluda'r haul, roedd olion fod Eglwys Uniongred y Dwyrain yn tystio ac yn dathlu yn achlysurol.

Euthum allan yn meddwl am Rowan, gan gofio'i bererindod ysbrydol, ei ecwmeniaeth a'i obaith a'i weddi ef am 'wawr wen olau' ac am fyd gwell. Yma daeth ei stori yn fyw i mi. Pam ei nwyd i bregethu? Sut y bu iddo droi at yr allor? Pam na allodd fynd bob cam i Rufain? Neu pam nad aeth i blith eiconau Eglwys Uniongred y Dwyrain, yr eglwys a adawodd ei hôl ar ei ddysg, ei broffes a'i ddiwyg? Gobeithio y cewch chi rai atebion i'r cwestiynau hyn yng nghorff y llyfr hwn.

Mai 2006   CYNWIL WILLIAMS

"Duw, tyrd â'th saint o dan y ne',
O eitha'r dwyrain pell i'r de,
I fod yn dlawd, i fod yn un,
Yn ddedwydd ynot Ti dy Hun."

*Gweddi y Pêrganiedydd pan fu rhwyg ymhlith arweinwyr y
Methodistiaid cynnar*

PENNOD 1

OCHR DRAW'R MYNYDD

Dwy ganrif yn ôl, byddai llawer o dyddynwyr a bugeiliaid mynydd-dir gogledd Sir Gaerfyrddin yn croesi'r Mynydd Du i Gwm Tawe, cwm sy'n cynnwys darn bychan o Frycheiniog a chornel boblog o orllewin Morgannwg. Y dyddiau hynny, roedd tlodi yn y 'mynydde', ac oni bai am gynnyrch cynnil y ffermydd uchel, byddai'n newyn ac yn gyni enbyd ar denantiaid y mân deios oedd yn lloches i deuluoedd niferus. Daeth bwlch y mynydd yn ddrws gobaith i gannoedd y dyddiau hynny, gan ei fod yn arwain at y 'gweithfeydd' ar lawr y cymoedd ac, o dipyn i beth, yn gyfle i fwynhau gwell amodau byw, a'r sylltau ychwanegol i felysu bywyd. Nid oedd y cyflogau'n fawr, ond yn atynfa ddigonol i bobl y tir uchel a fu'n ceisio crafu bywoliaeth o bridd bas y fro rhwng Trecastell a chastell Carreg Cennen, rhwng yr Epynt a Bannau Brycheiniog.

Ymhlith y rhai a gerddodd i Gwm Tawe heibio i Lyn y Fan Fach rhamantus, sy'n llawn o gyfrinachau cudd i Gymro, roedd gŵr ifanc o Landdeusant, Morgan Morgan. Gwyddai na ddeuai trysorau'r byd hwn iddo ef a'i gyfoeswyr o'r llyn, na chyfoeth y cyffiniau moel i lonni'i ddyfodol ef a'i genhedlaeth. Ond, roedd ganddo ef, fel y crwt o fugail hwnnw fu'n oedi ar lan y llyn, ei freuddwydion. Ar y daith unig o ryw wyth milltir, deuai ton ar ôl ton o gynnwrf i'w galon, digon i gynnal ei

21

ysbryd o drum i drum. Tu hwnt i'r bryniau 'tywyll niwlog' roedd glo, haearn a chalch i'w cloddio, ac nid oedd arno ofn gwaith. Ni chododd yr un forwyn o ddŵr oer y llyn i geisio ganddo, na rhoi iddo, grystyn o fara. Ond, efallai y byddai yna lodes landeg yng Nghwm Tawe, parotach na mam meddygon Myddfai, i gynnig iddo'i llaw heb amodau llym honno, a chartref, teulu a'i gysuron ochr draw'r mynydd. 'Ochr draw'r mynydd' oedd ymadrodd pobl plwyf Llanddeusant am y wlad lle y datgelwyd miraglau'r mwynau hynny, y glo a'r haearn, a fyddai'n troi'r Cwm yn goelcerth o ddiwydiant.

Ac ni ddaeth i feddwl Morgan Morgan wrth iddo droi ei gefn ar y sir lle bu Peulin Sant yn cynnal ei ysgol, ac yn rhoi gwersi i Dewi, nawddsant y Cymry, mai mab merch i ferch ei fab fyddai'r Cymro cyntaf i eistedd yng nghadair Awstin, sefydlydd esgobaeth Caer-gaint.

CWMGÏEDD A'I GYMWYNASAU

Fel llawer o ffermwyr bach Llanddeusant, ar ôl cefnu ar y copaon prin eu porfa, dilynodd Morgan Morgan afon Gïedd drwy'r ceunant oedd yn borth i fro'r diwydiannau newydd. Adwaenid Cwmgïedd fel 'Cwm yr Arglwydd' y dyddiau hynny. Nid oedd yno na thafarn na'r un dihiryn! Bu ffilmio drama y diweddar Dafydd Rowlands, *Licyris Olsorts*, ym mhentref Cwmgïedd yn sioc i hen drigolion y tai bychain a oedd yn cael eu hamgylchynu mor dlws gan dorchau o flodau amryliw. A siom enbyd i ddirwestwyr y pentref cwbl Fethodistaidd hwn, oedd gweld meddwon ar ambell ddarn o balmant gydag ymyl y ffordd gul sy'n didoli'r bythynnod bach a'u borderi llawn. I'r rhai a ddaeth i lawr o'r 'mynydde' roedd diddosrwydd a glendid, duwioldeb a diwylliant yng Nghwmgïedd. Roedd distryw mor bell o Gwmgïedd â thlodi'r hen ffermdy mynyddig. Y pryd hwnnw, roedd y ddaear ddu mor ddiogel â phridd coch y tir uchel. Ond tybed ai dweud a

Fe'ch gwahoddir i lansiad

TALIESIN

128: Rhifyn yr Haf 2006

yn **Y Lle Celf** ar

Faes Eisteddfod Genedlaethol Abertawe a'r Cyffiniau
ar ddydd Gwener 11 Awst 2006 am 2.00pm.

yng nghwmni'r golygyddion,

Christine James a Manon Rhys, a rhai o'r cyfranwyr
**Ann Dafis Keane, Annes Glynn, Dylan Iorwerth,
Sian Owen a Cennard Davies.**

Am fwy o fanylion, cysylltwch â'r Ac\dademi ar 029 2047 2266
taliesin@academi.org   **www.academi.org/taliesin**

wnâi Dafydd Rowlands, y Prifardd o Bontardawe, na allai 'Cwm yr Arglwydd' osgoi'r newid a ddaeth yn sgil y chwyldro diwydiannol? Pan drodd Cymry'r De eu llygaid oddi wrth yr hyn sydd uchod at yr hyn sydd isod, cyfnewid yr iachawdwriaeth am brynwriaeth, a sancteiddrwydd am secwlariaeth, aeth pechod a meddwdod, rhegi a rhyfyg i dagu blodau paradwys a pharlwr y rhai a alwodd Abiah Roderick o Gwm Tawe, 'yr hen bobol'. Down i weld, yn y man, bod un o ddisgynyddion Morgan Morgan, y Cymro sydd bellach yn Archesgob Caer-gaint ac yn arweinydd i saith deg miliwn o Anglicaniaid, yn galarnadu yn yr un modd mewn erthygl a darlith bod y gymuned yn edwino, a'r hen gymdeithas yn colli'i gwerthoedd.

Priododd Morgan Morgan, hen hen dad-cu Rowan Williams, un o ferched Bryn-y-groes, Bryn-y-gro's i bobl y cylch, sef Elizabeth Griffiths. Yn ôl Thomas Levi, a godwyd yn y fro, roedd y Methodistiaid yn cwrdd i wrando pregethau ar yr aelwyd hon cyn iddynt adeiladu Capel Yorath ym 1804. Tua'r adeg y lladdwyd Morgan Morgan yn y gwaith glo, a'i gladdu ym mynwent Yorath ym mis Tachwedd 1856, roedd y capel wedi'i helaethu a'i adnewyddu am yr ail waith. Roedd Elizabeth Griffiths yn un o deulu mawr, ac yn fam i bymtheg o blant, fel ei chwaer Mary. Esgorodd Ann, eu chwaer arall, ar un ar bymtheg, gan ddwyn cyfanswm plant y merched yn unig i chwech a deugain. Dyddiau'r teuluoedd mawr oedd y rhain, cyfnod y capeli llewyrchus, y pregethu grymus a'r canu corawl a chynulleidfaol hwyliog.

Y WYTHÏEN FAWR

Nid rhyfedd bod pobl Ystradgynlais a'r fro yn sôn am deulu lluosog Bryn-y-gro's a'i ddisgynyddion dawnus fel y 'wythïen fawr'. Dyma 'wythïen' a gafodd barch gan y gymdogaeth gyfan.

Bellach, mae'r wythïen hon, a'r holl ganghennau a dyfodd ohoni, wedi ymestyn i bellterau byd. Mae plant, wyrion, gorwyrion a phlant i'r rheiny wedi gadael eu hôl yma yng Nghymru ac ymhell o Ystradgynlais. Wrth ddisgyn o fryniau Sir Gâr i ddyffryn Tawe, a phriodi un o ferched Bryn-y-gro's, cychwynnodd Morgan Morgan a'i briod gadwyn o ddisgynyddion a wnaeth gyfraniad go nodedig i fywyd Cymru a'r byd. Bûm yn ceisio, gyda chymorth rhai aelodau o'r teulu a phobl o dop Cwm Tawe a gogledd Sir Gâr, ail-lunio'r gadwyn er mwyn gosod yr Archesgob Rowan Williams yn ei gefndir. Ond mae mwy o ddryswch ynglŷn â hyn nag a allai fod ym marf y gŵr parchedig ar ddiwrnod garw a gwyntog!

Daeth peth goleuni ar dwf a chyfraniad y teulu mewn ysgrif a ymddangosodd rai blynyddoedd yn ôl yn y *South Wales Evening Post*. Lluniwyd yr ysgrif yn yr iaith fain gan John H. Morgan o dan y pennawd, 'Meibion Nodedig Un o Deuluoedd y Cwm'. Teulu'r Morganiaid oedd y teulu hwn, ac un o'u plith, David Richards, hanesydd lleol, a roddodd y wybodaeth i awdur yr ysgrif. Mae'n agor trwy sôn am y tair chwaer ffrwythlon, ac yn nodi bod Eleanor, merch Ann, sef chwaer-yng-nghyfraith Morgan Morgan, wedi priodi Daniel Protheroe, a byw mewn tŷ yn 'Y Rhestr Fawr' yn agos at gamlas ar y ffordd i Gwmgïedd. Yma y ganwyd y Dr Daniel Protheroe eu mab, y cerddor enwog a ymfudodd i'r Unol Daleithiau, ac a adawodd ar ei ôl nifer o donau fydd yn parhau'n boblogaidd tra cenir emynau. Dr Daniel Protheroe oedd yr enwocaf ymhlith nifer o gerddorion y teulu, pobl a roddodd wasanaeth di-dor yng nghapeli'r fro. Codwr canu'r Tabernacl, y capel lle bedyddiwyd Rowan Williams, oedd Edgar Evans, a'i frawd Dannie Morgan oedd organydd y capel. Codwyd y Tabernacl i roi cartref ysbrydol i orlifiad cynulleidfa capel Yorath. Aelodau o'r un teulu oedd Elfed Morgan, Trefnydd Cerdd Sir Gaerfyrddin, Emlyn Morgan, arweinydd Côr Meibion Ystradgynlais, a Meirwyn Thomas, arweinydd Côr Meibion y Gyrlais, enw gwreiddiol yr afon sydd yn enw'r pentref.

Nid yw'n rhyfedd, felly, bod yr Archesgob yn gwbl gartrefol yn y byd cerddorol. Daeth hyn i'r amlwg pan wahoddwyd ef i sôn am ei fywyd a'i ddiddordebau ar raglen boblogaidd Sue Lawley, *Desert Island Discs*. Dewisodd rai darnau clasurol, caneuon allan o operâu a gweithiau crefyddol, miwsig a glywodd ei deulu yn y cyngherddau mawreddog a drefnai Adelina Patti yn y neuadd opera fechan yng Nghraig-y-nos. Ond nid yw byd y caneuon poblogaidd yn ddieithr i un a fagwyd arnynt yn y chwe degau. Dewisodd 'Gân y Draenog' o albwm yr *Incredible String Band*, ac mae wedi dyfynnu ambell frawddeg o'r caneuon hyn, a rhai tebyg, yn ei bregethau. Ac yntau ar fin cychwyn i Balas Lambeth – nid i ynys bellennig Sue Lawley – dewisodd 'Calon Lân' i atgoffa'r gwrandawyr o draddodiad cerddorol y wythïen fawr. Eglurodd iddi hi fel y bu'n rhaid iddo egluro i'w ddarpar wraig, Jane, flynyddoedd ynghynt, ei fod wedi arfer eistedd gyda ffrindiau wrth y piano, a chanu emynau yn ôl arfer y Cymry.

CWMGÏEDD A CHWM NEDD

Yng Nghwmgïedd a'r fro roedd traddodiad llenyddol cryf, a rhai o hynafiaid yr Archesgob wedi cynnal y traddodiad. Yno hefyd, ym mhentref Pen-rhos y ganwyd Thomas Levi yn un o saith o blant a'i fagu mewn tlodi mawr. Cerddai ei fam gyda'i mab yn ei llaw i Ysgol Sul Capel Yorath, ac yno y gwreiddiwyd Thomas Levi, cymwynaswr plant Cymru, golygydd *Trysorfa'r Plant* am hanner canrif, yn y ffydd Gristnogol ac yn llenyddiaeth ei famwlad. Cyhoeddwyd nifer o'i ysgrifau sy'n sôn am Gwm Tawe yn *Y Traethodydd* yn chwe degau'r bedwaradd ganrif ar bymtheg. Gwelodd y llenor hwn, un a fu'n weinidog am dymor yn y cylch, yr angen am roi lle amlwg i blant a phobl ieuainc yn yr eglwys, a darpariaeth o ddeunydd diddorol i'w meddyliau effro. Ac wrth feddwl am yr hen wron gweithgar, mae'r darlun hwnnw a welwyd ar y teledu o Rowan, Archesgob Cymru ar y pryd, yn agor ei glogyn a rhoi cysgod i ddyrnaid o blant o dan ei wisg glerigol yn mynnu loetran yng nghamera'r meddwl. Mae'r arwyddlun hwnnw o blant fel cywion o dan adenydd ffrind yn cyfleu pwyslais y 'Lefiad' o Ben-rhos a'r offeiriad o Gwmgïedd!

Mae ffenestr liw yng nghapel Yorath i goffáu'r Parchedig William Leyshon Griffiths (Gwilym ap Lleision), un o deulu Bryn-y-gro's a gweinidog diwyd capel y teulu. Fe'i disgrifir yn y ffenestr fel 'gweinidog ffyddlon, cynghorwr doeth, cyfaill cywir, athraw medrus yn y cynganeddion'. Casglodd a golygu *Cerddi'r Mynydd Du* a gyhoeddwyd ym 1913 ac a gyflwynwyd 'i Griffith Davies, Seattle, Washingon, America . . . a thrwyddo ef i'r holl frodorion ar wasgar'. Dywedir am Griffith Davies: 'Hoffai wybod meddwl dyn / Meddwl Duw yn fwy na'r un'. Dyma'r bywyd delfrydol i'r bardd-bregethwr, Gwilym ap Lleision o fferm Bryn-y-gro's. Dyma hefyd ddelfryd abad olaf abaty Mynachlog Nedd, gŵr o'r enw Lleision Tomas, un o deulu ei hynafiaid. Canodd Lewys Morgannwg awdl i'r hen fynachlog. Saif ei hadfeilion heddiw ryw wyth milltir o Ystradgynlais. Canmolir croeso'r abad a'r bwydydd oedd ar fwrdd y fynachlog ysblennydd. Ac roedd y fwydlen addysg a gaed yno lawn cystal:

> Unifersi Nedd, llyna fawrson – Lloegr,
> Llugorn Ffrainc a'r Werddon,
> Ysgol hygyrch ysgolheigion
> I bob siens be bai Seion,
> Ac organau i'r Gwyr Gwynion
> A mawr foliant ymrafaelion,
> Ar 'thematig, musig, grymyson, – soffistr,
> Rhetrig, sif'l a chanon.

Os diogelwyd enw'r hen abad gan y Parchedig William Griffiths (ap Lleision), cadwodd Archesgob presennol Caergaint y traddodiad academaidd gwiw a ddiogelwyd gan abad olaf Abaty Nedd. Ac yn yr un modd, llafuriodd y barddbregethwr Gwilym ap Lleision i roi addysg i oedolion yng Nghwm Tawe, a chynnal ysgol farddol yn y cylch. Dros y canrifoedd, o'r Oesoedd Canol hyd heddiw, dyma dri aelod o'r teulu yn cynnal cred a diwylliant gorau Cymru.

UN O LINACH Y SEIADWYR CYNNAR

Yn ffodus i mi, cychwynnodd Leonid Morgan, gŵr o gylch Ystradgynlais, a pheiriannydd o ran ei alwedigaeth, ar y dasg o greu ei 'dderwen deuluol' flynyddoedd yn ôl, a dal ati i olrhain achau teuluoedd rhan uchaf Cwm Tawe. Gwnaeth gymwynas fawr â'r rhai sy'n twrio am eu gwreiddiau. Yn un o ystafelloedd cartref Leonid ac Eleri Morgan mae clwstwr o enwau ac, ar ei ddesg, mae cyfrolau trwchus yn cynnwys genedigaethau, bedyddiadau, priodasau a chladdedigaethau'r fro. Petai rhywun ym mhob ardal yn efelychu camp Leonid Morgan, byddai llafur a lludded haneswyr y dyfodol dipyn yn llai! Mae'r manylion a gasglodd ar gael yn Abertawe ac yng Nghaerdydd. Rhaid ei fod wedi troi tudalennau'r cofrestri a luniwyd o gyrion Aber-craf, lle'i magwyd, mor bell ag aber y Twrch, sy'n llifo i'r Tawe ger y Gurnos. Yno y gwelodd Rowan Douglas Williams olau dydd ym Melbourne House, tŷ yn agos at sgwâr y pentref. Ar aelwyd ei fam-gu, oedd yn briod â chigydd, y treuliodd rhieni Rowan, Delphine ac Aneurin Williams, flynyddoedd cyntaf eu bywyd priodasol (o 1948 i 1953), cyn iddynt symud i Gaerdydd pan oedd Rowan yn deirblwydd oed. Collodd ei fam-gu, Annie Morris, ei phriod yn nechrau 1949, yn fuan wedi i Delphine briodi a symud i fyw at ei mam. Bu modryb Polly, chwaer Annie Morris, hefyd yn gwmni ac yn gefn i'r teulu bach. Rhaid bod y baban, a gafodd dipyn o afiechyd yn ei ddyddiau cynnar, wedi cael ei siâr o'i fagu a'i anwylo ar dair arffed!

Un o wyresau Morgan Morgan ac Elizabeth oedd Annie Morris, mam-gu Rowan Williams. Ei thad oedd William, a gafodd ei eni ym 1845, ryw naw mlynedd cyn i'w dad, Morgan Morgan, gael ei ladd mewn pwll glo yng nghyffiniau'r 'Ystrad'. Merch i Rees Jones o bentref Cil-y-cwm oedd priod William Morgan. Dychwelodd William yn null patriarchiaid yr Hen Destament i wlad ei dadau, i fro'r tadau Methodistaidd, i gael gwraig. Yng Nghil-y-cwm yr adeiladodd y Methodistiaid eu capel cyntaf, sef y Tŷ Newydd, ar y ffordd rhwng y pentref a 'Dugoedydd', y ffermdy lle cynhaliwyd y Sasiwn gyntaf ar 7 Ionawr 1742. Mynychai teulu Pantycelyn y Tŷ Newydd, ac roedd yno Seiat gref, a'r Pêr Ganiedydd, wrth gwrs, yn arwain yno. Byddai ef, Howell Harris, Daniel Rowland ac eraill yn cyfarfod yn aml yn Llanddeusant. Ar un achlysur, a hwythau'n cyfarfod yn un o ffermydd yr ardal, crybwyllodd Harris fod angen emynydd arnynt, ac y dylai'r tri roi cynnig ar lunio pennill neu ddau. Bore trannoeth, wedi i Harris bwyso a mesur cynnyrch eu hawen, cyhoeddodd 'Wil piau'r canu'. Ac felly y bu!

Mae gan y Parchedig John Walters, ficer Pontarddulais a chyfaill oes i Rowan, atgof ei fod wedi crybwyll wrtho un tro bod cyndeidiau teulu'i fam yn honni eu bod yn ddisgynyddion i'r Pêr Ganiedydd. Ar ôl olrhain yr achau, a gweld Llanddeusant a Chil-y-cwm yn amlwg yn y dderwen deuluol, a gwybod bod llawer o ddisgynyddion 'Pantycelyn' yn yr ardaloedd hyn, mae'n debygol fod gwirionedd yn y traddodiad a ddaeth i glyw'r crwtyn o'r Gurnos. Ac mae deallusrwydd Rowan Williams, ei awen, ei ddychymyg creadigol, a dilysrwydd ei fywyd ysbrydol yn grymuso'r gred a goleddai'r bachgen ysgol a'i awydd i lunio ambell gerdd hyd y dydd hwn.

Bu teulu Morgan Morgan, fel teulu Bryn-y-gro's, yn

gefnogol i'r achos byw yn Yorath, Cwmgïedd. Roedd y capel dan ei sang, a llawer o'r aelodau oedd yn byw yn Ystradgynlais o'r farn y dylid adeiladu capel yn nes at eu cartrefi. Yn ôl Mr David James, a fu ar staff Coleg Prifysgol Cymru, Aberystwyth, roedd llawer o bobl Myddfai a Llanddeusant yn dilyn y Gïedd i Gwm Tawe, ond fel un o ddisgynyddion Ann o Bantycelyn a oedd yn byw yn Llwyn-y-brain, Llanddeusant, tybio y mae ef mai yng ngwythiennau Rees Jones o Gilycwm y cludwyd gwaed y Pêrganiedydd i Ystradgynlais.

Yn sicr, byddai Diwygiad 1859 wedi gorlenwi'r capeli, ac yng 'Nghwm yr Arglwydd' fel yng Nghwm Tawe ar ei hyd, roedd gweithgarwch crefyddol a diwylliannol mawr yng nghanolfannau'r holl enwadau. Dyma ddyddiau codi'r addoldai sy'n cael eu dymchwel neu eu gwerthu heddiw gan ddyrneidiau yma a thraw sy'n brithgofio disgynyddion y mewnfudwyr a 'dychweledigion' Evan Roberts ganrif yn ôl.

Adeiladwyd y Tabernacl yn bur agos at gartref William ac Elizabeth Morgan, a oedd yn byw rhwng 1881 a 1901 yn Ffordd Smithfield y tu cefn i'r capel newydd. Fe'i hagorwyd ym mis Gorffennaf 1891, ac ym mis Tachwedd dewiswyd Samuel Morgan, Glancamlas, yn drysorydd. Yr oedd Samuel yn fab i Morgan Morgan, yn frawd i William, ac yn ewythr i Annie Morris, mam-gu Rowan. Daeth 140 o'r fam eglwys, Yorath Cwmgïedd, yn aelodau yn y capel newydd a chyndadau Archesgob Caer-gaint yn eu plith.

Llyfrwerthwr oedd William Morgan, a'i siop yng nghanol Ystradgynlais ar y ffordd sy'n arwain o'r sgwâr i gyfeiriad Ystalyfera ac Abertawe. Cyfeiriai pobl y dref at deulu'r llyfrwerthwr fel 'teulu'r book'. 'Annie book' oedd mam-gu Rowan ac fel 'Lem book', 'Sam book' a 'Morgan book' y mae hen aelodau'r Tabernacl yn dal i sôn am y bechgyn. Ac mae'r ffaith fod Rowan yn ddyn llyfrau, ac yn eu llyncu'n llawen o'i blentyndod hyd heddiw, yn eironi gwirioneddol! Fel un â'i drwyn mewn llyfr beunydd beunos y'i cofir gan ei ffrindiau ysgol a'i gyd-fyfyrwyr yng Nghaer-grawnt a Rhydychen. Pan ofynnwyd iddo'n ddiweddar sut y medrai lwyddo i ddarllen y llwythi llyfrau a ddaw o'r wasg yng nghanol ei fagad gofalon, atebodd, 'Mewn awyren, trên a modur'. Nid yw'n gyrru'r un cerbyd ei hun, ac felly, tra mae'n cael ei yrru o gwmpas ei gyhoeddiadau, mae'n suddo i'w sedd gyda'i gyfrolau – yn fwy na bodlon ei fyd.

Roedd dynion busnes yn nheulu'r llyfrwerthwr, ac felly, yr oeddent mewn sefyllfa ariannol ffafriol i roi cefnogaeth i'r antur o godi'r Tabernacl. Roedd Samuel Morgan, 'Cwmcamlas', a gafodd ei eni ym 1848, dair blynedd ar ôl William Morgan, yn arbenigwr ar goed. Ar ôl iddo adael y pwll glo yn bur ifanc bu'n prynu coedwigoedd a phlannu coed ar gyfer eu torri a'u gwerthu maes o law. Yn ôl rhai o aelodau'r teulu, roedd Samuel yn gweithio yn yr un cornel â'i dad, Morgan Morgan, pan gafodd ei ladd yn y lofa ym 1856. Fe ddywedir nad oedd neb tebyg iddo am adnabod pren ac, o dipyn i beth, daeth i wybod sut i droi ei fforestydd yn ffortiwn. Wrth ei wahodd i fod yn drysorydd Pwyllgor Adeiladu'r capel newydd, roedd aelodau'r pwyllgor yn gweld ymhell.

Ym Mai 1920, rhyw bum mlynedd ar ôl ei farw, cyflwynodd y Tabernacl anerchiad addurnedig i Jennet, gweddw Samuel, yn arwydd o werthfawrogiad yr eglwys o wasanaeth y ddau i'r capel 'a'n diolchgarwch mwyaf cynnes am eich ffyddlondeb cyson i'r achos, ac am y caredigrwydd haelionus ddangoswyd gennych ar hyd y blynyddoedd i'r Eglwys, yn ogystal ag i aelodau unigol yn ein plith . . . eich annwyl briod ydoedd un o brif symbylwyr y mudiad i adeiladu'r capel, ac efe oedd trysorydd y Drysorfa Adeiladu. Ar ôl hynny bu'n drysorydd ffyddlon a charedig i'r Eglwys o'i chychwyniad yn 1891 hyd y dydd y symudwyd ef gan angau oddi wrth ei waith at ei wobr, yn Hydref 1915'. Ar ôl ei farw, rhoddwyd cyfrifoldebau trysorydd y Tabernacl i Jennet Morgan, ei weddw.

Ac mae mwy o glod i'r ddau ac i'r teulu hwn yn yr anerchiad: 'Dangosasoch chwi a'ch annwyl briod, ynghyd â'ch plant ar hyd y blynyddau, haelioni mawr at yr achos, y lletygarwch mwyaf caredig i weinidogion yr Efengyl, a chymwynasgarwch parod i'ch cyd-aelodau.' Pren praff, aml-ganghennog oedd teulu Bryn-y-gro's erbyn hyn. Yr oedd gwreiddiau'r teulu yn ddwfn yn y cwm, yn cynnal cymdeithas fyw a Chymreig, crefyddol a diwylliedig.

Un o blant William Morgan oedd Morgan Rees Morgan, perchennog Adeiladau'r Banc gerllaw, a gŵr dylanwadol arall yn nhop Cwm Tawe. Hyd y dydd heddiw, mae'r Tabernacl, Ysbyty Craig-y-nos ac Ysbyty Singleton yn derbyn traean yr un o'r rhent a delir am yr adeiladau hyn gan y tenantiaid. Roedd gofal teulu'r Morganiaid a'u cyfraniad i addoliad a chaniadaeth yn y cwm yn ddihareb, ac yn ddiflino.

Mae'n sicr na freuddwydiodd y Morgan Morgan hwnnw o Landdeusant y byddai un wyres iddo yn cael ei henwi ar ôl cantores opera, Adelina Patti, ac wyres arall, merch Samuel Morgan, yn forwyn briodas i'r Babyddes oedd yn byw ym mhlasty Craig-y-nos! Yn ail hanner y bedwaredd ganrif ar bymtheg, roedd y Morganiaid yn troi ymysg y bonedd a meistri newydd y byd diwydiannol. Ar ôl ymgyfoethogi roedd Samuel, a'i ddau nai, Morgan Rhys a Lemuel, yn troi gyda'r mawrion.

Amaethwr y teulu oedd Lemuel Morgan, sef brawd Annie Morris, mam-gu Rowan. Roedd graen arbennig ar fferm Penygorof. Mewn sgwrs â Mrs Buddug Thomas, cyfnither y diweddar Syr Goronwy Daniel, dywedodd wrthyf fod Goronwy Williams, brawd Aneurin Williams (tad Rowan) yn gweithio ar fferm Penygorof, a dyma'r cysylltiad cyntaf, fe ymddengys, rhwng y Morganiaid a'r Williamsiaid. Gwrthododd Goronwy fynd i'r pwll glo, a bu hyn yn achos iddo bellhau oddi wrth ei deulu. Dewisodd groesi Clawdd Offa i weithio ar y tir yn hytrach na chytuno i fynd o dan y ddaear yng Nghwm Tawe. Mae Mrs Thomas yn cofio'r teulu'n byw yn rhif 23, Ffordd yr Orsaf; yr oedd y fam wedi marw'n ifanc, a'r tad, George Williams, yn wael. Pan fydd hi'n gweld yr Archesgob ar y teledu, bydd yn gweld wyneb ei dad-cu yn gwbl glir! Mae'r tebygrwydd rhyngddynt mor amlwg.

Bu Lem book, fel y'i cofir o hyd yn y fro, yn gefn mawr i'w ddwy chwaer, Annie a Polly, oedd yn byw yn y Gurnos ar y ffordd i Gwm-twrch. Y ddwy hyn fu'n rhannu'r cyfrifoldeb o fagu Delphine a Gwenda, y ddwy a ddaeth i Gaerdydd ymhen rhai blynyddoedd. Fel ffermwr dylanwadol yn yr ardal, byddai Lem yn gofalu bob amser bod digon o gig yn ffenestr Melbourne House.

TEULU DEDWYDD O ANNIBYNWYR

Annibynwyr oedd teulu Aneurin Williams, tad yr Archesgob, ac aelodau selog yn Sardis. Mae'r adeilad yn eang, yn ganolog, yng ngolwg y Tabernacl, ac yn agos at y gamlas sy'n rhedeg yn gyfochrog ag afon Cyrlais. Hwn oedd capel Mr a Mrs George Williams, tad-cu a mam-gu Rowan ar ochr ei dad. Un o Ystradgynlais oedd George Williams, un a fu'n ddyn tân yn y lofa ac yn ddiweddarach yn ddyn llaeth yn y dref. Fe'i magwyd ef yn Ystradgynlais yn fab i David a Hannah Williams oedd yn byw yn yr ail dŷ yn 'Bryn-y-groes Cottages'. Un o Gwm-twrch oedd Hannah Williams, ac un o Gefncoedycymer ger Merthyr Tudful oedd ei merch-yng-nghyfraith, Miss Elizabeth Hughes, cyn iddi briodi George Williams. Daeth i Gwm Tawe i chwilio am waith a chychwyn fel gweinyddes yn Ystradgynlais. Roedd ganddi ddau frawd a ymfudodd i Ganada ac, yn ddiweddarach, i Awstralia. Yr oedd un ohonynt, William Hughes, yn pregethu. Roedd gan George Williams dri o frodyr, David, John ac Azareia, a chwaer, Mary Hannah, mam-gu Mrs Gwenda Preece sy'n byw yn Rhiwbeina, Caerdydd. Mae hi a'i phriod, Hubert Preece, yn rhannu'r gofal am Miss Ceridwen Williams gyda'r Archesgob Rowan. Ymwelydd iechyd oedd Anti Ceridwen, fel mae pawb yn ei hadnabod, ac er iddi dreulio llawer o'i hamser yn gweithio dros Glawdd Offa (yng Nghaerloyw a Telford), dychwelodd i'r Cwm yn gyson, a mwynhau cwmni a hwyl ei theulu yn Ystradgynlais. Cafodd groesi Clawdd Offa ar drothwy Gŵyl Ddewi 2003 gyda'r Parchedig John Walters, ei briod Ann, a'u merch Bethan a'i thelyn, a mwynhau'r gorseddu yng Nghaer-gaint.

Mae Ceridwen Williams yn dal i fyw yn yr hen gartref, lle bu hi a'i dwy chwaer a'i brawd Douglas yn byw am flynyddoedd yn bedwarawd dedwydd a diddig. Gan fod Douglas yn enw ar frawd i'w dad, ac yn enw ar frawd ei fam, prin bod angen i'w rieni chwilota llawer am ail enw i'w hunig blentyn, Rowan Douglas Williams. Er ei fod yn olygus a hoffus, ac o ran pryd a gwedd yn debycach i Rowan na neb o'r teulu, hen lanc fu Douglas hyd y diwedd, ac yn gwmni i'w dair chwaer ddi-briod, Eluned, Ceridwen a Rachel.

Edmygir gwrhydri Eluned Williams, yr hynaf o'r plant, gan ei theulu a phawb sy'n ei chofio. Er ei bod yn wanlan ei hiechyd, roedd yn gymeriad cryf, a'i gofal am yr aelwyd yn drylwyr a thyner. Rhwng ymdopi â byw ar gyflogau bach canol y ganrif ddiwethaf, a hithau a'i chwaer Rachel yn anhwylus, bu'n ddewr a darbodus gan gadw'r aelwyd yn un gariadus a chroesawgar. Cymerodd at lanhau'r capel er mwyn talu'r dreth. Bach oedd y capel a phitw oedd y gydnabyddiaeth.

Ers rhai blynyddoedd, roedd y teulu, a rhai teuluoedd eraill, wedi symud allan o Sardis, ac adeiladu capel bach ar y rhiw sy'n codi o sgwâr Ystradgynlais i gyfeiriad Pen-rhos ac Aberhonddu. Tŷ byw newydd a chrand sy'n sefyll ar y safle erbyn hyn, a'r teulu wedi rhoi enw'r capel a ddymchwelwyd – sef Brynawel – ar y tŷ annedd. Mae Ceridwen Williams, gyda'i hiwmor a'i chwerthiniad iach, yn cydnabod mai ei thad oedd un o'r Annibynwyr rhy annibynnol hynny a arweiniodd y nythaid anghymodlawn o Sardis i Frynawel! Mae ganddi feddwl mawr iawn o'i nai, a menter oedd awgrymu iddi y gallai ef greu terfysg, a bod y wasg Seisnig yn barod iawn i'w alw'n *turbulent priest*. Daeth gwên i'w hwyneb, a sylw nodweddiadol i ddilyn: 'Rwy'n credu bod tipyn o'i dad-cu ynddo fe!'

Gofalai tad-cu Rowan, George Williams, fod yr iaith Gymraeg ar wefusau'r plant ac ar yr aelwyd. Pan fyddai un o'r saith – Eluned, Goronwy, Ceridwen, William, Aneurin, Douglas neu Rachel (yn nhrefn eu geni) – yn parablu rhyw dipyn yn yr iaith fain, byddai'r tad yn eu ceryddu gyda'r un frawddeg yn ddieithriad: 'Dim gair o Saesneg yn y tŷ hwn'.

O'r saith, dim ond Goronwy a dau o'r brodyr iau a briododd. Priododd William, y glöwr yn y teulu, a sefydlu'i gartref yn Ystalyfera, ac mae ei weddw Avril Williams yn dal ar ei haelwyd. Aneurin oedd yr un arall a ddewisodd adael y nyth a chymryd gwraig. Mae lle i ofni y byddai'n rhaid i ni'r Cymry orfod aros yn hir iawn cyn gweld Cymro yn Archesgob Caer-gaint petai Aneurin wedi penderfynu efelychu Douglas ac aros ar aelwyd ei chwiorydd yn Ffordd yr Orsaf!

Addysgwyd Aneurin a'r brawd agosaf ato, Douglas, yn Ysgol Ramadeg Maesydderwen. Cafodd y ddau dymor yn yr awyrlu, a gwnaeth Aneurin Williams yn fawr o'r cyfle a gafodd yno i'w baratoi ei hun ar gyfer ei yrfa fel peiriannydd. Manteisiodd y Weinyddiaeth Amddiffyn ar ei arbenigedd, ac am ei fod o ran ei natur yn ŵr tawel a diymhongar, prin y dywedai air wrth yr un enaid byw am yr hyn a gyflawnai o ddydd i ddydd. Fe'i gwahoddwyd i dderbyn cytundeb gan y Weinyddiaeth yma a thraw, a gwelwn yn y man i'w symudiadau, yn ddiarwybod iddo, ddylanwadu ar gwrs bywyd a gyrfa ei fab. Mae ei gydnabod a'i deulu yn taeru mai ganddo ef y cafodd Rowan yr addfwynder amlwg a'r tawelwch apelgar sy'n dyfnhau ac yn harddu'i bersonoliaeth gyfrin. Felly, mae'r enw barddol a gymerodd Rowan Douglas Williams o fewn i gylch Gorsedd y Beirdd yn ddewis da a phriodol – 'ap Neirin'.

Fel y crybwyllwyd, aros gyda'i chwiorydd a wnaeth Douglas, y mwyaf direidus o'r teulu yn ôl ei chwaer Ceridwen, yr unig un o'r plant sydd yn dal yn fyw. Bu farw Rachel ym mis Rhagfyr 1989. Treuliodd ei bywyd ar ôl dilyn cwrs mewn Coleg Busnes yng Nghastell-nedd yn gwneud gwaith swyddfa. Yn gyfleus iddi hi a'r teulu hapus a chlòs, bu'n glerc yn y ffatri glociau yn Ystradgynlais, ffatri 'Tic Toc' i bobl Cwm Tawe. Ac fel llawer glöwr arall, yno yr enillodd Wil ei fywoliaeth ar ôl iddo orfod rhoi ei 'lamp a'i erfyn' i orffwys.

O GWM TAWE I LANNAU'R TAF

Priododd Aneurin a Delphine Williams yn Eglwys Sant Cynog yn Ystradgynlais ym 1948. Roedd mam Rowan, fel petai'n rhag-weld patrwm y dyfodol, wedi mynychu'r gwasanaethau yno yn achlysurol gyda'i ffrindiau. Nid oedd gweinidog yn y Tabernacl y flwyddyn honno, ac roedd yn hwylustod i drefnu priodas eglwysig.

Ar 14 Mehefin 1950, ganwyd mab i Aneurin a Delphine, ac yr oedd croeso mawr yn ei ddisgwyl ym Melbourne House. Yn y Tabernacl y bedyddiwyd Rowan Douglas Williams gan y gweinidog newydd, y Parchedig W. Grey Edwards. Yn fuan wedi'r bedydd a chyn i'r teulu ddathlu'i ddwyflwydd, bu bron iddynt ei golli oherwydd salwch blin llid yr ymennydd. Yn blentyn, bregus iawn fu ei iechyd am dymor ar ôl hyn ac, fel ei fam, a fu yng nghaethiwed y poliomyelitis yn gynnar yn ei fywyd, profodd gloffni ysgafn. Ond goresgynnwyd hyn ganddo a'r byddardod yn un glust. Ac yn y llun ohono yn globyn blwydd oed yng nghôl ei fam, mae'n ymddangos bod llyfr ystwyth ar ddwyfron Delphine Williams, a Rowan yn ei ddal yn ei law dde! Nid oedd yn darllen yn flwydd oed, ond yn fuan iawn llyfrau fyddai ei gynhaliaeth ac un o bleserau mawr ei fywyd.

Pan oedd Rowan yn dair blwydd oed, cafodd ei dad wahoddiad gan ei gyflogwyr, y Weinyddiaeth Amddiffyn, i symud i ddinas Caerdydd. Prynwyd tŷ cyfleus i'r A48 yn Rhodfa Sant Gowan yn y Mynyddbychan. Dychwelai'r teulu'n aml i Gwm Tawe, ond ym mlynyddoedd cynnar ei fywyd, bu clust, llygad a thafod y plentyn bach yn ystwytho i gyfarwyddo â'r diwylliant Seisnig cyson oedd o'i gwmpas ac yn dylanwadu arno a'i adael gyda'i argraffiadau cynnar o'r brifddinas.

Ym mhum degau'r ganrif ddiwethaf, roedd Ystradgynlais a'r cylch yn fro Gymreig iawn, a'r Gymraeg oedd iaith pentan a phalmant i genhedlaeth tad Aneurin Williams. Ond yn raddol yr oedd Saesneg yn bygwth disodli'r iaith gysefin ar yr aelwyd ac yn y dref. Mewn ambell ardal codai ysgol Gymraeg ei phen yn nerfus, fel y cwyd y gwningen fach yn achlysurol ei llygaid ofnus o'i gwâl. Ar ôl i'r Eisteddfod Genedlaethol ymweld â thref Ystradgynlais ym 1954, bu mwy o alw yng Nghwm Tawe am addysg ddwyieithog, ac fe gafwyd peth ymateb. Ond, ar yr union adeg yma, yr oedd y teulu bach o'r Gurnos ar ei ffordd i Gaerdydd, a mam Rowan Williams yn synhwyro bod bwndel o allu yn ei breichiau. Tybiodd mai annoeth fyddai rhwystro datblygiad plentyn cryf ei feddwl, ond gwan ei iechyd, â iaith arall. Yn ddiweddar, dywedodd y darlledwr enwog a fagwyd yng Nghaerdydd, John Humphrys, sydd hefyd yn dad i blentyn dwy flwydd, y byddai'n ei roi mewn Ysgol Gymraeg heb unrhyw betruster petai'n byw yng Nghymru. Mae wedi cymryd hanner can mlynedd i'r Cymry fagu'r hyder hwn a chanfod manteision addysg ddwyieithog.

Gosodwyd Rowan mewn ysgol breifat fechan, sef 'Lamorna' yn yr Eglwys Newydd, ysgol oedd yn gyfleus i'w fam, a oedd yn gogydd ac yn wraig tŷ hynod o groesawgar. Yr oedd bechgyn ei chwaer Gwenda yn yr un ysgol, ac yn gwmni i'w cefnder. Mynychodd Rowan yr Ysgol Sul, un lwyddiannus iawn, yn Eglwys Bresbyteraidd Cymru, Park End, sy'n agos at Lyn y Rhath. Roedd y gweinidog yno yn Gymro Cymraeg ac yn fab i Nantlais, y gweinidog a'r bardd a chymwynaswr plant Cymru. Ond Saesneg oedd iaith addysg ac addoliad, y pregethu a'r cymdeithasu yng nghapel Park End. Roedd y Parchedig Geraint Nantlais Williams yn bregethwr grymus, yn enaid hoff gan rieni a phlant, yn ymgomiwr difyr ac yn ysgolhaig a fu, fel Rowan, yn dal ar ei gyfle yng Nghaer-grawnt. Yn Eisteddfod Tyddewi, rai oriau wedi iddo gael ei urddo'n dderwydd gwyn, dywedodd Rowan wrthyf ei fod yn dal i gofio llawer o bregethau Geraint Nantlais, ac yntau'n gadael Caerdydd am Abertawe yn ddeng mlwydd oed! Mae'n rhaid ei fod wedi sylweddoli'n gynnar bod un a ordeiniwyd yn medru bod yn ddylanwad am oes ar blant.

Yn y Mynyddbychan yng Nghaerdydd, heb fod ymhell o 25 Rhodfa Sant Gowan, roedd un o ddisgynyddion Bryn-y-gro's yn byw, sef Sydney Morgan, cefnder i fam Rowan, aelod yn Heol y Crwys, ac athro Hanes yn Ysgol Ramadeg Aberpennar. Ar ei ffordd i'r Ysgol Sul, byddai Rowan yn mynd heibio cartref ei ewythr, a chyn ei fod yn ddeng mlwydd oed, roedd Wncwl Sydney wedi'i dywys at hanfodion gramadeg a chystrawen yr iaith Ladin. Cyn iddo adael Caerdydd am Abertawe medrai ddeall a darllen Lladin. Dyma fu'n help cynnar iddo fwynhau lledrith y byd Clasurol, a'i dywys yn nes at grud y ffydd Gristnogol. Rhai blynyddoedd yn ddiweddarach, fe enillodd y wobr i Ladinwr gorau'r flwyddyn.

Ar aelwyd Mr Sydney Morgan, ar ddydd angladd ei wraig gyntaf, y'm cyflwynwyd i gan ei ewythr 'i'm nai sydd yng Nghaer-grawnt'. Y diwrnod hwnnw roedd ei farf a'i wallt mor ddu â'i ddiwyg. Roedd wedi bod yn darllen dwy gyfrol ddiweddar ac anferthol Edward Schillebeeckx, *Jesus* a *Christ*.

Yr oeddwn innau wedi bod wrthynt am wythnosau, ac fe gofiaf i mi ofyn iddo beth a ddywedodd y gŵr enwog o'r Iseldiroedd wrtho. Atebodd yn gwrtais a bonheddig o wylaidd, yn Saesneg y pryd hwnnw: 'Dweud bod Iesu Grist o'n plaid'. Diolchais innau dan fy ngwynt am emyn cwta a syml yr emynydd Dafydd Jones o blwyf Caeo, perchennog yr hen felin oedd yn adfeilion yng ngwaelod Cae'r-ieir ar fferm fu'n gartref i mi am flynyddoedd yng Nghwrtycadno, a dyfynnais un llinell gyfarwydd: 'Mae Iesu Grist o'n hochor ni'. Cefais y wên hyfrytaf o nyth ei farf! Roedd yn amlwg yn gwerthfawrogi emynyddiaeth y ddeunawfed ganrif. Ar gais ei ewythr a minnau, offrymodd weddi ar yr aelwyd. Gweddi o'r frest ydoedd, mewn llais cynnes a chysurlawn, a'r brawddegau coeth, diwastraff yn drwm eu dylanwad ar y gŵr a'i cyflwynodd i'r iaith a fu'n help iddo ymgodymu â'r Tadau yng Nghaer-grawnt a Rhydychen.

YSGOL DINEFWR A LLAN YR HOLL SAINT

Ym 1960 anfonwyd Aneurin Williams gan y Weinyddiaeth Amddiffyn i Abertawe, ac ar ôl saith mlynedd yn y brifddinas, dyma'r teulu bach yn ôl yn ei gynefin cynnar. O safbwynt addysg eu bachgen, oedd bellach wedi cyrraedd ei ddeng mlwydd oed, yr oedd yr amseru'n berffaith. Yn ddidrafferth, cafodd fynediad i Ysgol Ramadeg Dinefwr ym mis Medi, a chofrestru gyda'i gyfaill John Walters. Dyma Gymro glân o Dreforus a fu'n help mawr i Rowan ddarganfod y Cymreictod dwfn oedd yng ngwreiddyn ei fod, ac sy'n dal i flaguro. Adeg Gŵyl Ddewi 2004, pan oedd yn dathlu ei ben-blwydd cyntaf yn Lambeth, mynnodd ddweud wrth ei genedl yn y *Western Mail* ei fod yn hiraethu am Gymru, ei gartref, ei gyfeillion gartref 'ac weithiau byddaf yn gweld colli'r iaith hefyd'.

Ceir yr un cenedlgarwch mewn deialog ag Owain Wilkins yn y cylchgrawn *Planet* (rhif 154) dan y pennawd 'Pushing the

Boundaries', lle mae'n clodfori Ysgol Dinefwr, y bywiogrwydd cymdeithasol a'r awyrgylch iach oedd o'i mewn ac o'i chwmpas. Ac yntau'n hoff o gerddoriaeth a drama, ac yn dechrau cael blas ar y celfyddydau ac ar ddiwylliant yn gyffredinol, daeth o hyd i'w gartref diwylliannol ar drothwy'r chwe degau. Yn dair ar ddeg mlwydd oed, mae'n mwynhau 'pererindod' i Stratford i weld y fro, 'bythynnod' hynod y ddwy ferch Ann Hathaway a Mary Arden, yr eglwys lle bedyddiwyd Shakespeare, a'r arddangosfeydd o gwmpas y theatr. Rowan sy'n cofnodi prif ddigwyddiadau'r daith hon yng nghylchgrawn Ysgol Dinefwr. Y noson gyntaf cafodd ef a'r bechgyn eraill gyfle i weld y *Tempest*, a'r ail noson, *Julius Caesar* – dwy ddrama at ddant y beirniad ifanc. Rhai blynyddoedd yn ddiweddarach, canmolir ei berfformiad ef fel y llefarydd yn *Our Town* gan Thornton Wilder. Ei rinweddau fel llefarydd oedd ei amseru, ei symudiadau, yr amrywiaeth cyfoethog yn ei lais. Gwnaeth ei ran, meddai rhyw feirniad hirben yn y cylchgrawn, 'gydag awdurdod, urddas a didwylledd'. Pa ryfedd iddo dyfu'n feistr y ddarlithfa a'r pulpud, a dod yn esgob yn ddiweddarach!

Tra oedd y diweddar Athro J.R. Jones yn paratoi ei lyfr dylanwadol, *Prydeindod*, ac yn annog y Cymry i warchod eu tir a'u hiaith, yr oedd bachgen ifanc yn Abertawe yn araf ddihuno i weld gogoniant gorffennol ei bobl. Cyffrowyd ef gan frwydrau'r arwyr cenedlaethol a'r chwedlau amdanynt, gan freuddwydion beirdd yr Hengerdd, Taliesin ac Aneirin, gan gyfraniad a chymwynas y saint, gan gynnwys Dewi, a chan aruchledd bywyd yn y mynachlogydd a'r canolfannau crefyddol yn y Canol Oesoedd. Mor fuan y daeth Rowan i wybod am hoffter T. Gwynn Jones o'r llecynnau cysegredig, a chyfieithu'i delyneg swynol i Ystrad-fflur i'r Saesneg. Ymhen rhai blynyddoedd, ar ôl cyrraedd Caer-grawnt, Rhydychen a Mirfield, byddai'n manteisio ar bob cyfle i sôn am draddodiad llenyddol Cymru, ac i fawrhau ei dreftadaeth. Byddai wrth ei fodd yn adrodd gwaith y bardd o Abertawe, Vernon Watkins, a gwaith yr Eingl Gymry. Yn ddiweddarach, bu'n cyfieithu gwaith rhai o'n beirdd Cristnogol, fel Ann Griffiths, Williams Pantycelyn, Waldo a Gwenallt.

Yn Ysgol Ramadeg Dinefwr, yng nghanol Cymry di-Gymraeg niferus Abertawe a bechgyn parablus yn eu harddegau cynnar, mae'n syndod bod bachgen swil ac encilgar o Gaerdydd a gafodd ei addysg mewn ysgol breifat Seisnigaidd ac Ysgol Sul yr *English Cause* wedi dewis ffrind ysgol o Dreforus, a hwnnw'n Gymro Cymraeg, sef John Walters, a ddaeth wedyn yn ficer Pontarddulais. Ar ôl cael ei ddysgu drwy'r dydd trwy gyfrwng y Saesneg, a dychwelyd i awyrgylch y Mwmbwls i gael ei de a'i swper, efallai ei fod yn hiraethu am enaid cydnaws i rannu'r ymwybyddiaeth newydd a ddaeth iddo mai Cymro ydoedd. Darllenai lawer, ac mae cylchgrawn yr ysgol yn dystiolaeth ddiogel ei fod wedi dihuno i weld hudoliaeth hanes a llên hen genedl a fu'n brwydro i oroesi. Ar dudalen flaen *Y Llan* (Medi 2002) mae'r Parchedig John Walters yn rhoi teyrnged i Archesgob apwyntiedig Caer-gaint, ei gŷfaill ysgol, ac yn awgrymu'n gynnil beth oedd cynnwys y ddeialog rhyngddynt ar y bryniau o gwmpas Abertawe.

> Byddem yn cwrdd yn rheolaidd am gyfnod o awr a hanner bob wythnos. Cas oedd gennym chwaraeon ac athletau, ein dau yn gwisgo sbectol, yn swil a llond ein crwyn; ac erbyn y drydedd flwyddyn, sylweddolodd y Prifathro mai ofer oedd ceisio'n darbwyllo ynglŷn â buddiannau cadw'n heini! Serch hynny, mynnodd fod y ddau ohonom yn mynd i'r meysydd chwarae. Roedd yr ysgol yng nghanol y ddinas, a'r meysydd chwarae yn daith deng munud ar y bws cyhoeddus . . . Ein hymarfer corff fyddai cerdded a cherdded o gwmpas y ffin a gwmpasai ddau faes rygbi, tri maes pêl-droed, dau faes

hoci (i ferched Glan-y-mor a Llwyn-y-bryn!) a thrac athletau.

'Where's your kit boy?' 'Ecsciwsd, syr!', 'Permanent nôt, syr!'; 'Start walking then!', ac yn y cerdded a'r troedio o gwmpas 148 bachgen arall a oedd wrthi'n ddyfal yn ceisio bod yn ail Dewi Bebb, John Charles neu Ivor Allchurch fe fyddai Rowan a finnau yn rhannu sylwadau ar eglwys a chapel; Awstin a Chalfin; Bach a Mozart; Shakespeare a Wordsworth a, diolch i'r drefn, Aneirin, Taliesin a Gwenallt.

Dyna ddarlun o fywyd dau fachgen ysgol yn Ne Cymru yn y chwe degau, dau ddisgybl yn dewis bod ar y 'ffordd i Emaus' yn wythnosol yn hytrach nag ar y maes chwarae! Yn y flwyddyn 1967-8, yr oedd y ddau yn gyd-olygyddion cylchgrawn Ysgol Ramadeg Dinefwr; Rowan Williams yn gofalu am yr adran Saesneg, a John Walters am yr adran Gymraeg. Athro Cymraeg yr ysgol ar y pryd oedd Mr Bryn Davies. Mae bellach yn ei naw degau, ac yn naturiol yn cofio cyfraniad John am iddo eistedd wrth ei draed drwy ei saith mlynedd yn yr ysgol. Meddai am Rowan: 'Bachgen tawel, swil, ond nodedig o alluog, a phob un o'r athrawon yn proffwydo dyfodol disglair iddo, er ei fod yn caru'r encilion'.

Mae cynnwys deunydd llenyddol cynnar Rowan yn y rhifynnau hyn o gylchgrawn Ysgol Dinefwr yn dystiolaeth bendant iddo gynhesu at Gymru, ei harwyr, ei diwylliant, ei nodweddion a'i ffordd o fyw. Ac yn fwy amlwg eto, ceir olion o'i dröedigaeth raddol, ond di-droi-nôl, i gyfeiriad Uchel-eglwysyddiaeth. Os cafodd ei fedyddio mewn capel, cafodd ei aileni yn ystyr ehangaf y gair yn eglwys y plwyf yn Ystumllwynarth.

Ac yntau'n llanc chwilotgar a sensitif, ac yng ngeiriau'r seicolegydd Thouless, 'wedi gori ar ei brofiadau crefyddol', aeth Rowan i Eglwys yr Holl Saint a oedd yn gyfleus i'w gartref. Mae'n rhaid ei fod wedi ymroi i ymchwil dygn a hunanymholi, myfyrdod a gweddi cyson, yn fuan wedi iddo gychwyn yn yr Ysgol Ramadeg. O ble ddaeth yr ysfa grefyddol hon?

Mae disgynyddion cangen o deulu 'Bryn-y-gro's' yn dal yn aelodau yng nghapel Yorath, a dau ohonynt, Mrs Ann Finch a Mr Eifion Williams, yn flaenoriaid ffyddlon a gweithgar yno heddiw. Mae brawd iddynt, Mr John Williams, yn hanesydd lleol, ac yn sôn mewn ysgrif o'i eiddo am y seiat ar y Palleg, am y cyrddau yn ffermdai'r fro, ac am y seiat a ffurfiwyd 'yn Llanddeusant, yr ochr draw i'r mynydd' oedd yng ngofal Daniel Rowlands, Llangeitho. Howell Harris a'i sefydlodd yno.

Ar ôl yr ymrannu a fu rhwng Harris a Rowlands, ni fu seiat yn y fro am chwarter canrif, na sôn am Fethodistiaeth. Ond, yn ôl Mr John Williams, fe ailgychwynnodd y seiat yn ystod chwarter olaf y ddeunawfed ganrif yn eglwys y plwyf, mewn llofft uwchben y cyntedd. Diddorol yw ei eiriau yng nghyswllt yr hyn fyddai'n digwydd i Rowan Williams yn Ystum-llwynarth.

Roedd y ficer yn anfodlon i hyn, ac un noson cafwyd bod drws yr Eglwys wedi'i gau i bobl y seiat. Bu'r achos wedyn yn parhau i gyfarfod mewn bwthyn bach to gwellt o'r enw Croesdy, ger pont yr afon. Bu bron i'r seiat ddiflannu'n llwyr, a dim ond dau neu dri oedd yn dal i ymgynnull. Ar un adeg, dim ond un dyn oedd ar ôl, ond parhaodd i gynnal cyfarfodydd, gan weddïo ar i Dduw ychwanegu at y nifer.

Yn raddol, cynyddodd y nifer, ac fe gynhaliwyd cyfarfodydd unwaith eto ar y Palleg yn ffermdai Bryn-y-gro's a Maespica. Os oedd cyfarfod arbennig o niferus, cynhelid ef yn ffermdy Gwern Yorath gan fod y tŷ yn fwy o faint. Erbyn dechrau'r ganrif ddiwethaf, roedd 14 o aelodau yn cyfarfod yn wythnosol.

Un noson, ar ôl pregeth drawiadol ym Mryn-y-gro's, dechreuodd yr aelodau sôn am gael adeilad arbennig ar gyfer cynnal gwasanaethau. Tua 1800, roedd Samuel Williams wedi llwyddo i brynu fferm Gwern Yorath oddi wrth stâd Ynyscedwyn, ac fe gynigiodd ddarn o dir ar yr ochr draw i afon Gïedd er mwyn codi addoldy arno. Adeilad bach oedd y capel cyntaf hwn, ac fe'i gorffennwyd ym 1824, yn yr un man â'r capel presennol, ond yn wynebu i lawr y cwm, a thuag at y fynwent.

Ym 1836 darganfuwyd sut i ddefnyddio glo caled i ddoddi mwyn haearn, ac agorwyd ffwrneisi newydd yng ngwaith haearn Ynyscedwyn. Codwyd gwaith haearn newydd yn Ystalyfera, ar ymyl y gamlas, y gwaith haearn mwyaf yn y byd yr adeg honno. Roedd gwaith newydd Ynyscedwyn yn cyflogi mil o weithwyr, a gwaith Ystalyfera yn cyflogi pedair mil. Llifodd dynion i Gwm Tawe o bob man i chwilio am waith, ac yn dilyn y tyfiant sydyn hwn yn y boblogaeth, cododd problemau arswydus yn y fro. Ym 1849 bu pla'r colera yn y cylch, a bu farw tua deuddeg cant o bobl. Roedd capel Yorath eto'n rhy fach, ac fe agorwyd dwy gangen newydd – capel yr Ynys ym 1849 a chapel Bethania, Cwm-twrch, ym 1850. Ond er codi dau gapel newydd yn lleol, penderfynwyd codi capel newydd eto yng Nghwmgïedd, ac fe godwyd trydydd capel Yorath ym 1858. Dyma'r capel sydd yno yn awr.

Enwyd capel Yorath ar ôl fferm Gwern Yorath, gan mai ar dir y fferm y codwyd y capel. Yn ôl papurau Stâd Ynyscedwyn ceir yr enw Gwern Iorarth arno. Ymgais oedd hyn gan y Saeson i ysgrifennu'r enw Iorwerth yn Saesneg. Yn syml, ystyr capel Yorath yw 'Capel Iorwerth'.

Yn y cefndir crefyddol hwn y magwyd Rowan Williams. Fel ei deulu, fe'i gwreiddiwyd yn ddwfn yn nhraddodiad anghydffurfiol Cymru, ond traddodiad oedd yn barhaus yn ymwybodol bod cysgod yr 'hen fam' yn y cyffiniau, a'r plwyfolion yn ddrwgdybus nad oedd y capeli'n bwerdai ysbrydol fel yn y dyddiau gynt. Fe'i bedyddiwyd yng nghapel y Methodistiaid Calfinaidd, y Tabernacl, lle bu dylanwad gwresog y pregethu a'r canu gwlithog a wybu teulu Bryn-y-gro's a Yorath. Ond, aeth ei deulu ac yntau i Gaerdydd cyn i'r dylanwadau hyn gael lle yn ei galon. Dychwelai'n aml i aros ar aelwyd teulu'i dad gydol ei fachgendod, ac mae'n sicr iddo synhwyro yno naws llawer mwy rhyddfrydol Annibyniaeth Sardis a Brynawel. Yn Eglwys Bresbyteraidd Cymru Park End, mae'n amlwg i bregethu byw a diwylliannol y Parchedig Geraint Nantlais Williams adael ei nod arno, ac i'r Ysgol Sul yno lywio'i feddwl effro. Ond, fe'i gorchfygwyd yn llwyr gan y weledigaeth eneiniedig a gafodd yn eglwys y plwyf yn Ystumllwynarth. Ystyr 'ystum' yw 'ffurf', 'plyg' neu 'dro'. Yn Eglwys yr Holl Saint, bu tröedigaeth, plygu gweddigar, a dewis ffurf newydd o ddynesu at Dduw.

PENNOD 2

MAIR A'R GAIR

Mae ei gân i 'Fair', a gyhoeddwyd yng nghylchgrawn Ysgol Ramadeg Dinefwr, ryw dair blynedd ar ôl iddo adael dinas Caerdydd, yn cofnodi trobwynt amlwg yn ei fywyd. Roedd Rowan Williams, heb iddo ef na neb arall sylweddoli hynny, wedi cymryd cam a fyddai'n ei arwain ar drothwy'r unfed ganrif ar hugain at ddrws Cadeirlan Caer-gaint. Gafaelwyd ynddo gan awyrgylch hynafol Eglwys yr Holl Saint a chan y traddodiad a ddiogelwyd ynddi o ddyddiau'r Celtiaid a'r Rhufeiniaid. Swynwyd ef gan ddodrefn a chonglau lliwgar yr adeilad, ac fe'i dwysbigwyd gan gyfaredd geiriau'r Llyfr Gweddi a'r ffurfwasanaethau. Dotiodd at wisgoedd amryliw'r offeiriaid, yr offeren reolaidd a phregethau cynhwysfawr a diwylliant eang y Parchedig Ganon Eddie Hughes.

Cafodd gyfle i ganu yng nghôr yr eglwys, a gwahoddiad i lunio cerdd i gylchgrawn yr ysgol. Ac yntau yn ei dwymyn iasol, dewisodd destun a allai grynhoi ei deimladau a'i brofiadau ar y pryd – 'Y Forwyn Fair'. Gan ei bod yn fynegiant o'r cynnwrf oedd ynddo, ac yn fynegbost at y llwybr oedd yn agor o'i flaen, dyma roi cynnig ar ei chyfieithu.

MAIR

Sut y gall hyn fod? Myfi, morwynig syml
o bentref a anghofiwyd mewn ardal wledig
yn cael galwad gan Dduw, trwy Ei Archangel
i fod yn fam i'w Fab ymgnawdoledig?
Sut y gall hyn fod?
Yma nawr ym Methlehem, rwy'n magu fy mhlentyn
yn fy mreichiau; ai hwn yw'r un
sy'n Obaith Israel, y Disgwyliedig Un?
Sut y gall hyn fod? Cyn i'm Duw fy ngalw,
morwynig syml a phentrefol oeddwn i.
Ym mha ryw fodd mae deall sut y gall hyn fod?
Daeth Bugeiliaid o'r bryniau, gan adrodd stori'r angel;
Brenhinoedd o'r Dwyrain a ddaeth, yn adrodd stori'r seren.
Mae'n rhaid bod Duw yn hyn i gyd yn symud.
Eto, pa fodd y medraf fi amgyffred Ei ffyrdd?
Un peth a wn – mai cariad ydyw Ef.
Ac i'r fath gariad fe ymddiriedaf fy hunan gwael,
Oherwydd ef yw Gobaith yr athrist a'r un dan draed.
Cariad yw Ef.

Ymson â'i hunan y mae'r Forwyn Fair, a'r bardd ifanc yn ymgyflwyno'i fywyd i Dduw yn enw'r cariad a ddaeth i'r byd y Nadolig cyntaf. Hawdd credu y byddai darllenwyr ieuainc y cylchgrawn yn hoffi stori Mair, a'r athrawon yn hoffi techneg a difrifoldeb y bardd o Ystumllwynarth.

Adlais o fersiwn Luc o hanes y Geni sydd yn y gerdd hon, gydag un cyfeiriad at yr hanes ym Mathew am y tri gŵr doeth o'r dwyrain. Rhyfeddod yr Ymgnawdoliad a dirgelwch y digwyddiad o Dduw yn 'ddyn bach' yw testun y gerdd, yn ogystal â lle unigryw Mair yn y naratif ac yn hanes mawr yr Achub. Mae'r forwynig dlawd yn ddarlun o wyleidd-dra, ac mae maint ei haberth yn ein cymell ni oll i wasanaethu Duw, Crist a chyd-ddyn. Deil y nodyn hwn yn amlwg yn ei gyhoeddiadau hyd heddiw. Yn ymson Mair wedi geni Iesu, hawdd gweld geni diwinydd yn Rowan Douglas Williams a phregethwr y cariad Cristnogol a ddatguddiwyd yr holl ffordd o Fethlehem i Galfaria.

Ac wrth ailadrodd cwestiwn Mair – 'Sut y gall hyn fod?' – mae'r crwtyn o fardd yn datgelu'n gynnar yr argyhoeddiad a fyddai'n ei wneud yn un o ddiwinyddion amlycaf y byd erbyn hyn. Swyddogaeth y diwinydd yw codi cwestiynau, a dal i'w gofyn. Yn ei arddegau, yr oedd addoli a holi yn rhan o natur Rowan.

Mae tystiolaeth ei fod yn benthyca *Llythyrau a Phapurau o Garchar* Dietrich Bonhoeffer gan y ficer tua'r adeg yma, ac mae'r cwestiwn hwn – 'Pwy ydwyf fi?' – yng ngherdd enwog y merthyr a'r diwinydd radical hwnnw yn dod i feddwl y sawl sy'n darllen y gerdd uchod. Dyma brofi nad benthyca llyfrau ysgytwol yn unig a wnâi, ond cymryd ei ysgwyd ganddynt. Bu'n eu darllen yn ei dwymyn, a derbyn eu dylanwad. Tua deugain mlynedd ar ôl iddo gyhoeddi'i gân hon i Mair, ac yntau bellach yn Archesgob Cymru, mae'n cyhoeddi cyfrol fechan o fyfyrdodau yn dwyn y teitl, *Ponder These Things*. Gwelir yr ymadrodd yma yn gynnar yn Efengyl Luc. Mae'r bugeiliaid wedi adrodd wrth y preseb genadwri'r angylion uwch y meysydd. Mae'r tystion yn rhyfeddu, 'ond roedd Mair yn cadw'r holl bethau hyn yn ddiogel yn ei chalon, *ac yn myfyrio arnynt*' (Luc 2:19).

Bellach, i'r Archesgob mae Mair yn batrwm rhagorol o ddefosiwn, ac mae'n dilyn un o'i arwyr o'r bedwaredd ganrif OC, Antwn Sant, yr enwocaf o Dadau'r Anialwch. Byddai ef yn dysgu'r mynachod trwy gyfeirio at y gair Lladin *ruminatio* – 'cnoi cil'. Meddai'r hen sant craff: 'Ychydig o fwyd sy'n angenrheidiol i gadw camel yn fyw. Bydd yn diogelu'r hyn fydd yn ei fwyta yn ei gylla, a'i gadw yno hyd nes iddo ddychwelyd i'w stabl. Yna, bydd yn ei godi eto i'w safn, a'i gnoi hyd oni fydd y bwyd yn cyrraedd ei esgyrn a'i gnawd.

Mae'r ceffyl yn wahanol iawn, gan fwyta llawer yn barhaus, a cholli'r cyfan a lyncodd mewn dim amser. Felly, peidiwch â bod fel y ceffyl, yn adrodd geiriau Duw yn ddi-feth, ond heb ufuddhau iddynt'. Yn narlun Rembrandt o'r adfail lle ganwyd Iesu, mae'r teulu'n llawen yng ngolau cynnil addolwyr y Nadolig cyntaf. Ond yn y tywyllwch sy'n gefndir awgrymog, mae buwch. Ac mae'n naturiol i edmygwyr celfyddyd Rembrandt ofyn a oedd yr arlunydd yn gyfarwydd â'r syniad bod a fynno gweddi â hir-fyfyrio, dwyn ar gof a chnoi cil? Dyma i Rowan Williams yw gwerth yr eicon nodedig o Fair yn magu'i baban. Cwta yw'r llyfryn hwn a darllenadwy fel ei gyfrolau telynegol ar ddefosiwn. Hawdd ei roi yn y boced, a'i godi, fel tamaid yr hen gamel, a chnoi cil ar ei gynnwys!

Defnydd ar gyfer encil a drefnwyd gan Esgobaeth Mynwy yn Walsingham yw'r anerchiadau yn *Ponder These Things*. Fel mae Ynys Enlli ym machlud haul yn atyniadol i bererinion ddoe a heddiw, mae Walsingham is codiad haul wedi denu rhengoedd o saint i swydd Norfolk yn Nwyrain Lloegr. Tu hwnt i 'bendraw'r byd' mae dirnad, os nad deall, dirgelwch duwioldeb a sancteiddrwydd. Ar derfyn ei dymor fel Archesgob Cymru, aeth Rowan gyda'i braidd â'r bwriad o'u cyfarwyddo ar hyd llwybr gweddi. Bu galw mawr arno i arwain encil a seminar, i ddarlithio a phregethu. Fe'i doniwyd, fel y Tadau Methodistaidd fu'n fynych ym mro ei gyndeidiau, i stiwardio a chynnal seiat. Ac fel nifer o leisiau da a feithrinwyd o gwmpas Bae Abertawe, enwogion megis Dylan Thomas, Richard Burton ac Anthony Hopkins, mae Rowan yn gyfathrebwr penigamp. Gyda'i bersonoliaeth hoffus, ei ddysg a'i ddiwylliant eang, gall godi ei wrandawyr i dir uchel defosiwn a myfyrdod. Ac yn yr anerchiadau a'r pregethau a draddododd ac a gyhoeddodd, nid yw'n ysgaru'r defosiynol a'r diwinyddol. Yn hytrach mae'n gwarchod ac yn cyfuno'r ddwy gainc sy'n rhoi dyfnder a dwyster i'w gyfraniadau ac sy'n gwahodd pwyslais ar yr ymarferol.

Ar y dydd olaf o Fai 2004, bu pererindod genedlaethol i Walsingham, a gwahoddwyd Archesgob Caer-gaint i bregethu lle bu'n cynnal encil tra oedd yn Archesgob Cymru. Dewisodd sôn unwaith eto am y Forwyn Fair, a chanolbwyntio'r tro hwn ar y gair Saesneg 'magnify' (mawrhau, mawrygu). Mae'n em o bregeth, ac fel ei gerdd yn nyddiau Ysgol Dinefwr, yn gân o fawl i Fair. Cyfuniad o'r bardd a'r pregethwr, cyfuniad cyfarwydd yng Nghymru, oedd yn cloi mis Mai yn ne-ddwyrain Lloegr yn 2004. Mae'n feistrolgar yn ei ddefnydd o ddarluniau a delweddau sy'n cydio, ac yn ei lais Burtonaidd gellir dirnad mor afaelgar ac effeithiol oedd ei draethiad.

Pan gân Mair y 'Magnificat', ei dymuniad yw gwneud i Dduw edrych yn fwy, i dynnu sylw at fawredd Duw, fel y gwnawn ni wrth ganu'r gân hon. Ond mae'r geiriau a ddefnyddir yn yr ieithoedd hynafol yn gadarnach – ac yn golygu gwneud hyn yn wirioneddol – nid yn unig gwneud i bethau edrych yn fwy. Ac fe fyddai hyn yn beth od i'w ddweud mewn perthynas â Duw, gan na fedrwn gyflawni dim i wneud Duw yn fwy nag ydyw Ef. Eto, yn yr hen ieithoedd fe ddefnyddir y geiriau hyn yn rheolaidd i olygu moliant, prun ai moli Duw neu fodau dynol. Ac efallai y dylem ystyried y gall hyn awgrymu y byddwn wrth foli rhywun neu rywbeth arall, yn eu gwneud yn fwy yn yr ystyr o roi mwy o le iddynt. Cymerwn gam yn ôl, gan roi o'r neilltu ein gorchwylion, ein hamcanion a'n cynlluniau er mwyn caniatáu i'r realiti sydd mewn rhywbeth fyw ynom ni am foment, a chael lle ynom. Anghofio fy hun yw gwir fawl, hyd yn oed fy nghimladau, fel y bydd prydferthwch a disgleirdeb rhywbeth sydd y tu hwnt i mi o'm mewn. Nid yw'n golygu cynnydd llythrennol ym maint yr hyn yr ydym yn syllu arno a'i amgyffred; ond mae'n foment pan mae'r hyn ydwyf yn dechrau cael ei drawsnewid i fod yn debyg i'r hyn rwy'n edrych arno, ac felly mae'n byw ynof fi yn ogystal ag ynddo'i hun.

Un o'r geiriau hynny sy'n agor y drws i feddwl Rowan Williams yw'r gair 'trawsnewid'. Mae'n air sydd yn ei fyfyrdodau, ei erthyglau a'i bregethau. Hwn yw'r allweddair i'w fywyd a'i waith. Dyma ychydig frawddegau ychwanegol o'r bregeth yn Walsingham:

> Fe dardd rhodd fythol Duw o'i hunan allan ohoni hi [Mair] i gychwyn y bywyd hwnnw sy'n mynd i newid popeth yn y greadigaeth. Ond, fe'n gelwir ni i'r un gwaith, rhoi lle i Dduw fel y'n trawsnewidir ninnau, fel y gall y Gair tragwyddol fyw ynom a llefaru a gweithredu mewn cariad tuag at eraill. Felly'n unig y'n mawrygir ni ac y rhoddir i ni ein hurddas a'n hysblander cyflawn – nid trwy ruthro o gwmpas mewn panig yn amddiffyn ein hunain ac yn diogelu'n hurddas, ond trwy fod yn ddigon llonydd i fyfyrio ac i dderbyn y golau sy'n llifo allan o Dduw y Drindod Sanctaidd, rhywbeth sydd mor rhyfeddol o wych fe all roi'n hofnau a'n helbulon pitw a ystyrir gennym yn rhan o wir fywyd, mewn persbectif, a'n distewi am foment, gan adael y gwir fywyd i mewn.

CYFANSODDIAD EICON

Mae'r sawl sy'n gyfarwydd â'i waith yn gwybod am hoffter yr Archesgob o'r eicon, ac am ei ddefnydd o'r eiconau i gyflwyno'i syniadau a'i argyhoeddiadau. Yn ystod ei gyfnod fel myfyriwr yng Nghaer-grawnt a Rhydychen, closiodd at yr Eglwys Babyddol am gyfnod, ac at yr Eglwys Uniongred. Diwinyddiaeth yr Eglwys Uniongred yn Rwsia, gan roi sylw i gyfraniad rhai o'i phrif feddylwyr, oedd pwnc ei draethawd ar gyfer doethuriaeth yn Rhydychen. Yr Athro A.M. Allchin, sydd wedi cyhoeddi cymaint am rai o arwyr yr eglwys honno, fel y gwnaeth am nifer o gewri'r ffydd yng Nghymru, oedd ei gyfarwyddwr ymchwil. Bydd yn rhaid dychwelyd eto at ddylanwad Eglwys Uniongred Rwsia, a fu'n dathlu ei milflwyddiant ym 1988. Cyn pen ychydig fisoedd, dysgodd y myfyriwr ymchwil yr iaith Rwseg, a phan ddaw gwahoddiad gan yr Eglwys Uniongred iddo roi darlith yn Rwsia neu yng ngwlad Groeg, gall ddarlithio yn iaith y trigolion. Yn ôl yr hyn a ddarllenais, gall ddarlithio mewn hanner dwsin o ieithoedd a siarad rhyw wyth neu naw.

Yn ôl un traddodiad o fewn yr Eglwys Uniongred, peintiwyd pump o eiconau o Fair gan Luc yr efengylydd, a hynny tra oedd hi'n dal yn fyw. Yn sicr, mae Luc yn rhoi llawer mwy o sylw iddi na'r un awdur arall yn y Testament Newydd. 'Cyfansoddodd' Luc (gair yr Eglwys Uniongred am beintio'r ddelwedd), un eicon o'r Forwyn gyda'i phlentyn ar ei glin, a'i gyflwyno iddi tra oedd ar ymweliad â Jerwsalem. Drwy'r canrifoedd, bu aelodau'r gangen hon o'r Eglwys fyd-eang yn cynnau cannwyll yn agos at yr eicon hynafol hwn, ac yn cydgrynhoi o'i gwmpas i weddïo. Felly, mae'n eicon sy'n cael ei gysylltu â gweddi, ac yn erfyn effeithiol i'w ddefnyddio mewn encil i drafod defosiwn a'r ffordd at yr aruchel, y trosgynnol a'r tragwyddol.

I Brotestaniaid brwd, ac yn sicr i rai eithafol, mae'r Cymro hwn o gefndir anghydffurfiol yn rhoi gormod o sylw i'r Forwyn Fair, ac fe all ei gyfeiriadau cyson ati fod yn achos gwrthwynebiad iddo mewn ambell wersyll. Ond rhyfeddod yr Ymgnawdoliad a'r lle canolog a rydd Rowan i Gristoleg trwy gyfnod ei ysgol a'i goleg sy'n peri iddo fawrhau Mair a'i gosod ar bedestal mewn cerdd, myfyrdod a phregeth.

Gall ei fyfyrdodau ar yr eiconau sy'n adrodd hanes Mair dorri ar fudandod y Protestaniaid amdani. I Rowan Williams, cyfrwng yw Mair i'n tynnu at sylfeini'r Efengyl, at genesis y bywyd ysbrydol ac at fan cyfarfod Duw a dyn. Mae Mair iddo ef yn bortread o'r wir Eglwys sy'n cyfranogi o fywyd y Tad, a'r

Mab a'r Ysbryd Glân. Ar ôl darllen y pedwar myfyrdod yn *Ponder These Things*, daw hyn yn amlwg. Dywed ei gyfaill a'i gyd-fyfyriwr, yr Esgob Kallistos Ware, yn ei ragair fod Rowan wedi canfod gwerth yr eicon fel cyfrwng i fynd â ni ar draws ffiniau ar ein pererindod ysbrydol, ac fel modd i'n cyfnerthu a'n gweddnewid ar y daith. Croesodd Ware, awdur llyfrau defnyddiol ar yr Eglwys Uniongred, at yr eglwys honno. Oddi ar eu dyddiau yng Nghaer-grawnt, lle yr amlygodd y ddau allu meddyliol eithriadol a chydradd, bu'r Eglwys Uniongred yn apelio at eu dychymyg, a bu'n agos i'r Archesgob groesi fel Ware. Mae'n debyg bod y wisg glerigol ddu a'r farf wasgaredig yn amlygiad allanol o'r bwriad a ddiddymwyd!

Yr 'Hodegetria' yw testun y cyntaf o'r myfyrdodau, ac mae'r gair o'i gyfieithu yn golygu, 'Yr un sy'n dangos y ffordd'. Mair sy'n dal y baban, neu'n fwy cywir, y 'dyn bach', a hithau sy'n ein cyfeirio at y ffordd. Mae ei llaw dde a gogwydd ei phen yn ein cyfeirio at y Gair a ddaeth yn gnawd. Daeth i'r byd o ganlyniad i'w hufudd-dod a'i gostyngeiddrwydd hi, gan lefaru wrthym a'n gwahodd i dderbyn gras Duw a'i fywyd, ac i fod yn gyfranogion o'i natur ac yn lladmeryddion ei waith achubol.

Gellid dadlau bod yr emyn i ni yng Nghymru yn cyfateb i'r hyn yw'r eicon i'r Rwsiaid a'r Groegiaid. O ddarllen ysgrifau, pregethau a myfyrdodau'r Archesgob Rowan yn ofalus gall rhywun synhwyro bod dylanwad rhai o'n hemynau mwyaf poblogaidd, y rhai mwyaf athrawiaethol, ar ei gynnyrch. Mae'r myfyrdod ar yr 'Hodegetria' yn dwyn i gof linellau a genir pob Nadolig gennym ninnau'r Cymry:

> Rhown glod i'r Mab bychan, ar liniau Mair wiwlan,
> daeth Duwdod mewn baban i'n byd:
> ei ras O derbyniwn, ei haeddiant cyhoeddwn
> a throsto ef gweithiwn i gyd.

Ac mae sylwedd emyn clasurol George Rees a fu'n byw yn

Llundain – 'O Fab y Dyn, Eneiniog Duw, fy Mrawd a'm Ceidwad cry' . . .' yn cynnal y myfyrdod yma ar 'Yr un sy'n dangos y ffordd', a'r emyn yn ei grynswth yn crisialu hanfodion ffydd y gŵr a fu'n annerch yn Walsingham. Mae pennill olaf yr emyn hwn yn datgan yr union wirionedd ag a wêl Mair yn ei mab, ac y dymuna Rowan i ni ei weld yn yr eicon:

> Tydi yw'r ffordd, a mwy na'r ffordd i mi,
> tydi yw 'ngrym:
> pa les ymdrechu, f'Arglwydd, hebot ti,
> a minnau'n ddim?
> O rymus Un, na wybu lwfwrhau,
> dy nerth a'm ceidw innau heb lesgáu.

Gwrthwynebwyd apwyntiad Archesgob diweddaraf Caergaint gan garfanau o blith efengylwyr sy'n gwbl anwybodus o gynnwys emynyddiaeth y Cymry, a'r modd y bu i'n hemynau, cwbl efengylaidd a chenhadol eu cynnwys, ddylanwadu'n drwm ar feddwl a diwylliant crefyddol Rowan Williams. Cafodd dderbyniad teilwng a chynnes gan garfanau o'r un feddylfryd yng Nghymru am eu bod yn gyfarwydd â'i gefndir ac yn derbyn dilysrwydd a dyfnder ei fywyd ysbrydol.

Pwrpas yr eicon, fel yr emyn, yw gosod cyfeiriad i'n dyheadau, a rhoi pwrpas i'n bywydau, a'n tynnu ni allan o'n hunain. Mae'r amlinellau sydd ynddo cyn bwysiced â'r lliw a'r llun. Mae dwylo a llygaid y fam a'i phlentyn wedi'u peintio gyda'r nod o danio ein dychymyg, a chanfod ystyr yr eicon. Fe'n tynnir ni i mewn i gylch y teulu sanctaidd, ac i gymdeithas y cariad Cristnogol. Yno mae diogelwch a chysgod, a chariad 'mwy na chariad mam'. Dymuniad amlwg Mair, sy'n syllu arnom trwy dristwch du ei llygaid llaith, yw'n llygad-dynnu a'n troi at Dduw. Mae braich fach y plentyn, sydd ag aeddfedrwydd dyn yn ei wyneb, yn pwyntio at galon ei fam. Hi sy'n cynnal y 'dyn bach' sydd am roi ei fraich 'i gynnal baich y byd'. Nid ein galw ati hi ei hun a wna Mair, ond ein galw at yr un a ddywedai: 'Dewch ataf fi, bawb sy'n flinedig ac yn llwythog, ac fe roddaf fi orffwystra i chwi' (Mathew 11:28).

Amrywiad ar yr 'Hodegetria' yw'r 'Eleousa', testun yr ail fyfyrdod. Mam a'i phlentyn yn 'cyfnewid dwy galon' a geir yma eto, ond mae'r gair 'eleousa', 'y forwyn drugarog', yn awgrymu gwersi gwahanol i'r hyn a geir yn yr eicon cyntaf. Mae cwpled o emyn cyfarwydd yn crynhoi'r cynnwys:

> Os Duw sydd ar f'enaid i eisiau
> mae eisiau fy enaid ar Dduw.

Yma, mae'r 'dyn bach' yn cofleidio'r forwyn, oherwydd hi yw cyfrwng ei hebrwng ef yma i greu gofod i Dduw yn ein byd a'n bywydau. Ni fyn Duw golli dim o'i greadigaeth, ond yn hytrach mynd i'r afael â hi. Mae'r hwn a fegir yn cynrychioli Duw, y Tad sy'n ceisio, ac yn dewis ein cofleidio. Mair yw'r ddynoliaeth sy'n ymateb yn gariadus i ras Duw. Rhoddodd hi le i Dduw yn ei bywyd, ac esgor ar y bywyd hwnnw. Darlunnir egni'r bywyd hwn yn yr eicon, gyda boch y bychan yn dyner ar rudd ei fam. Mae tynerwch apelgar yng nghariad Duw ac mae'n fodlon 'dioddef pob dim' fel y dioddefodd o Fethlehem i Galfaria. Ond mae'n gariad ymwthgar yr un pryd. Mae grym yn y droed fach sy'n gwthio yn erbyn ystlys y fam, ac yn y llaw fach a'r fraich sy'n tynnu'n ddiamynedd ar ei gwisg. Mae'r dwyfol yn newynog ac yn sychedig am feddiannu'r dynol yn ei gyfanrwydd. Er i ni ganu am 'ryfedd amynedd Duw', un ydyw Ef sy'n mynnu ei le yn ein bywydau. Gras grymus yw gras Duw. Meddai'r Archesgob:

> Yma, nid un yn oedi'n ddideimlad yw'r Arglwydd tra byddwn ni'n baldorddi am ein cywilydd a'n hedifeirwch gan geisio'i argyhoeddi ein bod yn haeddu'i faddeuant.

'Mae eisiau fy enaid ar Dduw' yn awr, ac ni all oedi. Mae'n frwdfrydig i'n meddiannu a'n cofleidio. Cymaint yw ei frwdfrydedd gall ein treisio i ildio iddo. Mae cariad Duw fel y plentyn yn y groth neu ym mreichiau ei fam, yn drwm ac yn ymwthgar, a gall ddrysu'n byd bach preifat a diddos. Â'i law, gall ystyried tynnu'n dillad parch i ffwrdd fel yn yr 'Eleousa', a'n dinoethi. Yr un yw'r genadwri yn ei bregeth, 'Ganwyd o Fair Forwyn' (*Open to Judgement*, tud. 25). Meddai:

Felly, mae Mair, gyda rhieni Ioan Fedyddiwr a Simeon ac Anna yn y Deml, yn cynrychioli holl saint yr hen gyfamod, a'i gwnaeth yn bosibl i Air Duw gael ei amlygu yn y cnawd, fesul tipyn . . . Mair yw'r Arch newydd yn cludo o'i mewn arwydd a sêl y cyfamod newydd, felly, mae presenoldeb Duw, trwyddi hi, yn dychwelyd at ei bobl.

Y math yma o ddyfeisgarwch a beiddgarwch, ynghyd â'i ddiwylliant eang, yw ei arfogaeth i gyflwyno'n greadigol gyfoes yr efengyl Gristnogol mewn termau ffres a chynhyrfus. A hyn er mwyn i ni dderbyn bod yna greadigaeth newydd pan fydd Duw yn defnyddio ein dynoliaeth, ac yn ein cofleidio fel aelodau o'r Israel newydd, y teulu o linach Mair. Hi, gyda'i breichiau ar led yn croesawu Duw, a'i llygaid ar agor i holl ddoluriau'r teulu dynol, yw'r patrwm o aelod eglwysig. Yr oedd hi wrth droed y groes, a gwewyr dydd ei eni yn parhau wrth iddi weld marwolaeth Iesu. Awgrymodd yr Esgob Richard Holloway mai hon oedd awr geni'r Eglwys, pan ddywedodd Iesu yn ôl Ioan (19:26), 'Wraig, dyma dy fab di', ac wrth Ioan, 'Dyma dy fam di'. Wrth y groes y daeth teulu'r ffydd yn realiti.

Yn y myfyrdod ar yr 'Orans' ('Gwyryf yr Arwydd'), gwelir dwy law Mair wedi'u dyrchafu mewn gweddi, a medaliwn ar ei dwyfron, ac o fewn y ffrâm aur, ceir darlun crwn o'r plentyn Iesu unwaith eto. Mae'r fam a'i phlentyn yn awr yn gweddïo, a gweddi, dim arall, yw'r pwnc dan sylw. O ddyddiau cynnar yr Eglwys Gristnogol, mae Mair yn gynrychiolydd y gymdeithas Gristnogol a hi yw'r 'arwydd' bod Crist yn yr Eglwys yn eiriol trosom. Lle mae'r un a'n dysgodd i weddïo yn 'eiriol dros y gwan', daw ei fywyd ef yn rym ynom. Dyma fyrdwn yr emyn a ddaw i gof wrth edrych ar yr 'Orans':

> O Iesu byw, dy fywyd di
> fo'n fywyd yn fy mywyd i.

Pa le bynnag mae Crist yn gweddïo yn ei eglwys, mae bywyd a gobaith. Yn y bennod fawr honno, yr wythfed yn yr Epistol at y Rhufeiniaid, mae'r apostol Paul yn dal na 'wyddom ni sut y dylem weddïo'. Ond, mae Ysbryd Crist o'n mewn yn gweddïo ar ein rhan. Ac mae'r eicon o Grist yn gweddïo yn y ffrâm y tu mewn i fynwes Mair nid yn unig yn ein hatgoffa bod Duw wedi dod mewn cnawd, ond mai hanfod gweddi yw rhoi cyfle i'r Duw sydd oddi mewn i ni siarad â'r Duw sydd y tu hwnt i ni, a thu draw i'n deall a'n dychymyg.

Chwedl boblogaidd am Fair sy'n cloi'r encil a'r llyfryn hwn o fyfyrdodau syml, a hynny ar fater a all fod yn ddyrys, sef gweddi yng nghyd-destun anthropoleg Gristnogol. Gyda'r blynyddoedd, tyfodd chwedlau lu o gwmpas y Forwyn Fair a'i theulu, ac un yn cyfeirio at ei thasg feunyddiol yn gwau lliain coch a phorffor, sef y llen y dywedir iddi dorri yn ei hanner ar y dydd Gwener Groglith hwnnw. Un dydd tra oedd yn trin yr edafedd coch yn Nasareth, aeth at y ffynnon yn y dref. Dyma'r man cyfarfod i nifer o wragedd y Beibl. Yno, dynesodd yr angel Gabriel ati, a dweud, '. . . wele, byddi'n beichiogi yn dy groth ac yn esgor ar fab, a gelwi ef Iesu' (Luc 1:31).

I Rowan, nid oes yr un athrawiaeth yn hunangynhaliol. Ni ellir adrodd hanes y geni heb gofio hanes y marw, na thrin yr Ymgnawdoliad heb ddwyn i gof y weithred achubol. Mae'n cydio yn y syniad mai diben y llen oedd cadw'r Duw glân a'r dyn pechadurus ar wahân. Ond, fe ddaeth Gair Duw trwy'r llen a adnewyddai Mair, i deml ei chorff!

Yna yn sydyn, ac fe ddigwydd yn aml yn hanes Rowan Williams, cwyd y nwyd bregethu ei phen, ac mae'r ysgolhaig yn codi nifer o gwestiynau cignoeth, ond cwbl ymarferol. Wedi corlannu'r athrawiaethau mawr i'w fyfyrdod, dyma anelu saethau eu gwirioneddau â'i rethreg soniarus i glustiau a chalonnau ei wrandawyr: 'Pa lenni fyddwn ni yn eu codi?' Cywilydd, gostyngeiddrwydd ffals, arferion gwael a chonfensiynau slic. Mae perygl i ni droi'r llen yn fur rhyngom a Duw, a dal i siarad amdano ac am ein rhwystredigaethau. O ganlyniad, mae geiriau ein tafodau a chreiriau ein defodau yn ddiflastod llwyr i Dduw, i ninnau ac i'r byd.

Os ydym ni yn codi muriau i gau realiti Duw allan o'n bywydau, mae'r Archesgob Rowan Williams, yn ei bregethau, ei fyfyrdodau a'i ysgrifau poblogaidd, wedi agor nifer o ddrysau i'n tywys at ddirgelion a gwirioneddau na all pawb ohonom eu canfod yn ei astudiaethau mwyaf astrus. Mae unrhyw un a gais gyflwyno'i ddiwinyddiaeth feirniadol, fel y'i geilw, sy'n bur gymhleth ac mewn paragraffau cymalog, yn llawenhau bod ei ddiwinyddiaeth ddathliadol mor ddarluniadol. Mae hefyd yn atyniadol i'r 'praidd bychan' sy'n caru'r wireb fugeiliol ac i'r gweddill gweddigar sy'n mwynhau'r arweiniad ysbrydol hwnnw sy'n ennyn cariad at Dduw a chyd-ddyn. Gall yr egni sydd mewn hen eicon ein tywys at y dyfroedd tawel, os nad i'r dyfroedd dyfnion, ac o dipyn i beth i'r borfa frasach a geir yn y gyfrol odidog honno, *The Wound of Knowledge*.

MAIR, MODEL FFEMINISTIAETH

Cafodd Mair, fel ei theulu a'r disgyblion gynt, anhawster mawr i ddeall ei mab, er iddi esgor arno a'i fagu. Yn ddeuddeng mlwydd oed, ac yntau yn oedi yn y deml yn Jerwsalem, mae'n amlwg nad yw Mair yn medru dirnad y dirgelwch sydd yn ei gofal. Ond yn ddiweddar, dadleuwyd gan ddiwinyddion ecwmenaidd eu hysbryd bod deall Mair a'i lle yn yr Eglwys yn help i ni ddeall ei mab, Iesu. Yn wir, fe orfodwyd i'r Eglwys, mewn gwahanol gyfnodau yn ei hanes, ystyried lle Mair yn y stori Gristnogol. Ac mae Rowan Williams, hanesydd ac ysgolhaig a roddodd flynyddoedd i ddatrys datblygiad yr Eglwys a'i ffydd yn y canrifoedd cynnar, wedi rhoi lle amlwg yn ein dyddiau ni i'r Forwyn Fair a dehongli ei bywyd o fewn i'r drafodaeth ecwmenaidd, ac o fewn i fframwaith eang y ddiwinyddiaeth honno a boblogeiddiwyd dan faner ffeministiaeth.

Yn y Canol Oesoedd, fe ofalai'r beirdd fod Mair yn cael sylw yng Nghymru. Ond gyda thwf Anghydffurfiaeth yn y cyfnod modern, ni fyddai fawr o sôn am Mair, y wraig a safai ar y ffin rhwng dau destament, rhwng nef a daear, rhwng addewid a chyflawniad. Disgrifiwyd y ffactor yma yn 'fudandod Protestannaidd'. Ond, yn ystod chwarter olaf yr ugeinfed ganrif, sylweddolodd rhai dynion dylanwadol, fel y Parchedig Athro A.M. Allchin, y diweddar A.M. Ramsey a fu'n Archesgob Caer-gaint, a'r Athro John Macquarrie, yr awdur toreithiog y cymerodd Rowan Williams ei gadair yn Rhydychen, fod anwybyddu Mair yn y drafodaeth ar athrawiaeth yr Ymgnawdoliad yn golled ddifrifol. Cytunai'r merched a fu'n arwain y mudiad ffeministaidd y tu mewn i'r Eglwys fyd-eang â'r cyn-Archesgob Ramsey na ellid gwthio Mair i'r ymylon gan ei bod yn haeddu'i lle yn y canol.

Yn y saith degau cynnar, pan oedd Rowan Williams yn fyfyriwr, sefydlwyd Cymdeithas Ecwmenaidd y Fendigaid Forwyn Fair, ac yn y ddarlith 'Duw a'r benywaidd' a draddododd yr Athro John Macquarrie yn Brighton yn ystod Pasg 1975, mynnai y dylai'r ferch gael ei rhyddhau i fwy o ryddid mewn byd ac Eglwys. Bu'r canlyniadau'n chwyldroadol. Cyn hyn, cwbl wrywaidd oedd Duw, ac roedd cam gwag Efa yng ngardd Eden wedi gadael y ferch yn israddol a heb yr urddas a etifeddodd y gwryw. Gadawyd y wraig mewn pwll o israddoldeb, a bu'n rhaid ailddarganfod Mair cyn adfer i'r wraig ei lle priodol. Dadleuwyd bod y rhod wedi troi. Os Adda a gafodd yr amlygrwydd ac Efa'r bai yn stori Genesis ym more'r byd, erbyn dydd cyfansoddi'r Efengylau, Joseff oedd yn y cysgodion a Mair yng nghanol y darlun.

Gan bwyll bach derbyniwyd cydraddoldeb y ferch, ei chyfraniad cwbl arbennig i gymdeithas, a'r annhegwch a wnaed â hi yn eglwys Iesu Grist. Am ganrifoedd, rhoddwyd teitlau fel Brenin, Tad, Rhyfelwr, a Barnwr i Dduw, ac roedd gŵr dylanwadol fel Paul yn cael ei gyhuddo o ddal mai eilradd yw'r wraig. Ond, erbyn degawd olaf yr ugeinfed ganrif, roedd llifeiriant o lyfrau ar gael o blaid y ferch a'i hawl i gael ei lle a'i hurddas yn yr Eglwys. Cyfeiriwyd at rannau o'r Ysgrythur i gryfhau safbwynt y diwinyddion a fu'n arloesi, yn enw Mair, i ddyrchafu'r wraig. Merched oedd yr olaf i fod gyda'r un a groeshoeliwyd, hwy a eneiniodd ei gorff, a hwy oedd y tystion cyntaf i'r atgyfodiad. Danodwyd i'r gwrywod bod un ar ddeg o'r deuddeg a alwodd Iesu wedi'u cloi'u hunain mewn ystafell yn Jerwsalem.

Yn y dwymyn hon, bu'n rhaid ildio ac ordeinio merched i fod yn offeiriaid yn yr eglwys Anglicanaidd. Roedd Rowan Williams yn gryf o blaid y mudiad hwn, ac mae'n anodd dirnad gymaint gwaeth fyddai argyfwng yr Anglicaniaid yn Lloegr ac yng Nghymru oni bai i'r drafodaeth ar le'r Forwyn Fair beri i nifer o esgobion gydsynio y dylid ordeinio merched.

Tybed a fydd yn rhaid craffu ar yr eicon enwog o Fair a'i baban unwaith eto cyn y caiff Archesgob presennol Caer-gaint ei ddymuniad i benodi merched i fod yn esgobion? Cawn weld gyda hyn.

PENNOD 3

DYSGU PENLINIO

Bachgen ysgol un ar bymtheg mlwydd oed, un effro'i feddwl fel y bachgen Samuel gynt, a gyfansoddodd y gerdd 'Oes y Ffydd'. Fe'i cyhoeddwyd yng nghylchgrawn Ysgol Ramadeg Dinefwr yng nghanol chwe degau'r ganrif ddiwethaf. Bellach, eglwys y plwyf, Ystumllwynarth, yw ei gartref ysbrydol, ac os yw newid enwad yn gyfystyr â thröedigaeth, a'r newid hwnnw wedi golygu ymchwil ddygn a hunanymholi cyson, myfyrdod a gweddi, roedd y prentis hwn o fardd wedi mynd trwy borth y llan i fywyd newydd a gwahanol.

Mae gan Mrs J. Pengelly Morgan, gweddw ei athro Ysgrythur yn Ninefwr, atgof i'w phriod ddychwelyd un prynhawn o'r ysgol, yn dal i synnu a rhyfeddu at ddifrifoldeb un bachgen yn ei ddosbarth. Fe'i galwyd ef allan am rai munudau, ac wrth ddynesu'n ôl at y dosbarth, clywai'r dwndwr rhyfedda ymhlith ei ddisgyblion. Roedd y mwyafrif llethol ar eu traed yn aflywodraethus a swnllyd. Ond yn yr un ystafell roedd un crwtyn wedi hoelio'i lygaid ar ei Feibl, a'i ddwy law dros ei glustiau i gau allan y twrw mawr. Rowan Williams o Ystumllwynarth oedd hwnnw.

Mae'r difrifoldeb hwn yn y gerdd gynnar 'Oes y Ffydd', cân ac ynddi ychydig dristwch, dogn o ddiddanwch a mesur o ddychan. Gan ei bod yn cyfleu'r newid cywair fu yn ei fywyd wedi iddo ddechrau addoli yn Eglwys yr Holl Saint, dyma ymgais i'w throsi i'r Gymraeg.

OES Y FFYDD

Tenau yw fflam y gannwyll a gwan yn yr awel groes.
O'r entrychion, gollyngir golau egwan trwy ffenestri cul
tra sylla'r saint â'u llygaid llydan trwy'r gwydr lliw di-
amser.
Gwragedd, gwŷr a phlant – ffyddloniaid prin –
penliniant; digon iddynt hwy yw clywed seiniau'r Lladin,
gweld brodwaith emog urddwisg yr offeiriad,
a gwisgoedd lliwgar, eurles y diaconiaid.
Ac yn fwy na dim gweld yr afrlladen fechan, gron a
chrimp
fry yn llaw'r gweinyddwr: iddynt hwy dyma Gorff Duw.
Y Duw a ddisgynnodd i'w daear. Y Duw a fu farw
drostynt ar bren.
Hon oedd oes ffydd, dydd y creiriau a'r allorau,
eglwysi, cadeirlannau, a godwyd yn unig er gogoniant
Duw;
pan oedd Duw yn gynnes agos, a'r Fam Forwyn yn
agosach;
pan oedd Lloegr yn waddol i Fair, a phobl yn caru Duw'n
wirioneddol.
Roedd ffydd yn wylaidd groesawu Dirgelwch, ac yn
cydnabod
bod Duw oll yn oll, a dyn yn ddim.
Hon oedd yr oes ddirmygir gennym ni fel un farbaraidd;
oes o anwybodaeth, credgarwch ac ofergoeledd.
Felly, yn ein dydd, dydd o droi cefn ar Dduw,
a chodi dyn yn Dduw, cyhoeddwn farn ar oes y Ffydd.
Sut felly'n bernir ni?

R.D. Williams 5E

61

Yng ngofal a than gyfarwyddyd ficer Eglwys yr Holl Saint, y Canon James Edmund Crowden Hughes, trodd Rowan at gangell, allor a channwyll yn fuan wedi iddo adael Caerdydd. Dau begwn ei fywyd bellach oedd yr Ysgol a'r Llan, gwersi ei athrawon a phregethau a gweddïau'r gŵr y cyflwynodd iddo'i gyfrol o bregethau ac anerchiadau, *Open to Judgement* (1994). Roedd y Canon Eddie Hughes, gŵr amryddawn a duwiolfrydig, yn ei eglwys bob bore am hanner awr wedi chwech yn dweud ei baderau, ac yn darllen ei Feibl. Trwy ei esiampl, arweiniodd y gŵr amyneddgar hwn y glaslanc gwancus am wybodaeth i lwybr gweddi ac i feysydd toreithiog diwinyddiaeth a llenyddiaeth. Mae dwy o'i gerddi cynnar yn brawf ei fod wedi cael 'dôs drom o Dduw yn gynnar' – sylw cyfaill amdano. Clywais ef yn dweud yn gyhoeddus ar ôl iddo ddod yn Esgob i Fynwy, 'Yn grwtyn ifanc, roeddwn yn annioddefol o dduwiol, ond mae rhywun yn tyfu allan o'r fath dwymyn'.

Yn sicr, roedd wedi gwirioni ar litwrgi'r Eglwys yng Nghymru. Fe ddywed ficer presennol Eglwys yr Holl Saint, y Parch. Keith Evans, fod Rowan Williams yn canmol yr eglwys hynafol uwchben bae Abertawe am iddi 'ei dywys allan o'i arddegau â'i feddwl wedi'i ehangu'. Mae gweddw'r Canon Hughes, Mrs Olive Hughes, yn sôn am ymweliadau cyson y 'disgybl ifanc' â'r ficerdy. Byddai ef a'i phriod yn cael 'trafodaethau diwinyddol', ond yn trafod pynciau eraill yn rheolaidd am ryw awr neu ddwy yn y stydi. Athroniaeth, barddoniaeth, cerddoriaeth a'r celfyddydau cain oedd rhai o'r materion hyn. Dan sylw fe fyddai barddoniaeth T.S. Eliot a W.H. Auden, a *Llythyrau a Phapurau o Garchar* y merthyr, Dietrich Bonhoeffer. Arhosodd dylanwad meddwl creadigol yr Almaenwr ar ei gyfraniad i ddiwinyddiaeth hyd heddiw.

Un Sul yn niwedd 2003, euthum i weld Eglwys yr Holl Saint, a synnu at ei maint a'i hanes hir. Bu Cristionogion yn addoli ar y darn hwn o dir am dros fil o flynyddoedd. Saif ar lwybrau'r saint ym Mro Gŵyr ac ar safle lle bu'r Rhufeiniaid yn trigo, ac o'i mewn gwelir gwaith adeiladu o gyfnod y Normaniaid. Pan oedd yn Archesgob Cymru, ac ar ymweliad â dinas Sydney ym Mehefin 2002, fe'i holwyd gan ohebydd y *World Faith News* yn Awstralia am ei fywyd cynnar ac am y dylanwadau crefyddol a fu arno. Pan ofynnwyd i Rowan a oedd dylanwad Cristionogaeth Geltaidd arno ac ar ei ffydd a'i weinidogaeth, rhoddodd ateb cadarn a dadlennol. Hoffai'r ystwythder a'r rhyddid a brofodd mynachod Iwerddon a Chymru, ac yna ychwanegodd: 'Mae elfen ddeniadol iawn yn llenyddiaeth ac yn ysbrydoledd y mynachod Gwyddelig cynnar ynghyd â diolchgarwch a llawenydd. A bu hwn yn fy mywyd i. A llawn mor bwysig i mi yw'r traddodiad Cymreig diweddar, traddodiad diwygiadol y ddeunawfed ganrif, ac emynau mawr y cyfnod hwnnw sy'n rhoi mynegiant gwych i'r athrawiaeth Gristnogol glasurol. Cynnyrch y traddodiad hwn yw llawer o'm dealltwriaeth o'r hyn yw Cristionogaeth'. A'r Celtiaid hyn oedd y cyntaf i addoli ar y llecyn hwn uwchben y Mwmbwls a'r môr.

Roedd gweinidog Lutheraidd a'i briod wedi trefnu arddangosfa o fân bresebau'r geni i'r plwyfolion y Sul hwnnw yn Adfent 2003. Aeth y Parchedig a Mrs Wolfram Neumann â mi i blith eu casgliad lliwgar o bresebau, ac arweiniodd y gweinidog o'r Almaen bregethwr y Triniti (Abertawe) y Sul hwnnw o gornel i gornel ac esbonio i mi bensaernïaeth yr hen eglwys, a'r gelfyddyd, hen a newydd, a roddodd liw ar fur ac mewn ffenestr. Mae'n siŵr fod y gweinidog yn gwybod bod Rowan Williams yn edmygydd mawr o Martin Luther, a bod ganddo le iddo yn ei gyfrol gynnar, *The Wound of Knowledge*, gyda'i arwyr dethol. Safodd o flaen y sedd lle y bu Rowan yn grwtyn ysgol yn eistedd gyda chôr yr eglwys ysblennydd. O'r fan honno byddai'n gwylied ac yn gwrando'n astud ar y Canon dysgedig, gŵr a fyddai'n ei atgoffa o un o'i arwyr mwyaf maes o law, yr Archesgob Michael Ramsey. Roedd grym dychymyg dynion fel y rhain, dyfnder eu deall a'u ffydd a asiwyd yng ngwres a bywiogrwydd addoliad ystyrlon yn denu'n dawel y gŵr ifanc i'r cyfeiriad y mynnai'r Ysbryd Glân ei arwain. Bellach, ei bryder mawr yw na ellir dal yr ysbryd iachusol hwn yn ein heglwysi y dwthwn hwn. Mae'r trai diwylliannol sydd yn ein tir yn gwanychu'n trafodaethau, a'r atebion slic a gynigir i symud ein doluriau mewn idiomau cwta mor drychinebus o arwynebol.

DEUFOR-GYFARFOD

Cyn iddo ddilyn cyrsiau ar hanes yr eglwys a chyn iddo flodeuo fel diwinydd, mae'n amlwg bod Rowan Williams wedi bwrw'i wreiddiau'n ddwfn iawn yn y bywyd ysbrydol. Mae ei gân gynnar i 'Mair' a'r gerdd i 'Oes y Ffydd' yn datgelu ei ddwyster cynnar, ac mae ei ddarllen eang yn tystio iddo ei baratoi'i hun ar gyfer ei gyrsiau yng Nghaer-grawnt, a'r ymchwil dair blynedd yn ddiweddarach yn Rhydychen. Aeth i Gaer-grawnt gyda'r ysgoloriaeth a gipiodd ynghyd â'r mesur helaeth o ras Duw a fu'n cronni yn ei galon.

Ei fwriad oedd darllen Saesneg yng Ngholeg Crist, ond roedd grym y bywyd ysbrydol a afaelodd ynddo yn ei wthio i gyfeiriad diwinyddiaeth. Ac yntau wedi troi at Dduw yn blentyn ysgol, nid yw'n syndod iddo newid ei gwrs ar ôl rhai wythnosau yn ei goleg cyntaf ac, wrth wneud hynny, newid cwrs ei fywyd. Tra oedd yn diwinydda câi ei gyfle i 'groesawu Dirgelwch' yn feunyddiol, ac yn naws eglwysi a cholegau'r ddinas a fu'n noddfa i gynifer o gewri'r ffydd, bu'n meithrin y traddodiad a ddarganfu tra oedd yn ddisgybl yn Ysgol Dinefwr. Aeth dros Glawdd Offa, a'i galon Gymreig yn gynnes, a'i ymennydd miniog at ei wasanaeth. Gwisgodd fantell yr hanesydd ymchwilgar ar ôl newid ei adran ac ymddiddori ar unwaith yn hanes yr eglwys gynnar a ffydd ddiffuant y Tadau.

Mae'r Athro Christopher Rowland, sy'n awr â chadair yn Rhydychen ac yn dysgu'r Testament Newydd yn yr adran lle bu'r Archesgob yn Athro rhwng 1986 a 1992, yn ei gofio'n cyrraedd Caer-grawnt yn fyfyriwr ifanc. Fel Rowan Williams, gŵr hynaws ac agos-atoch yw'r Athro Rowland, yn dysgu'r Testament Newydd i'w fyfyrwyr, ac wrth ei fodd yn cerdded mynyddoedd Cymru. Mae'n cofio'n fyw iawn fel y byddai Rowan beunydd beunos yn sôn am Abertawe ac am ei thraddodiad llenyddol, ac yn adrodd gwaith beirdd fel Vernon Watkins yn rheolaidd mewn cwmni. Weithiau, fe'i clywyd yn adrodd ambell gywydd o waith Dafydd ap Gwilym, a cherddi o waith Gwenallt a Waldo, ac eraill o feirdd Cymru a ganodd yn y Gymraeg a'r Saesneg. Rhyfeddai'r myfyrwyr yng Nghaer-grawnt at ei allu rhyfeddol, ei gof, a'i wybodaeth. Medrai adrodd darnau helaeth o'r efengylau apocryffaidd, deunydd anghanonaidd ac anghyfarwydd. Meddai'r Athro Rowland: 'Nid wyf wedi cwrdd â neb hyd yma oedd mor wybodus yn ei ieuenctid'. Â'i lais melodaidd, byddai'n hoffi canu mewn côr, ffurfiol neu anffurfiol, ac fel llawer aelod o'r hen deulu yng Nghwm Tawe, roedd wrth ei fodd yn codi'i law i arwain pan ddeuai ambell gyfle!

Rhyw bymtheng mlynedd ar hugain yn ddiweddarach, yn 2003, byddai'n croesi afon Hafren unwaith eto i afaelyd y tro hwn yn ei ddyletswyddau enbyd ym mhlasty Lambeth. Fe'i hapwyntiwyd yn Archesgob Caer-gaint ym mlwyddyn y 'genyn' fel y'i gelwir, sef 2002, blwyddyn a roddodd gychwyn ar y drafodaeth fydd yn aros gyda ni am flynyddoedd lawer. Tair oed oedd Rowan pan ddatgelwyd fframwaith molecwl y DNA gan Francis Crick a James Watson yng Nghaer-grawnt ym 1953 a'r genynnau cudd yn gadwyn o fewn y DNA. Y tri Steffan – Pinker, Jones a Rose, gyda Tom Kirkwood ac eraill fu'n arloesi yn y drafodaeth hon. Rhoddwyd sypyn o sylw i'r 'genyn hunanol' gan Richard Dawkins, a chyfeiriodd ef ac eraill at y genynnau sy'n llywio'n bywydau ni oll, gan gynnwys y 'God gene'. Y genynnau hyn a'n gwnaeth yr hyn ydym, ac ynddynt hwy mae'n tynged, ac ni allwn osgoi'u dylanwad a'u gafael arnom. Y Cymro amlwg yn y drafodaeth, yr Athro Stephen Jones o Brifysgol Llundain, fu'n rhybuddio gwyddonwyr rhag defnyddio'r gadwyn enetig i godi cwestiynau sy'n perthyn i diriogaeth y diwinyddion, y moesegwyr a'r cymdeithasegwyr. Ond mae gennym yn awr Archesgob o Gymro yng Nghaer-gaint a fedr roi ei arweiniad ar faterion moesol a gwleidyddol, athronyddol a chymdeithasol.

Yng nghanol y saith degau, yn ei lyfr poblogaidd, *The Selfish Gene*, bathodd Dawkins y gair 'meme' i gyfateb i'r 'gene' bondigrybwyll. Y memau yw'r blociau diwylliannol sydd wedi glynu yng nghof yr hil ddynol, yr arferion hynny sy'n loetran yn yr ymennydd. Ac mae'r anffyddiwr Richard Dawkins yn gosod crefydd ar ben ei restr ef o femau. Ein twyllo mae'n credoau, a thrwy eu lledaenu, rydym yn gwneud cam â'r bodau hynny sy'n derbyn ein syniadau gwyrgam, ac yn hau hadau anghydfod a rhyfel. A dyma godi eto yr hen ddadl honno bod rheswm yn ddiogelach na ffydd.

Mae rhai o'r farn bod gosod y memau yn gyfochrog â'r genynnau yn dwyn cydbwysedd i'n bywydau. Pan fathodd Llwyd o'r Bryn y gair 'pethe' am y blociau diwylliannol a etifeddwyd gan y Cymry, roedd yn amhosibl i lawer ohonom ollwng syniadau Bob Lloyd am rai Richard Dawkins!

Mae deall y cyfuniad, os nad y cwlwm tyn sydd ym mywyd Rowan Williams rhwng yr ymenyddol a'r ysbrydol, yr academaidd a'r creadigol, yn fater o ystyried deufor-gyfarfod y genynnau a'r memau yn y bersonoliaeth amryddawn a roddwyd iddo, neu a etifeddwyd ganddo. Rhoddwyd i ni gan ein cenedl, ein teuluoedd a'n cymunedau y 'pethe' yn ganllawiau i ni ar ein pererindod, a rhwng Bannau Brycheiniog a mynydd-dir Llyn y Fan Fach, rhwng y Tawe a'r Taf ymdoddodd y genynnau a'r 'pethe' yn y bersonoliaeth hoffus sy'n arwain praidd niferus yr Eglwys Anglicanaidd o lannau'r Tafwys. Temtiwyd gwibdeithwyr yr Ysgol Sul gynt i aralleirio'r adnod honno: 'A ddichon dim da ddyfod allan o'r Mwmbwls?' Ond yno yr asiwyd natur a gras, cof a dychymyg, athrylith ac awen, a chyflwynwyd y cyfan i dywys ac addasu carfan fawr o eglwys Iesu Grist ymlaen i fileniwm newydd ond astrus.

ETIFEDDIAETH GYFOETHOG

O dro i dro, bydd Rowan yn rhestru'r dylanwadau cynnar hyn fel y gwna yn yr anerchiad a draddodwyd ganddo i gynhadledd ar genhadu ar 23 Mehefin 2004. Ar ôl galw ar yr eglwys i dorchi'i llewys, y mae'n annog ei wrandawyr i fod yn 'ferw mewn diffyg amynedd' a mynd allan i'r byd a'i drawsnewid. Fe gofiwn fod y gair 'trawsnewid' yn britho'i anerchiadau a'i lyfrau. Dyma'r darn portreadol sy'n grynodeb cryno o'i fabinogi:

Eingl-Gatholig ydwyf fi o ran fy magwraeth, ond mae rhan o'm magwraeth yn anghydffurfiol Gymreig, ac felly mae ynof gymysgedd gyfoethog o geidwadaeth – ceidwadaeth y diwygiad Cymreig ac emynyddiaeth Protestaniaeth Gymreig. (Mae hwn yn beth dwfn iawn ac yn beth pwysig, yn beth sy'n fy nghynhyrfu i'm gwaelodion yn fwy na dim byd arall.) A cheidwadaeth a geir ym mhatrwm ffurfwasanaeth, y weddi fyfyriol a diwinyddiaeth sydd wedi cyfoethogi fy nychymyg mewn gair a gweledigaeth trwy gydol blynyddoedd fy ffurfiant. Yn naturiol, fe garwn yn fawr petai pob un sy'n galw'i hun yn Gristion yn Eingl-Gatholig, yn hoffi emynau Cymraeg y diwygiad, ac fe dderbyniaf danysgrifiadau i'm mudiad newydd yn nes ymlaen . . . !

Dyma eiriau sy'n cadarnhau bod tras a gras a lot o hiwmor iach wedi cydgyfarfod yn Rowan Williams.

Mae'r Canon A.M. Allchin wedi cydnabod dyled fawr i'r diweddar Athro H.A. Hodges o Brifysgol Reading, gŵr o Sais a sylweddolodd mor werthfawr oedd cyfraniad llenyddol a diwinyddol William Williams ac Ann Griffiths. Aeth Donald Allchin yn ddyfnach i fywyd a champ Ann Griffiths, ac mae'n debygol iddo ef a'i fyfyriwr ymchwil disgleiriaf drafod ei hemynau a'i llythyrau lawer gwaith yn Rhydychen. Ac yn y blynyddoedd ymchwilgar hynny, hwyrach bod yr Athro wedi cyfeirio sylw Rowan at erthygl gofiadwy yr Athro Hodges ar waith y Pêr Ganiedydd mewn rhifyn o Gylchgrawn Hanes Sir Frycheiniog ac yn arbennig at ei ddefnydd o'r arwyddluniau a ddewisodd i fynegi'i brofiadau ysbrydol er mwyn cyfleu a gosod ar gof dychweledigion y diwygiad arwyddocâd y profiadau hyn. Yn yr iaith fain yr ysgrifennai'r Athro Hodges, ond mae'r Gymraeg yn medru corlannu delweddau'r amaethwr o Bantycelyn yn dwt mewn tri gair – Tywydd, Tirlun (neu Tirwedd), Taith. Mae'r pererin aflonydd yn wynebu peryglon enbyd ar ei daith o seiat i seiat, ac yn brwydro yn erbyn y tywydd a'i elfennau bygythiol, y niwloedd, y cymylau, yr oerfel a'r gwres. Pan fydd gartref, bydd yn edrych tua'r gorwelion am arwyddion o hindda fel pob amaethwr da. A phan fydd yn marchogaeth ei geffyl trwy fannau dyrys a pheryglus, bydd y tirlun draw yng nghil ei lygad, a'r bryniau pell a'r llethrau blinderus, fel y llygedyn o heulwen trwy rwyll yn y cwmwl, yn her ac yn obaith.

Yn Eisteddfod Genedlaethol Dyffryn Clwyd yn Ninbych ym mis Awst 2001, eisteddfod gymylog a gwlyb o dan dirlun bryniau Clwyd a mynyddoedd Hiraethog ac Is-Aled, traddododd yr Archesgob ei ddarlith 'Tirwedd Ffydd' ar wahoddiad Cymdeithas Emynau Cymru. Mae'n ddarlith nodedig gan fod yr Archesgob yntau wedi cyfoethogi thema Hodges trwy ei gwisgo'n dyner a chwaethus â'i wybodaeth lawnach o dirwedd Cymru a'i hanes a nodweddion ei hawen a'i hemyn. Mae'n cyfiawnhau hen arfer y Cymry, a rhai cenhedloedd eraill i ganu'u credo, ac i ddiolch yn yr hyn a eilw'n 'addoli corfforaethol'. Darlith yw hon, fel ei glasur, *The Wound of Knowledge*, sy'n ein tywys at 'borfa fras' a 'dyfroedd tawel' ysbrydoledd glasurol. Ynddi darlunnir torfeydd dirifedi'r canrifoedd a fu'n pererindota ar lwybrau cysegredig eu hynafiaid gan foli Duw yn eu treialon ac yn eu buddugoliaeth. Ac yn eu plith, mae'r saint fu'n sefydlu'r llannau, a'r dychweledigion fu'n adeiladu'r capeli. Swm yr hyn a ddywedodd yn Awstralia, ac yn y Gynhadledd genhadol ond a ehangwyd gydag eneiniad, yw'r ddarlith hon yn Ninbych. Gwerthfawrogiad ydyw o'i etifeddiaeth, esboniad ar yr ysbrydoledd amlochrog a'i cynhaliodd o'r Gurnos i Gaer-gaint.

Yn ei ddarlith yn Nyffryn Clwyd, mae'r Archesgob, yn ôl ei arfer, yn defnyddio darluniau a delweddau, hen a newydd, i gyfleu natur y bywyd ysbrydol. Taith neu bererindod yw bywyd beunyddiol i'r Cristion, a'r arwyddbyst yw athrawiaethau mawr yr eglwys. Bu Cristnogion y canrifoedd yn pererindota er mwyn bwrw'u cred i dir a gysegrwyd gan saint Duw. Ac wrth ddilyn llwybrau'r saint hyn fe dry ffydd a phroffes y rhai sy'n dilyn eu llwybrau yn fawl dan ganopi creadigaeth Duw.

Mae'n olrhain hanes yr emyn yn ôl i'r bumed ganrif, i'r dyddiau a ddilynodd Cyngor a Chredo Nicea (325 OC), ac yn ei osod yn ei gefndir Ewropeaidd. Ond ei nod, a'i gamp, yw'n hatgoffa beth oedd thema'r emynwyr fu'n cyfansoddi yn ystod y Diwygiad mawr, ac yn y blynyddoedd ar ei ôl rhwng 1730 a 1750. Am genedlaethau bu'r penillion hyn yn ganllawiau i eneidiau oedd yn awyddus i 'ddringo fel ein tadau' ac yn salmau o fawl a fyddai'n 'ymdoddiad o dirwedd leol a thirwedd feiblaidd'. Fel yn *Songlines*, Bruce Chatwin, y rhain oedd y tadau a'r mamau duwiol fu'n canu'r dirwedd eirfaol i fodolaeth ac felly'n ymdebygu i brofiad y brodorion yn Awstralia. Meddai'r darlithydd: 'Mae canu Cristnogol, felly, yn bodoli yn rhannol i roi map ar gyfer tirwedd ffydd'.

Gyda Phantycelyn ac Ann Griffiths, mae David Charles ac Islwyn yn ffefrynnau ganddo, dau emynydd arall sy'n defnyddio delweddau o'r Beibl, ac wedi gosod y nefolion leoedd ar fap Cymru, a'i gwneud yn bosibl i'r Cymro weld goleuni'r byd arall yn llewyrchu ar lwybrau'r pererinion. A'r bwriad tu ôl i'r trawsosod hwn yw trawsnewid bywyd ac amgylchfyd yn nhirwedd 'cyfamod, exodus ac adferiad'. Geiriau yw'r rhain i'n hatgoffa bod gwreiddiau ysbrydoledd yn ddwfn yn y Beibl a'i ddiwinyddiaeth.

GWEDDI YW FFYNNON YSBRYDOLEDD

Mae diwinyddiaeth, os ydyw i fyw, yn byw ar y profiadau a ddaw i ni mewn gweddi (*On Christian Theology*, tud. 137). Trwy gydol ei yrfa, mae'r Archesgob wedi glynu wrth ei argyhoeddiad na ddaw gwybod ac adnabod byth i gyd-ddealltwriaeth lle nad oes gweddi. Nid oes ball ar newyn a syched yr enaid heb weddi, ac mae'n dysgeidiaeth am Dduw yn gyfeiliornus oni fyddwn yn parhau gyda'n gweddïau. Gweddi yw amod trawsnewid dyn a'i fyd. Lle nad oes amser i weddi, anghytbwys yw diwinyddiaeth yr eglwys, egwan yw ffydd a diffrwyth fydd ein pregethu a'n cenhadu. Dyma'i genadwri yn ei ddwy ddarlith ar 'Cenhadu ac Ysbrydoledd' yn niweddglo'i gyfrol o bregethau, *Open to Judgement*. Rhaid wrth ddistawrwydd a gweddi cyn y gallwn dyfu yn yr ysbryd. Edrych yn weddigar yn yr ysbryd i gyfeiriad Duw yw ysbrydoledd iddo, a swm ein holl brofiadau ym mhob cylch o fywyd rydd gychwyn i'r greadigaeth a'r ddynoliaeth newydd. Gweddïo sy'n gweddnewid ein geirfa ar gyfer ein cenhadaeth yn y byd, ac yn ein rhyddhau o lyffethair geiriau crefyddol, ond gwag. Papurau a llythyrau'r merthyr hwnnw, Dietrich Bonhoeffer, a sylwadau'r Almaenwr a'r cyfrinydd Meister Eckhart (1260-1327) yn ei bregethau sy'n ein tywys i'r cyfeiriad hwn. Fe gred y merthyr y daw geiriau newydd i ni yn nistawrwydd y weddi ddirgel ac wrth i ni weithredu cymdogaeth rasol. A thybiaeth y cyfrinydd mawr yw y gellir cyfathrebu o'r newydd ar ôl gwagio'n meddyliau o'r 'geiriach' llipa a ddefnyddir i addurno'n gweddïau gwael. O gael gwared ar y rhain, fe dry'r wreichionen honno sydd yn yr enaid, yn fflam olau. Dyma weddi gyson y Pêr Ganiedydd, a dyma darddle'r trawsnewid hwnnw a ddaw i'r sawl a fyn gario'r groes a deall ei hystyr. Yma y gwawriodd y cyflwr hwnnw o 'nos yr enaid' ar y cyfrinydd a'r bardd o Sbaen, Sant Ioan y Groes. Bydd yn rhaid dychwelyd gyda hyn at ddehongliad Rowan Williams o'r profiad hwn, y profiad o weddi'n goleuo dyfnder mwy na'r un sydd ynom ni. Yn fynych yn y 'dyfnder' y caiff y Salmydd ei brofiadau pennaf o Dduw.

Yn nhwymyn gweddi y ganwyd yr Eglwys Fore, ac ym mywyd a gwaith yr eglwys honno y cafwyd y darlun cywiraf o Iesu. O droi rhai tudalennau yn nechrau Llyfr yr Actau, buan y gwelir natur eglwys yr apostolion, y rhai fu'n agos at yr Arglwydd, a'r rhai y dewisodd ef ddychwelyd atynt wedi'r atgyfodiad. Yn yr ail bennod, dan y pennawd 'Bywyd y Credinwyr' (adn. 43-47), mae Luc yn darlunio gwaith yr eglwys weddigar hon. Wrth addoli, myfyrio a gweddïo, daeth aelodau'r eglwys yn Jerwsalem i wybod pwy oeddent a chael eu gwefreiddio gan bresenoldeb yr atgyfodedig a ddychwel- odd atynt gan gynnig ei dangnefedd a'i faddeuant iddynt. Yn ôl Luc, torrwyd ar eu distawrwydd ar ddydd y Pentecost gan ddigwyddiadau dramatig a ddilynodd y tywalltiad o'r Ysbryd Glân ar y cwmni. Mae Ioan yn ôl ei arfer (20:21-22) yn dehongli'r modd y rhoddwyd i'r gymuned yr Ysbryd gyda darlun cwbl wahanol i un Luc. Mae'n amlwg yn cyfeirio'n ôl at Genesis 2: 7: 'Yna lluniodd yr Arglwydd Dduw ddyn o lwch y tir, ac anadlodd yn ei ffroenau anadl einioes; a daeth y dyn yn greadur byw'. Mae Ioan yn cyplysu'n gynnil yr anadl â'r ddelw ddwyfol ac yn paratoi'r tir i'r rhai fyddai'n gweld ac yn dysgu y gall y ddynoliaeth gyfranogi o Dduw, a byw eto. Ac mae Rowan Williams yn glynu'n gyson wrth y safbwynt hwn gan ddiogelu'r athrawiaeth hon o fewn yr un math o ysbrydoledd â'r un a grëwyd gan yr Eglwys Fore ac a ddiogelwyd gan eglwys y canrifoedd cynnar. Mae gobaith dyn a chymdeithas am adferiad yn gorwedd o fewn y ddelw ddwyfol sydd ynom. Duw ynom, yr Ysbryd Glân, a all gywiro'r hyn a lurguniwyd gennym ni.

Yn ôl Mr John Williams o gapel Yorath Cwmgïedd, roedd hen wraig yn Ystradgynlais, dros ei naw deg mlwydd oed ac a fu byw yno tan ei marw yn bur ddiweddar, yn cofio gweinidog Yorath ddechrau'r ganrif ddiwethaf, Gwilym ap Lleision. Roedd y bardd bregethwr yn fab i un o feibion Bryn-y-gro's, yn cyfuno ffermio'r hen le â bugeilio'i braidd, yn selog yn y cyrddau gweddi. Roedd yr hen wraig yn ei gofio'n dod ar ei union o'r cae i'r festri gyda phridd a thom gwartheg ar ei esgidiau gwaith. Fe arferai'r hen bobl sôn am 'weddi mewn dillad gwaith', ac fe'i gwelwyd yn aml ar lan y Gïedd. Tybed a welwyd ymhlith hynafiaid y cant a thri o Archesgobion a fu o flaen Rowan Williams ddarlun mor fyw o ddistadledd, ac arwyddlun mor rymus o weddi werinol, agos i'r pridd? Dyma darddle'r gostyngeiddrwydd gosgeiddig hwnnw sy'n awgrymu swildod cwbl naturiol ac agosatrwydd sy'n ennill calonnau pobl lle bynnag y'i gwelir.

Rhaid gwneud un ymweliad arall â Chwm yr Arglwydd, Cwmgïedd, ac yng nghwmni Mr John Williams eto, un sy'n trysori ambell hanesyn sy'n ein harwain at ffynnon yr ysbrydoledd a ddaeth i'r amlwg ym mywyd Rowan Williams. Llawer degawd cyn ei eni, a chyn helaethu Yorath i'w faint presennol, pwrcaswyd tŷ annedd gan nifer o'i hynafiaid a'u cyd-weddïwyr i fod yn ganolfan i weddïo. Penlinio a wnâi'r hen weddïwyr yn y capeli Ymneilltuol, a dyma oedd yr arfer yn Adulam. Ond, yn ôl yr hanes, er mwyn rhoi tipyn o sglein ar y tŷ gweddi rhoddwyd trwch o farnais gludiog ar y llawr. O dro i dro, yng ngwres y dydd, a'r gweddïau'n aml yn hir a chynnes, byddai ambell weddïwr selog yn cael ei ddal wrth ei frethyn ar ei liniau!

I'r sawl sy'n gyfarwydd â llyfrau ac anerchiadau Rowan ar weddi, mae'r darlun hwn yn ddameg i gyfleu ei ymlyniad diollwng ef wrth y weddi gyhoeddus a'r weddi ddirgel. Yn wir, dilyn gyrfa Rowan Williams yw dilyn ei lwybrau at weddi. Meddai'r diwinydd o Gymro: 'Oni allwn weddïo ni fedrwn ddiwinydda'. Pan esgeulusir gweddi, bydd cyfeiliorni diwinyddol. Mae cyngor arweinwyr yr Eglwys fore i 'weddïo'n ddi-baid' a 'thaer', esiampl y Tadau a'r Mamau cynnar, y merthyron, y cenhadon, y diwinyddion a'r saint a gynhwysir yn ei gyfrol odidog, *The Wound of Knowledge*, yn brawf iddo gael ei ddal yng 'nglud' yr ymarfer o weddïo. A dyma'r esboniad ar y galwadau cyson fu arno i arwain enciliadau ledled y byd ar hyd y blynyddoedd.

Ffrwyth ei brofiad fel diwinydd, hanesydd a chyfarwyddwr bugeiliol yw ei lyfrau mwyaf darllenadwy ar eiconau ac ar eneidiau dethol fu'n troi at Dduw trwy'r canrifoedd. Ynddynt, mae'n dal mai gweddi sy'n clymu'r ymenyddol a'r ysbrydol. Oni all y Cristion weld â'r meddwl nid yw gweddi'n llwyddo. Cyfeirir ein deisyfiadau at Dduw, a thrwy'r gweddïau hyn deuwn yn gyfranogion o'r bywyd sydd yn Nuw. Gweddi sy'n lledu'n gorwelion, yn codi'n gobeithion, yn dyfnhau'n profiad ac yn grymuso'n cariad at waith a gwasanaeth. Profiad y sawl sy'n gweddïo'n gyson yw sylweddoli mai Duw yw ffynnon ein bywyd a'n bod. 'Gweddi,' meddai wrth Roland Ashby mewn clyweliad yn *The Tablet* (27/7/2002), 'yw'r arfer o fodoli.' Gweddi yw cael mynediad i fywyd nad yw'n eiddo i ni. O gael y bywyd hwnnw, buan y sylweddolwn fod Duw yn ein bywydau'n barod. Cyn i ni benlinio, mae perthynas yn bod rhyngom a'n Crëwr.

Trindodaidd a thraddodiadol yw ei ddealltwriaeth o weddi.

Anelir ein gweddïau at y Tad, awdur bywyd, ond Iesu Grist, a oedd ei hun yn ddibynnol ar weddi, yw 'ffurf y weddi Gristnogol a'i tharddle'. Ef piau'r allwedd i agor drws gweddi. Gweddi yw'r prif gyfrwng sydd gennym i ddeall meddwl Duw ac i'n deall ein hunain.

Mae cwestiwn cyntaf Roland Ashby iddo, 'Beth yw eich profiad o weddi?' yn arwain at ateb go ddadlennol. Byddem yn disgwyl cyfeiriad gan awdur 'Oes y Ffydd' at ei gyfnod yn Eglwys yr Holl Saint, Ystumllwynarth. Ond dyma a ddywed yr Archesgob:

> Rwy'n meddwl i mi gymryd cam go fawr yn fy arddegau, a hynny yn ystod fy ymweliad cyntaf â gwasanaeth mewn Eglwys Uniongred Rwsiaidd, a chael y teimlad bod rhywbeth yn digwydd nad oedd gennyf yr adnoddau i'w amgyffred. Fe gofiaf i mi fynd gyda'r hwyr y dydd canlynol i offrymu fy ngweddïau yn ôl fy arfer a meddwl, "Wn i ddim beth i'w wneud â hyn. Rwy'n teimlo fy mod allan o'm dyfnder". Ac rwy'n credu mai dyma'r tro cyntaf i mi deimlo y gall bod allan o'n dyfnder fod yn rhywbeth go sylfaenol yn yr hyn sy'n digwydd i ni wrth weddïo, yn yr ystyr na fedr un ddal y cyfan a roddir i ni.

Roedd ganddo yntau'i ddysgawdwyr ar lwybr gweddi. Ychydig cyn iddo ymadael â'r Ysgol Ramadeg yn Abertawe, daeth llyfr syml ond defnyddiol Christopher Butler, Abad mynachlog Benedictaidd Downside, i'w law. Bydd yn dal i droi at y llyfr hwn, ac yn cael ei atgoffa mai mater o fwriad yw gweddïo, mater o osod eich hunan yn agored i dderbyn bendith. Yn ddyddiol bydd yn ailadrodd am ryw hanner awr y frawddeg sydd yn yr hanesyn hwnnw am y Publican a'r Pharisead yn gweddïo yn y deml. Bu 'Gweddi'r Iesu', fel y'i gelwir, yn help ac yn gynhaliaeth i'r rhai a fagwyd yn nhraddodiad y ffydd Uniongred, a'r hanesyn am y Rwsiad hwnnw a gefnodd ar bawb a phopeth er mwyn ei hadrodd weddill ei oes wrth iddo grwydro'i wlad enfawr – 'Arglwydd Iesu Grist, Fab Duw, bydd drugarog wrthyf fi, bechadur'.

Clywais yr Archesgob Anthony Bloom yn dweud droeon am effeithiau'r weddi hon ar eneidiau terfysglyd, ac ar y rhai sy'n ceisio Duw â'u 'holl galon', ac yn methu. Ac meddai Rowan Williams am y weddi hon: 'Mae'n tawelu'r meddwl, curiad y galon a'r anadlu. Angor go iawn yw hi ym myd amser'.

'NOS YR ENAID' / 'YS TYWYLL HENO'

Y pennaf o'i athrawon ar lwybr gweddi oedd y cyfrinydd o Sbaen, Sant Ioan y Groes (1542-91). Ceir darlun ohono gan gyfaill o fynach, yn cofnodi golygfa ddymunol, os nad delfrydol.

Yn nhangnefedd y nos, byddai Ioan yn treulio nifer o oriau ar ei ben ei hun mewn gweddi. Pan godai o'i weddïau, cyrchai ei gyfaill, a chan led-orwedd yng ngolwg nant fechan ar ddôl wyrddlas, siaradai ag ef am brydferthwch y ffurfafen, y lloer a'r sêr.

Ond nid oedd bywyd y cyfrinydd dylanwadol hwn yn un esmwyth a chysurus. Ef a gaiff y bennod sy'n cloi *The Wound of Knowledge*, cyfrol gyntaf Rowan Williams, clasur a gyhoeddwyd droeon, ac a deipiwyd gan ei fam yn niwedd saith degau'r ganrif ddiwethaf. Tra bu'n esgob Mynwy, gwelodd ei hailgyhoeddi deirgwaith rhwng 1999 a 2002, a chadarnhau safbwynt pobl fel yr Athro Philip Sheldrake mai'r Archesgob Rowan 'a wnaeth y cyfraniadau mwyaf cyson' i bontio diwinyddiaeth ac ysbrydoledd. Fel gŵr a fu'n flaenllaw yn y byd academaidd ac fel arweinydd diogel mewn cylchoedd eglwysig, llafuriodd i ddiogelu'r cwlwm hwnnw rhwng yr ysbrydol a'r ymenyddol. Bu'r 'cysylltiad' hwn yn fater o gonsýrn mawr iddo hyd heddiw. Ar ôl byw gyda'r Tadau cynnar a'u dadleuon, mae'n argyhoeddedig bod diwinyddiaeth yn codi allan o addoliad eglwys Dduw. Nid yw wedi ildio ar fater sy'n gynhaliaeth i'w enaid yn ei fywyd prysur.

Wrth sôn am ei gynghorwr ar weddi, y Sbaenwr a glwyfwyd ac a erlidiwyd gan ei eglwys, mae'n werth nodi y benthyciwyd teitl ei gyfrol ar ysbrydoledd o gerdd gan R.S. Thomas i Roger Bacon. Cefais wybodaeth gan fy nghyfaill a'r athronydd, y Dr Meredydd Evans, am Roger Bacon, gwyddonydd oedd yn byw tua'r un amser â Sant Ioan y Groes. Mae'r Dr Meredydd Evans yn cyfeirio at ei 'bwyslais canolog ar bwysigrwydd gwybodaeth sylfaenedig ar arsyllu ac arbrofi'. Yna, fe ychwanega mai 'dyma'r wedd amlwg arloesol ar ei gyfraniad meddyliol'. Credai mai i'r wybodaeth yna y perthynai'r dyfodol.

Mae'n cloi ei lythyr gyda'r allwedd sy'n esboniad ar 'glwyf gwybodaeth', ac fe'i caiff yn yr Ysgrythur. Meddai:

> Sylwer yn arbennig ar Ioan 20:25; yr ail ran o'r adnod: "Os na welaf ôl yr hoelion yn ei ddwylo, a rhoi fy mys yn ôl yr hoelion, a'm llaw yn ei ystlys, ni chredaf fi byth." Gweld, teimlo, moddau ar ganfod synwyriadol: onid y rhain, a'r synhwyrau eraill, yn ôl Roger Bacon ei hun, yw'r pyrth i wybodaeth? Yng ngeiriau R.S. Thomas, "and saw the hole in God's side that is the wound of knowledge and thrust his hand in it and believed." Y mae'n gwybod ac yn credu. Yr ystlys friw yn cael ei gweld a'i theimlo yw clwyf gwybodaeth am iachawdwriaeth – Fy Arglwydd a'm Duw. Fel Tomos, 'empeirydd' yw Roger Bacon. Dyma'i arbenigedd yn hanes meddwl y Gorllewin.

Profiad o'r Iesu atgyfodedig yw'r peth mawr, ac ar hynny y byddai pwyslais Roger Bacon yn ôl R.S. Thomas – 'the wound of knowledge'.

Roedd clwyfau Sant Ioan y Groes yn boenus a dwfn. Yng ngeiriau Rowan, roedd y 'ffigwr proffwydol hwn' yn gyfoeswr i Teresa o Ávila, a'r ddau yn bersonoliaethau cryf ac yn awyddus i ddiwygio bywyd ac addoliad Urdd y Carmeliaid yn y ddinas honno. Nod Sant Ioan y Groes a'i 'fam ysbrydol' (Teresa) oedd cyflwyno'r weddi ddistaw a'r adfyfyrio tawel yn Ávila. Ac fel diwygwyr canrifoedd cred, llwyddasant i dynnu'r awdurdodau eglwysig am eu pennau. Ni allai'r duwiolfrydig ceidwadol dderbyn radicaliaeth y ddau a'u cwynion bod y Carmeliaid wedi methu cadw'u haddunedau i fyw bywyd o dlodi ac ufudd-dod, a buan y gwelwyd y Chwilys yn ymyrryd. Yn y bennod olaf ond un yn ei lyfr, mae'r Archesgob, wrth ymdrin â chyfraniad Martin Luther i ddiwinyddiaeth ac ysbrydoledd, yn gweld elfennau cyfatebol ym mywydau'r Almaenwr a'r Sbaenwr. Ac fe gafodd y ddau eu trin yn greulon gan Eglwys Rufain.

Dyddiau tywyll iawn oedd y rhain, ac nid yw'n syndod bod enw Sant Ioan y Groes a'i ddarlun dychrynllyd o 'nos ddu yr enaid' bron yn gyfystyr i'r rhai sy'n ymddiddori mewn ysbrydoledd. Cychwynnwyd ar dymor hir o 'ymgodymu' poenus yn hanes Sant Ioan y Groes. Ac yn *The Wound of Knowledge* fe ymddengys geiriau fel 'ymgodymu', 'ymdrechu' ac 'ymbalfalu' yn rheolaidd. I'r awdur, dyma'r geiriau sy'n cyfleu bucheddau'r saint, y gwŷr a'r gwragedd a fedrodd fyw gyda 'sŵn y boen sy'n y byd'. I Tomos o Acwin, ymdrech galed yw adfyfyrio, ac 'ymaflyd codwm', fel yn hanes Jacob a'r angel (Genesis 32), yw hanfod y bywyd ysbrydol iddo. Pobl yn brwydro'n galed yw saint yr oesoedd, a'r hyn a gawn yn y gyfrol hon yw hanes cewri'r ffydd ddiffuant, o ddyddiau'r Testament Newydd hyd y Diwygiad Protestannaidd, yn stryffaglio. Mae brawddeg Nikos Kazantzakis yn *Report to Greco* mai 'lan y rhiw mae mynd at Dduw', yn ddisgrifiad addas o fywydau'r gwroniaid hyn. Mae'r llinell ingol honno 'Ymbalfalu wrthyf f'hunan', yn un o emynau mwyaf Pantycelyn yn cyfleu unigrwydd Jacob a thynged pawb 'sydd ar lwybrau serth' ac a fyn 'ymdrechu â Duw a dynion'. Gwybu

Jacob, fel yr un a fu yng ngardd Gethsemane ac fel Sant Ioan y Groes, am nosweithiau tywyll du a di-gwsg. A'r un yw storïau'r dewrion yn yr oriel a baratowyd yng nghyfrol Rowan Williams: Ignatius o Antioch, Irenaeus, Origen, Athanasius, Basil o Gesarea, Gregori o Nyssa, Awstin Sant, Antwn a mynachod yr anialdir, Bernard o Clairvaux, Tomos o Acwin, y ddau o Ávila a Martin Luther. Brwydr galed ar y ffordd i ffydd yw ysbrydoledd.

Yn Toledo, lle y poenydiwyd Sant Ioan y Groes mewn daeardy oer a thywyll, rhewodd ei fodiau droeon, a dioddefodd, fel y gwnaeth yn ei blentyndod, newyn a thlodi. Heb olau nac awyr iach, gorfodid ef i fwyta'i ddogn fel ci ar ei liniau. Heb ddŵr glân, na chyfle i ofalu am ei gorff, pydrodd ei ddillad amdano. Ac yn ei falltod, blodeuodd y bardd oedd ynddo, a'i gynorthwyo i gostrelu'i gystudd yn ei gerddi ysbrydol. Un nos, er ei wendid, cafodd ei gyfle i lamu i ryddid, a gadael ei hofel gyda'i gerddi ar ddarn o bapur. Yn ddiweddarach, mae'n dehongli'i gerddi, sy'n fwrlwm o wewyr enaid, mewn rhyddiaith goeth: *Esgyn Mynydd Carmel*. Mae'n rhaid i'r enaid wynebu'i argyfyngau, ac wrth ddidoli'r argyfyngau hyn, ymddatod oddi wrth y creadur a'r hyn sy'n ei garcharu. Daw'n heneidiau yn gyffelyb i wrthrychau'n cariad, a champ bywyd yw gollwng yr hyn a grëwyd gennym, 'y maglau sy'n dal eneidiau'n ôl' er mwyn derbyn yr hyn sydd o Dduw. Yma mae amodau ein cynnydd a'n twf. Rhaid creu gofod i Dduw i weithio o'n mewn. I Sant Ioan y Groes mae'r bywyd ysbrydol yn ffynnu mewn argyfwng – ac i Rowan Williams, ei ddisgybl mewn gweddi. Dyma'r esboniad ar ei addefiad yn y sgwrs â Roland Ashby pan ddywed bod yn rhaid i'r gweddïwr ollwng ei hunaniaeth yn y dyfnder hwnnw sy'n gyfystyr â'r Bod mawr ei hun i'r Salmydd ac awduron eraill ar ei ôl.

Profi 'nos dywyll yr enaid' wrth ystyried a meddwl am 'ddyfnder angau' Iesu ar y groes yw'r ffordd yn ôl at Dduw i

Martin Luther ac i Sant Ioan y Groes. Ond ni ddaeth llonyddwch a llawenydd i'r ddau ar amrantiad. Mae pennill yn emyn y cyfrinydd hwnnw, y Dr J.G. Moelwyn Hughes, yn dod â ni at awyrgylch 'nos ddu yr enaid' Sant Ioan y Groes:

Fe all mai'r storom fawr ei grym
a ddaw â'r pethau gorau im;
fe all mai drygau'r byd a wna
i'm henaid geisio'r doniau da.

Eto, nid yw'r emynydd o Gymru yn ymdeimlo â difrifoldeb y profiad dychrynllyd fel y gwnâi Ioan. Mae'r gwae a'r gofid yn absennol, ac mae rhyw gydbwysedd afreal yn ei linellau. Nid yw'r cyfrinydd o Sbaen mor optimistaidd yng nghanol ei brofedigaethau ofnadwy. Yn wahanol i'r Cymro, mae'n canolbwyntio ar y Croeshoeliad, ac yn ceisio dehongli'i fywyd yng ngoleuni dioddefaint Calfaria. Mae ef am blymio i waelodion ei enaid, at wraidd 'y ddaeargryn fawr' chwedl Soren Kierkegaard. Ac yn ein gweddïau, wrth blymio i ddyfnderoedd yr hyn a eilw Rowan Williams 'y telpyn o hunan' sydd ynom oll, mae'n bosibl i ni ollwng yn rhydd yr elfennau bygythiol hynny sydd ynom, yn enwedig chwant a thrachwant. Rhyddhau'r elfennau hyn trwy ymateb i'r cariad sydd yn Nuw yw amod tyfiant. Gall olygu cefnu ar y math o bethau sy'n gwneud bywyd yn esmwyth, a dewis tlodi, caledi ac ufudd-dod. Llwybr i sancteiddrwydd yw hwn, a thrwy gydol ei fywyd mae'r Archesgob wedi edmygu mynachaeth, ac yn wir, wedi'i ddenu ati yn nyddiau Caer-grawnt a Rhydychen.

Pam mae'r Archesgob mor ddyledus i Sant Ioan y Groes? Mae Ashby yn rhoi iddo gyfle i ateb ei gwestiwn. Dyma'r ateb: 'Bu'n gymorth i mi i wneud synnwyr o'm bywyd fy hun . . . ac o gyfnod yn fy mywyd pan nad oeddwn yn rhyw ymwybodol iawn bod Duw yn gwneud fawr o ddim'.

Ac eto, yn y cyfnod tywyll hwn, adeg o amheuon yn ei fywyd, ni fedrai beidio â chredu na'i rwystro'i hun i ddal i obeithio am rywbeth. Bu *Before the Living God*, hunangofiant Ruth Burrows, lleian o blith y Carmeliaid, yn gymorth iddo ailwerthuso cyfraniad Sant Ioan y Groes. Y gonestrwydd hwnnw ynglŷn â natur y teimladau a'r amheuon sydd ar gael yn llenyddiaeth Sant Ioan a'r modd i fyw trwy'r 'nos dywyll', fu'n help i'r lleian ac i'r myfyriwr ymchwil, Rowan Williams, barhau ar eu pererindod.

Nid gwybodaeth fel y credai'r Gnosticiaid, ond dysgu trwy ymgodymu, tyfu wrth ddioddef a gweddïo'n ddi-baid wrth weithredu cariad yw hanfodion ysbrydoledd i Rowan Williams. Dyma'r unig ffordd at yr aeddfedrwydd hwnnw sy'n brawf ein bod 'yn dod i oed'.

Yn y casgliad o'i bregethau, gyda theitl gwahanol ac arwyddocaol yn yr Amerig a Chanada, *A Ray of Darkness*, mae pregeth ar adnod o Lyfr Job (19:8). 'Y Nos 'Dywyll' yw'r pennawd uwchben y bregeth yn yr adran 'Y Duw nid adwaenir'. Y testun yw: 'Caeodd fy ffordd fel na allaf ddianc, a gwnaeth fy llwybr yn dywyll o'm blaen'. Ar wahân i'r ffaith ei bod yn dwyn ar gof ambell fflach o ganol *Llythyrau a Phapurau o Garchar* Bonhoeffer ar bwysigrwydd yr aeddfedrwydd a ddaw trwy weddi ddyfal, mae'n tywys y pregethwr, a ninnau gydag ef, yn ôl at Sant Ioan y Groes, ac yn cynnig esboniad rhethregol o brofiad dirfodol y nos dywyll. 'Ymosodiad Duw ar grefydd yw'r nos dywyll,' meddai yn un o'i frawddegau mwyaf pwerus. (A dyma a gawn yn *Tywyll Heno* gan y Dr Kate Roberts yn ei nofel fer. O *Ganu Llywarch Hen* y benthyciodd hi ei theitl, a defnyddio'r hanesyn trist am ddifodiant teulu i ddisgrifio 'nos ddu' y creisis crefyddol yng Nghymru.)

Fe all y creisis crefyddol a wybu Sant Ioan y Groes yn ei ddydd, y creisis a wêl yr Archesgob heddiw, ein harwain i roi heibio hen arferion a hen batrymau. Fe orfodwyd Sant Ioan y

Groes i ddyfeisio iaith newydd er mwyn dileu'r rhwystredigaeth honno. Ni allai barhau i 'fyw mewn llonyddwch' gan adael pob dim yn ei le! Mentrodd i'r 'nos ddu', fel y gwnaeth Iesu trwy fynd i Gethsemane i weddïo. O'r ardd honno, bu'n rhaid iddo gymryd llwybr y Groes, ac er gwybod ar Galfaria am brofiad erchyll y Duw sy'n alltudio'i hun, roedd cariad yn fuddugoliaethus iddo.

Fe ddaw gwahoddiadau i arwain gweithdai ar weddi i'r Archesgob yn aml, a diolch amdanynt gan iddynt ei ysgogi i roi ei ymchwil a'i fyfyrdodau ar bapur. Y rhai sy'n gwahodd fydd yn awgrymu maes iddo, ac felly, bydd ei bapurau yn ateb y math o gwestiynau a fydd yn poeni pobl heddiw. Ymholi ynglŷn â materion ysbrydol a bugeiliol fydd y cynadleddwyr, gan wybod y bydd y siaradwr yn ymarferol a chyfoes.

Ym mis Mehefin 2002, rhoddodd bapur hir a chlir ac arbennig o ddiddorol yn Melbourne, a chymryd dwy sesiwn i'w gyflwyno. Y testun oedd *O William Temple i George Herbert* (gyda'r is-deitl 'Gweddi a sancteiddrwydd – y Gwreiddiau Anglicanaidd'). Yn ogystal â'r Archesgob Temple, William Stringfellow, Tyndale a Latimer a gaiff ei sylw yn y rhan gyntaf. Fe'u gwêl, ac eraill gyda hwy, yn llestri gras yn llaw Duw i drawsnewid y drefn gymdeithasol.

Ysbrydoledd y beirdd mawr a gafwyd ar ôl y toriad, y mwyafrif ohonynt yn Gymry a ganodd yn yr iaith Saesneg: George Herbert, Thomas Treharne, Henry Vaughan ac R.S. Thomas. Mae'n dyfynnu'n helaeth o waith y beirdd crefyddol hyn, ac yn gwerthfawrogi'u gweithiau gyda'r balchder hwnnw a ddisgwylid gan un sy'n llawenhau yn ei dras ac yn y gras a roddwyd iddo ef, ei genedl a'r byd mawr Seisnig drwyddynt. Yng ngwaith y beirdd crefyddol, yn enwedig ym marddoniaeth T.S. Eliot, daw o hyd i linellau sy'n diffinio agweddau ar ysbrydoledd yn gynnil a chofiadwy.

I'w lonni, roedd Côr Meibion o Gymru'n bresennol yn Neuadd Sant Pedr, Eastern Hill, ac ar ôl iddo draddodi ail ran ei ddarlith, mae'n cyflwyno'i gynulleidfa i ddarn o ryddiaith, geiriau o gerydd gan yr Esgob Richard Davies, esgob Tyddewi, yn yr unfed ganrif ar bymtheg, ac un a fu'n cynorthwyo gyda chyfieithu Beibl William Morgan. Dim ond Cymro twymgalon fyddai'n breuddwydio sôn am grefydd a diwylliant Cymru ar y cyfandir mawr hwnnw sy'n ein cysylltu ni bob amser â'r bêl hirgron. Gerald Davies – clywsom yr enw – ond Richard Davies, naddo erioed! Bu'n rhaid i'r Awstraliaid wrando ar gri'r Esgob Richard Davies yn Saesneg coeth yr Archesgob Rowan.

Nid rhaid ymboeni ymhellach i ddwyn ar ddeall it o ble y tyfodd dihareb y Cymro 'Â Duw â digon: heb Dduw heb ddim'. Yn yr Ysgrythur Lân y mae ei gwraidd, ei hanes a'i dechreuad. Ond (ysywaeth) cyd bo'r ddihareb yn aros ymysg y Cymry, a'r geiriau'n gyffredinol, eto hi a gollodd yn llwyr ei ffrwyth. Edrych ar ddull y byd, yno y cei brofedigaeth. Mae'n gymaint trachwant y byd heddiw i dir a daear, i aur, ac arian, a chyfoeth, ac ni cheir ond yn anaml un yn ymddiried i Dduw, ac i'w addewidion. Trais a lladrad, anudon, dichell, ffalster a thraha; a'r rhain megis â chribinau mae pob math ar ddyn yn casglu ac yn tynnu ato. Ni fawdd Duw y byd hwn a dŵr dilyw; eithr y mae chwant da'r byd wedi boddi Cymru heddiw, ac wedi gyrru ar grwydr pob cynneddf arbennig a rhinwedd dda. Canys beth yw swydd yng Nghymru heddiw ond bach i dynnu cnu a chnwd ei gymydog ato? Beth yw dysg gwybodaeth a doethineb cyfraith ond drain yn ystlys y cymdogion i beri iddynt gilio hwnt? Aml yng Nghymru, er nas craffa cyfraith, y ceir neuadd y gŵr bonheddig yn noddfa lladron . . . Maddeuwch i mi y gwirioneddau digroeso hyn: ond traethu gwirioneddau digroeso yw tasg y pregethwr.

(Wedi'i ddiweddaru gan yr hanesydd y Dr John Gwynfor Jones)

Y GWEITHDAI GWEDDI

Symbylwyd San Bened i sefydlu'i Urdd gan fywyd asgetaidd llym Tadau'r anialwch. Eu bucheddau a'u dywediadau, a'r traddodiadau am yr Eifftiaid hyn oedd yr ysbrydoliaeth iddo i gychwyn y mudiad byd-enwog, ac i eraill drwy'r canrifoedd i ddiwygio mynachlogydd a lleiandai. Dros y blynyddoedd cyflwynodd yr Archesgob gyrsiau lawer ar y Benedictiaid a Rheol y sefydlydd, a thynnu sylw at fywyd disgybledig a hunangynhaliol pobl Bened Sant. Nid yw'n syndod felly iddo ddychwelyd at fywydau'r Tadau hynny a fu'n fodelau i Bened a'r diwygwyr ar ei ôl. Roedd y Tadau hyn yn trigo yn yr anialwch yn niwedd y drydedd ganrif o Oed Crist, ac yn ystod y bedwaredd a'r bumed ganrif. Dyma'r canrifoedd y bu Rowan Williams yn 'byw' ynddynt fel hanesydd a diwinydd. A hyd y dydd hwn, mae'n hiraethu am fywyd cymdeithasol yn y byd sydd ohoni fydd yn adlewyrchu'r 'byd mwy' a greodd y Tadau hyn, byd o weddi a gwasanaeth, o gariad a chyfiawnder, brawdgarwch a heddwch, cymdogaeth dda a chymwynasgarwch. Dyma'r tir i feithrin sancteiddrwydd, i brofi'r gwir dangnefedd ac i dyfu yn yr Ysbryd. Gweddi'r galon a rydd galon newydd i'r byd, ac nid oes man cyffelyb i'r tir diffaith i drawsnewid dyn a'r eglwys yn ôl yr Ysgrythur. Meddai Rowan Williams yn un o'i atebion yn niweddglo'i gyfrol liwgar: 'Pob amser, fe adnewyddir yr eglwys, nid o'i chanol, ond o'r ymylon'.

Cofnodwyd eu ffordd o fyw, eu dywediadau a'u storïau gan ŵr o ogledd-ddwyrain Ewrop, John Cassian. Bu'n byw yn eu plith am ugain mlynedd gan graffu ar symlrwydd a gwreiddioldeb y Tadau a'r Mamau hyn, a chodi hufen eu doethineb a'i ddiogelu yn ei lawysgrif. O ganlyniad i'w lafur, lledaenwyd y stori am ymdrech y glewion hyn i ddeffro'r enaid ac i feithrin y bywyd ysbrydol yng ngerwinder y tir diffaith. Fel ym mhob cymuned, roedd amrywiaeth ymysg y duwolion hyn. Pobl ddistaw, os nad mud, oedd rhai ohonynt, a digon sarrug yn aml. Ond yn eu plith roedd rhai mwy ysgafn galon, yn mwynhau cacennau mêl a hwyl, sylwgarwch treiddgar a ffraethineb yn nhir y bwystfilod rheibus. O dipyn i beth, lledodd y sôn amdanynt ar draws Ewrop, a chyrraedd mor bell ag arfordir gorllewinol Iwerddon. Mae darllen eu storïau a'u dywediadau yn dwyn i gof Lên Doethineb yr Iddew a dawn storïol y Celtiaid. Apeliodd eu pwyslais ar gymdogaeth dda, cariad at gyd-ddyn a phwysigrwydd y weddi daer a chyson at Bened Sant, John Cassian, y Celtiaid ac at y Cymro, Rowan Williams.

A rhaid enwi John Main, Gwyddel a symudodd i fyw i Awstralia, mynach a wnaeth cymaint ar y tir mawr hwnnw i hybu Urdd a Rheol San Bened. Anrhydeddu ei goffadwriaeth ef a wnaeth yr Archesgob trwy fynd i Awstralia i draddodi'r darlithoedd cadarnhaol hyn. Fe'i gwahoddwyd i Sydney gan Gymuned Byd-eang i Hybu Myfyrdod Cristnogol, i ddarlithio yn y flwyddyn 2001. Cawn ninnau, ddarllenwyr *Silence and Honey Cakes*, ein hadeiladu gan hiwmor a doethineb y Tadau a oedd yn cydoesi â'r diwinyddion a fu'n dadlau yn y cynghorau cynnar ynglŷn â chynnwys ffydd a chredo'r Eglwys gynnar. A thrwy'r darlithoedd, ac yn y sesiwn 'holi ac ateb', daw dynoliaeth y Tadau a phersonoliaeth y darlithydd i'r amlwg. Trwy'r bersonoliaeth ddiymhongar hon y dadlennir realiti ysbrydoledd ac effeithiolrwydd gweddi.

Mae'n demtasiwn ymysg y rhai sy'n sôn ac yn ysgrifennu am ysbrydoledd i fod yn haniaethol a gwasgaredig. Ond, mae awdur *Silence and Honey Cakes*, am ei fod mor ddiwylliedig ac eangfrydig ei ysgolheictod yn medru 'daearu' ei ymdriniaeth. Mae stori Tadau'r anialwch yn apelio ato am ei bod yn wir ddarluniadol, ac yn hawdd ei chymhwyso i fywydau gwŷr a gwragedd o genhedlaeth i genhedlaeth. Yn Efrog Newydd, yn Eglwys y Drindod, mae'n dyfynnu un o linellau mawr Waldo, ac yn ei hegluro i'r Benedictiaid. Diffiniad Waldo o fywyd yw

'Cael neuadd fawr rhwng cyfyng furiau'. Fel Tadau'r anialwch, a San Bened ar eu hôl, fe wêl fod ysbrydoledd ar gynnydd pan fydd materion o bwys yn cael eu hystyried mewn gofod prin, mewn ogof neu gell.

Gyda darlun Waldo, mae'n gosod y ddameg a roddodd San Bened ei hun i'w fynachod ganrifoedd ynghynt. Rhoddwyd ar fenthyg i bob mynach offer gan yr Arglwydd Iesu i gyflawni'i waith. Ar derfyn oes o waith cydwybodol a chaled, byddai ef yn hawlio'r offer treuliedig hyn yn ôl, ac yn gwobrwyo pob mynach. Gweithdy yw bywyd y Cristion, canolfan i ddefnyddio'r offer prin tra bo'n byw ar ddaear Duw.

Mae edmygedd y darlithydd o arferion ac anian y rhai sy'n ceisio byw y bywyd sanctaidd ddoe a heddiw yn cynnal ei obeithion am fywyd cymunedol iach. Yng nghanol hwrlibwrli ein bywyd cyfoes, mai eli i enaid blinedig ac anniddig ym mhatrwm byw y mynachod a'r meudwyaid gynt. Fe gyfeiria gyda thipyn o eiddigedd at ddiflastod dyletswyddau gweinyddol clerigion (ac Archesgobion) sy'n gorfod codi'r ffôn ac ateb llythyrau! Dyma'i eiriau: 'Ar ôl agor yr ugeinfed llythyr mewn un bore, a lleisio'r bedwaredd alwad anghyfforddus ar y ffôn, beth a wna dyn?' A'r hyn a wna ef o fewn i gaerau Palas Lambeth yw: 'Ymdaflu yn ddyfnach i'r foment bresennol a theimlo rhin y foment hon a dweud wrth anadlu – dyma fi, dyma'r hyn ydwyf. Dyma a wnaf nesaf, yma mae Duw.' Ac wrth blethu basgedi yn yr anialwch, ymson fel hyn a wnâi'r Tadau. Nid oedd eu bywydau hwy'n fêl i gyd. Yn y tir diffaith a diffrwyth, gwyddent hwythau am y wermod chwerw. Deuai *akedia*, yr hen air Groeg am flinder a diflastod, i'w libart hwythau fel i'n bywydau ninnau.

Tra bo'n dirnad y 'gwir anialwch' – *The True Wilderness*, sef yr anialdir seicolegol hwnnw a ddisgrifiwyd mor fyw gan H.A. Williams, yr awdur a fu yng Nghaer-grawnt ac ym Mirfield tua'r un adeg â Rowan Williams – mae'r Archesgob yn cydio yn y ddelwedd fyw honno sy'n britho barddoniaeth

R.S. Thomas, sef 'labordy'r ysbryd'. Man i brofi'r ysbrydoedd yw'r diffeithwch, lle i dderbyn y golomen fel y gwnaeth Iesu wedi i Ioan ei fedyddio yn niffeithwch Jwdea. Ac yn yr anialwch gwirioneddol, fe brofwn unigedd i'r graddau y mae'r gwir ynom. Darganfod yr unigedd hwn, 'y gogoniant o fod mewn unigrwydd' (Paul Tillich), sy'n ein gwneud yn unigryw ac yn gyflawn. Roedd yn brofiad i eneidiau unig y tywod, nid yn unig i fod yn yr unigeddau, ond i fod yn brofiadol o'r unigrwydd dychrynllyd hwnnw a geir wrth drigo mewn cymdeithas. Meddai yn un o'i bregethau, 'Busnes fy nghymydog':

> Un o baradocsau enfawr bod yn bobl yw'r ffaith ein bod yn darganfod unigedd nid yn unig trwy fynd allan i'r anialwch, ond trwy fyw gydag eraill, byw mewn cymuned. Ni fyddai neb yn mynd allan i'r anialwch heb iddynt yn gyntaf ddysgu am unigedd yn y distawrwydd dychrynllyd sy'n bod rhwng pobl mewn cymdeithas. Darganfod ein hunigrwydd, ein pellter oddi wrth ein gilydd a'n harwahanrwydd, yw cychwyn difrifoldeb yr hil ddynol . . . (*Open To Judgement*, tud. 192).

Mae'n adnabod y mynachod hyn fel petaent yn braidd iddo. Nid yw hynny'n rhyfeddod. Cymuned ydyw fel un yr Eglwys leol heddiw, un amrywiol, amlochrog, amryddawn ac anodd! Ei gymdogion ef, ein cymdogion ni ydynt oll; pobl yn brwydro gyda'u digalondid, eu hunanoldeb a'u heiddigedd. Dynion a merched ydynt yn amcanu i gadw 'pob meddwl drwg i ffwrdd', ac ymdrechu'n wirioneddol i fod yn onest, i feddu ar dangnefedd dwfn, a 'chalon lân yn llawn daioni'.

Pan fydd Rowan yn traethu ar weddi, buan y bydd yn cyfnewid ei ddarllenfa am bulpud! Mae aml foeswers yn anialwch y Tadau a'r Mamau hyn, pobl sy'n amharod i farnu eraill a ddewisodd eu ffordd hwy o fyw. Os yw'n bywyd ysbrydol i lwyddo, rhaid i ni ganolbwyntio, nid ar weld ffaeleddau eraill, ond ar gydnabod ein gwendidau'n hunain. Duw, a Duw yn unig, piau'r hawl i farnu. Yn yr anialwch cras yng ngwres difaol y dydd, llethir y sant gan rithweledigaethau o'r diafol. Ac fel y dywed Bonhoeffer yn ei lyfr *Temtasiwn*, ildio a wna'r Adda cyntaf ynom drosodd a thro. Yr ail Adda ynom a all ennill i ni fuddugoliaeth debyg i honno a gafodd Iesu wedi'i fedydd yn yr anialwch. Lle mae'r ail Adda yn bresennol mae'r trawsnewid mwyaf gogoneddus yn bosibl yn y mannau mwyaf anghyfaneddol. Lle mae gweddi, mae buddugoliaeth a lle mae goruchafiaeth, mae rhyddid.

PENNOD 4

GOSOD CARIAD LLE NAD OES CARIAD

Mae gan Ceridwen Williams, unig fodryb yr Archesgob sy'n dal yn fyw, atgof sy'n werth ei ailadrodd cyn ystyried ymdriniaethau ei nai ar waith a dioddefaint yr Arglwydd Iesu. A hithau yn nyrs oedd yn fawr ei gofal am ei theulu, fel am y cleifion y bu'n gweini arnynt, gofynnodd i Rowan: 'Beth fyddet ti'n ei hoffi o Oberammergau?' 'Croes, os gwelwch yn dda', oedd yr ateb. A dyna a gafodd gan ei Anti Ceridwen ym 1960, ac yntau ar drothwy ei arddegau. A bu'r groes a'i chysgodion, y bedd gwag a'i ddirgelwch yn dirlun y tu ôl i'w holl lafur, ac yn arwyddluniau o'r dyheadau sy'n ei galon a'i hiraeth diollwng am newid y byd.

Daw at y groes yn wylaidd ac mor ddefosiynol â'r crwtyn dwys hwnnw oedd wedi agor drws ei galon i'r byd ysbrydol tua'r adeg yr aeth ei fodryb i weld Drama'r Dioddefaint. Ac wrth iddo gamu i mewn i'w arddegau y ddrama fu'r dylanwad mawr yn ei fywyd. Bellach, byddai'r allor, y canwyllbrennau a'r groes yn ganllawiau iddo o ddydd i ddydd.

Yn Ysgol Ramadeg Dinefwr, ac fel myfyriwr yn nwy brifysgol enwocaf Lloegr, apeliodd y ddrama at Rowan fel cyfrwng llenyddol. Bu'n cymryd rhan mewn dramâu o sylwedd yn ei ysgol, yn ymweld â bro Shakespeare, ac yn manteisio ar bob cyfle a gafodd i fynd i'r theatr. Yn fuan, byddai ymdriniaeth greadigol o ing a dioddefaint, o fywyd a marwolaeth, boed gan lenor, bardd, dramodydd, cerddor neu arlunydd, yn llawn cymaint o gymorth iddo i ddeall troeon yr yrfa a dirgelion y 'pethau diwethaf' â'r hen athrawiaethau hynny y bydd y ceidwadwyr yn dal eu gafael ynddynt mor ffyrnig â chŵn mewn hen esgyrn. Yn wir, mae llawer yn gwneud cam mawr â Rowan Williams fel diwinydd am iddo alw dychymyg pobl y celfyddydau at ei wasanaeth i gryfhau ei ddadleuon o blaid ffydd, gobaith a chariad. Dylem oll gofio nad oes yr un diwinydd diweddar wedi parchu'r athrawiaethau yn fwy na Rowan, nac wedi ymdrechu cymaint i'w gwneud yn gyfoes. Mae'r sawl sy'n gyfarwydd â'i lyfrau, ei erthyglau a'i bregethau yn sylweddoli nad oes neb yn gwybod mwy am ymdrech boenus y Tadau cynnar i roi ffurf ar yr athrawiaethau hyn. Ond, fe wêl esblygiad cyson ar draws y canrifoedd ym meddyliau'r rhai sy'n myfyrio ar ystyr a phwrpas bywyd.

NEWID Y BYD

Mae'r Archesgob Rowan yn dynesu at y groes gyda dau gwestiwn: 'A cllir newid y byd?' ac 'A ellir achub y natur ddynol?' Iddo ef, dyma'r ddau gwestiwn allweddol i'r sawl a fyn ystyried gwaith achubol Crist. Ni ellir dirnad dioddefaint Calfaria ond mewn gweddi, nac ymateb yn deilwng i'r hyn a ddigwyddodd yno ond mewn mawl. Byddai'n cydsynio'n frwd â'r hyn a ddywed Walter Brueggemann yn ei gyfrol *Israel's Praise* (Fortress Press, 1988): 'Fc ddylai mawl achub y byd'.

Yn fuan cyn iddo ymadael â De Cymru, traddododd Archesgob Cymru nifer o ddarlithoedd ym Mryste, dwy ohonynt ar athrawiaeth yr Iawn. Dyma sut y mae'n agor y ddarlith gyntaf:

Lle peryglus yw'r byd. Yma mae pethau'n mynd o chwith, allan o drefn, allan o le. Mae pobl yn torri'n rhydd o berthynas iach â'i gilydd. Sylwodd y ddynoliaeth ar hyn yn gynnar. Ac felly, mae dyhead angerddol am ffordd i ddod â phethau'n ôl i iawn berthynas, a'u gosod yn eu priod le. Ac yn gynnar yn hanes y ddynoliaeth mae'r weithred grefyddol a chysegredig o adfer pethau i'w iawn berthynas yn gysylltiedig, ym meddyliau pobl, â rhodd.

GWNEUD HEDDWCH

'Ystad bardd, astudio byd', meddai Siôn Cent ganrifoedd yn ôl. Yn sicr gellid dweud hyn am Rowan. Mae'n fardd ac yn ddiwinydd â'i ddwy droed ar y ddaear. Fe'i llethir gan y cyfnewidiadau cymdeithasol andwyol a wêl o'i gwmpas ac, fel hanesydd da, mae'n cofio cyfnodau gwell. Heddiw, mae difaterwch, rhagfarn, chwerwedd, hunanoldeb, bydolrwydd a thrais yn caledu calonnau pobl, ac mae'r cyfan yn faich ar ysbryd yr ysgolhaig a drodd yn fugail eneidiau. Nid yw'n hawdd creu heddwch na'i gadw yn y byd sydd ohoni. Ond, creu heddwch yw ein dyletswydd, ac yng ngoleuni hyn y mae deall aberth y groes, a deall safiad Rowan yn erbyn rhyfel.

Yn ôl yr Hen Destament, nid oedd yr hen genedl yn heddychlon, ond rhoddwyd cyfarwyddiadau iddi ar sut i geisio heddwch, a neilltuwyd diwrnod arbennig i greu heddwch rhwng dyn a'i Dduw. Dyma arwyddocâd Dydd y Cymod. Diwrnod ydoedd i gyflwyno rhodd i'r un a ryddhaodd y genedl, gan ei harwain trwy'r Môr Coch (Lefiticus 16). Ac ar y diwrnod arbennig hwn, byddai'r archoffeiriad Iddewig yn cyflwyno aberthau i Dduw, ac yn gosod pechodau'r bobl ar y bwch dihangol, sef y bwch gafr a gâi ei droi i'r anialwch, a'i adael yno i farw â phechodau'r genedl yn ei gnawd a'i esgyrn. Ac mae i'r defodau a fu'n ganllawiau i'r Iddewon adfer perthynas eu lle ym mywyd

Eglwys y Testament Newydd. Dangosodd Iesu i'w ddisgyblion lwybr y cymod a'r cadw, a thrwy ei fywyd, ei farwolaeth a'i atgyfodiad, amlygodd ffordd yr adferiad i'r Israel newydd.

DWYFOLI DYN

Bugail o dras bugeiliaid yw Rowan Williams, a'r byd yw ei gorlan. Mae'r byd yn fregus ac yn gythryblus, a thasg yr eglwys yw ei adfer. Mae geiriau fel trawsnewid, trawsffurfio, gweddnewid, ail-greu ac adfywio yn britho ei lyfrau. Dywed A.N. Wilson, gŵr sy'n ddigon beirniadol o'r eglwys, fod ganddi yn awr Archesgob newydd, yr athrylith cyntaf yn ystod ei oes ef i arwain praidd Duw ac i fod yn llais o bwys yn y byd cyhoeddus. Mae gobaith Rowan yn tarddu o'i berthynas bersonol â'r Iesu croeshoeliedig a'r Crist byw, ac o'r ddeialog honno (ei ddiffiniad o weddi), sydd rhwng Duw a dyn, dyn a Duw. Mae ei obaith a'i hyder yng ngallu'r efengyl, sef gallu Duw i ddwyn iachawdwriaeth i bawb. Deil fod 'arwyddocâd byd-eang i Iesu Grist'. A dyma'r esboniad, gredaf fi, ar ei barodrwydd i ddyfynnu brawddeg Islwyn, y bardd o Fynwy: 'Mae'r oll yn gysegredig'. Rhaid bod yr Athro Alister McGrath, o ysgol ddiwinyddol Rhydychen ac un o arweinwyr yr Efengylwyr pybyr yn Lloegr, yn hoffi'r Cymro a'i freuddwyd. Dywed ei fod yn cario i'w swydd 'y sancteiddrwydd cyffyrddadwy hwnnw' (*Church Times*, 8 Awst 2002). Dyma ffordd o ddweud ei fod yn ymgnawdoli ei ffydd.

Cychwynnwyd ar y gwaith o weddnewid y byd gan saint yr oesoedd, bonedd a gwerin, ac yr oedd eu defosiwn yn ddilychwin. Pobl y Beibl agored oedd y rhain, gwŷr a gwragedd a ddilynodd weledigaeth Iesu o Nasareth. Mae gan y bardd Waldo Williams, un o arwyr mawr yr Archesgob, gywydd o fawl i 'Angharad', sef yr enw a roddodd am y tro i'w fam. Mae'n hoff iawn o'r cwpledi epigramatig sy'n disgrifio gwraig syml yn creu byd newydd â'i defosiwn. Samariad sy'n gwrando cwyn ydyw, ac yn llawn o weithredoedd da:

> I'w phyrth deuai'r trafferthus
> A gwyddai'r llesg ddôr ei llys.
> Gŵn sgarlad Angharad oedd
> Hyd ei thraed, o weithredoedd.

Gwraig syml ei ffydd a'i defosiwn yw Angharad:

> Ar ei glin y bore glas
> Rhôi ei diwrnod i'r Deyrnas.

Ac mae Waldo wedi rhag-weld gweledigaeth Brueggemann y gall mawl newid y byd:

> Ymorol am Ei olud,
> Ail-greu â'i fawl ddilwgr fyd.

Un o bileri athrawiaeth Eglwys y Dwyrain yw'r gred y gall y byd dynol 'gyfranogi' yn y 'bod o Dduw'. Dywed yr Athro Georgios I. Mantzardis yn ei lyfr *The Deification of Man* (1984): 'Trwy gyfranogi yn Nuw a byw mewn cymundeb ag ef y tardd gwir fywyd mewn dyn'. Byddai darllen y gyfrol hylaw *Participation in God* (gan yr Athro A.M. Allchin) yn goleuo prif ddaliadau diwinyddiaeth yr Eglwys Uniongred. Ac y mae'n rhaid i'r sawl a fyn ddilyn trywydd meddwl byw Rowan Williams ymgyfarwyddo â'r cefndir hwnnw a fabwysiadodd yntau ar ôl iddo ddysgu Rwseg ac astudio diwinyddiaeth Vladimir Lossky (pwnc ei ymchwil am ddoethuriaeth yn Rhydychen). Ac ni ddylem ninnau sy'n gyfarwydd â'n hemynau clasurol a cheidwadol eu cynnwys, fod allan o'n dyfnder wrth ymdrin â syniadau Lossky.

Dywed y traddodiad Uniongred hwn nad unwaith yn unig y digwyddodd y cwymp, a bod stori Adda yn cael ei hailadrodd ym mywyd pob un ohonom. Yn wir, trasiedi Eden yw achos tristwch ein byd dros filoedd o flynyddoedd. Daeth Rowan Williams yn arweinydd yr Eglwys Anglicanaidd ar adeg o bryder mawr am ddyfodol y byd a'i bobl. Go brin y carai neb ohonom fod yn ei esgidiau, neu dan bwysau'i feitr. Nid rhyfedd iddo dderbyn cannoedd o lythyrau yn dymuno'n dda iddo ar ei benodiad gan agnosticiaid ac anffyddwyr, ynghyd â'r Cristnogion o bob enwad oedd yn addo iddo le yn eu gweddïau.

Ond nid yw Rowan yn ildio i anobaith. Mae wedi'i drwytho yng ngweithiau Irenaeus, Gregori o Nyssa, Athanasius, Awstin ac eraill o'r Tadau cynnar. I'r rhain mae'r groes a'r fuddugoliaeth a'i dilynodd yn gyfystyr â chroesffordd i gyfeiriad adferiad ac adnewyddiad. Mynegwyd yr optimistiaeth glasurol yma mewn brawddeg daclus a chofiadwy gan Irenaeus (130-200 OC): 'Gogoniant Duw yw dyn byw, bywyd dyn yw gweld Duw ei hun'. Trwy gyfranogi o natur Duw, gallwn brofi o'r bywyd hwnnw sydd gan Dduw ar ein cyfer ni, a'n llanw â nerth yr Ysbryd Glân. Meddai Athanasius, gwrthwynebydd Arius yng Nghyngor Nicea: 'Daeth Duw yn ddyn er mwyn i ddynion fod yn debycach i Dduw'.

Glynu wrth y ddiwinyddiaeth glasurol hon y mae Rowan Williams, gan apelio ar i'r eglwys heddiw ymgynhesu mewn gweddi a mawl, a'i chymhwyso ei hun i gyfarfod â'r boen sydd yn y byd. Trwyddi daw'r gronfa honno o gariad Duw i'n cymell i fyw'r Efengyl. Meddai Sant Ioan y Groes, un o arwyr mawr Rowan, mewn cyfnod diweddarach: 'Gosodwch gariad lle nad oes cariad, ac fe welwch gariad'.

YR ADDA CYNTAF A'R AIL ADDA

I Rowan Williams, fel i Jürgen Moltmann (yn ei gyfrol *The Crucified God*), mae'r groes yn feirniadaeth ar y ddynoliaeth falch sy'n chwennych grym ac enwogrwydd. Mwy na hynny, cyfrwng yw'r groes i adfer y byd, i greu heddwch, ac i amlygu'r cariad Cristnogol. Dirgelwch yw marwolaeth Iesu, moddion i drawsnewid y byd a chyfrwng i ddatguddio realiti Duw.

Ni chafodd yr Almaenwr, Jürgen Moltmann, gefndir crefyddol na chael ei fagu ar aelwyd lle roedd cred a defosiwn. Daeth o hyd i'w ffydd tra oedd yn garcharor rhyfel ym Mhrydain ar ôl 1945, a ffrwyth ei brofiad personol yn y gyflafan a ddaeth ag ef at y Beibl ac at 'ŵr y groes'. Rhyddhawyd ef i obaith byw ar ôl tymor y tu ôl i'r weiar bigog. Mae'n amlwg i'w lyfrau ddylanwadu'n drwm ar y Cymro a gafodd ei eni'n rhy hwyr i weld 'Abertawe'n fflam', ond a fagwyd fel Timotheus yn 'ffydd ddiffuant' y teulu, yn 'blentyn diledryw' yn y ffydd Gristnogol (1 Tim. 1).

Yn ôl ei arfer, troi'n ôl at y Tadau cynnar a wna Rowan am arweiniad i ddehongli'r groes. Yn ei farn ef, mae ganddynt ganfyddiad clir a llai dadleuol na'r dehongliadau a gynigiwyd gan ddiwinyddion yr Oesoedd Canol a'r cyfnod modern. Mae'n rhaid ei fod yn ystyried y Tadau hyn yn nes o lawer at y digwyddiad, ac yn meddu'r gostyngeiddrwydd hwnnw a gafodd fynegiant bythgofiadwy yn yr emyn hynafol a gynhwysir gan Paul yn ei lythyr at y Philipiaid (2:1-11). Yn sicr, mae esiampl Crist, ei agwedd cwbl anhunanol, ei wyleidd-dra a'i fawrfrydigrwydd y tu ôl i ddysgeidiaeth foesol a chadarnhaol yr Archesgob. Ymwacáu i ufudd-dod ac i wasanaeth a wnaeth Iesu, ac mae'r emyn a ddefnyddia Paul yn cloi gyda'r math o fawlgan a fu'n ysbrydoliaeth i'r eglwys gynnar ddeall a chyflwyno neges y groes. Un o ffrwythau'r groes, wedi canrifoedd o aberthu gwaedlyd, yw 'aberth mawl' y Cristionogion cynnar a'u hawydd i wasanaethu cymdeithas.

... cyflawnwch fy llawenydd trwy fod o'r un meddwl, a'r un cariad gennych at eich gilydd, yn unfryd ac yn unfarn. Peidiwch â gwneud dim o gymhellion hunanol nac o ymffrost gwag, ond mewn gostyngeiddrwydd bydded i bob un ohonoch gyfrif y llall yn deilyngach nag ef ei hun. Bydded gofal gan bob un ohonoch, nid am eich buddiannau eich hunain yn unig ond am fuddiannau pobl eraill hefyd (Phil. 2:2-4).

Yng nghyfeiriadau Paul at stori gardd Eden (Rhuf. 5; 1 Cor. 15) y caiff Irenaeus yr allwedd i ddirgelwch yr Ymgnawdoliad a'r Croeshoeliad. Mae Irenaeus yn cydio yng ngeiriau Paul yn 1 Cor 15:45, ryw genhedlaeth ar ôl iddo'u hysgrifennu. 'Felly, yn wir, y mae'n ysgrifenedig: "Daeth y dyn cyntaf, Adda, yn fod byw." Ond daeth yr Adda diwethaf yn ysbryd sydd yn rhoi bywyd.' Daeth yr ail Adda i'r byd i ail-greu'r ddynoliaeth trwy ddatguddio i ni ddelw Duw, a'i uniaethu'i hun â'r ddynoliaeth trwy ei fywyd a'i atgyfodiad. Fel Dietrich Bonhoeffer yn ei lyfryn *Temptation*, Paul Tillich yn ei *The New Being*, a'r John Hick cynnar yn ei gyfrol *Evil and the God of Love*, mae Rowan Williams yn gweld Iesu, yr ail Adda, yn gyfrwng i roi'r byd yn ôl yn ei le, ac yn ffordd i gyfeiriad y greadigaeth newydd. Mae'n bosibl tynnu yr hen ddarlun hwnnw yn nechrau llyfr Genesis allan o'i ffrâm, a gosod yn ei le y darlun hwn o'r ddynoliaeth newydd yn dychwelyd trwy borth Eden. Ailadrodd hen helyntion a wna'r ddynoliaeth, gan ildio i demtasiwn a phechod. Ond mae Duw yn cymryd y cam cyntaf ac yn rhoi ail gyfle i ni a rhyddid i fywyd uwch. Yn yr ail Adda gellir trechu'r diafol, fel y gwnaeth Iesu ei hun. Yna, daw iachâd a gobaith newydd lle mae gostyngeiddrwydd, ymwadu â'r hunan, ufudd-dod a chariad. Mae Iesu yn medru cynnig y bywyd llawn, gan iddo, hyd ei farw, fyw y bywyd cyflawn. Ac felly, yng ngeiriau Paul, 'y mae Adda yn rhaglun o'r Dyn oedd i ddod' (Rhuf. 5:14).

CARIAD Y GROES YN FWY NA CHREDO

O ddarllen ei bregeth 'Maddeuant Pechodau' (yn y gyfrol *Open to Judgement*, tud. 61), fe welir mor drwm yw dylanwad llyfr Jürgen Moltmann, *The Crucified God*, ar Rowan Williams. Meddai'r Archesgob:

> Iesu wedi'i groeshoelio yw Duw wedi'i groeshoelio – felly y credwn. Iesu yw'r ymgorfforiad llawn a therfynol o drugaredd cariadlon Duw mewn hanes, ac felly, mae'r groes yma yn weithred unigryw o drais ofnadwy ac eithafol, sy'n crynhoi holl bechod y byd. Mae'n cynrychioli'r ddynoliaeth yn ymwrthod â chariad. Ond ni all hyd yn oed *hynny* ddistrywio Duw; gyda chlwyfau'r groes yn dal i anffurfio ei gorff, mae'n dychwelyd allan o uffern at ei ddisgyblion ac yn dymuno iddynt dangnefedd . . . Dyma ein gobaith, *adnoddau* cariad diderfyn Duw, y berthynas â'i greaduriaid na all yr un pechod ei ddadwneud yn derfynol. Mae'r hyn a wnawn yn cyfrif iddo, gan ei fod yn dioddef yr hyn a wnawn ni. Mae'n glwyfedig am byth, ond yn caru am byth.

Er ei fod yn gyfarwydd â'r credoau, yn anghyffredin o wybodus am eu cefndir, ac yn dadlau iddynt setlo aml anghydfod, dywed Rowan rywbeth go ddadlennol yn un o'r ddwy bennod o'i eiddo yn y gyfrol *Stepping Stones*. Mewn cyfrol ecwmenaidd ei phwrpas, mae'n datgan y byddai byw y cariad a welwyd ym 'mherthynas' Iesu â phobl, a gweld amlygu'r cariad hwnnw, yn rhagori ar unrhyw athrawiaeth. Mae'r gŵr neilltuedig hwn yn arwydd sicr i Rowan Williams bod y Duw uwchfodol yn ei uniaethu'i hunan â ni yn y crud ac ar y groes. Ac nid Duw caredig yn ymddangos dros dro ydyw, ond un sy'n dod i ganol y ddynoliaeth. Cariad Duw sy'n dynesu atom yw cariad Crist; cariad ydyw sy'n cyffwrdd yr anghyffyrddadwy ac yn derbyn yr annerbyniol. Mae'n gwarchod er eu lles 'y daioni hwnnw sydd yn y rhai sy'n

Dechrau taith y teulu yn ucheldir Llanddeusant

Ochr draw'r mynydd. Gored y Gïedd a llwybr Morgan Morgan
am Gwm Tawe

Pentref Cwmgïedd ar ddydd o haf

Bryn y Groes,
cartref mam-gu
Annie Morris.
Cartref serch i
Morgan Morgan

Hen garreg ar y mur ym Mryn y Groes

Beddfeini rhai o'r hynafiaid ym mynwent Capel Yorath, Cwmgïedd

Y Tabernacl, Ystradgynlais.
Cartref ysbrydol y teulu

Melbourne House heddiw, cartref cyntaf Rowan

Priodas Delphine ac Aneurin

Delphine ac Aneurin a rhai o'r teulu

Ym 1956 ymwelodd y Gymanfa Gyffredinol â'r Tabernacl, Ystradgynlais. Y gweinidog yno ar y pryd oedd y Parchedig Grey Edwards, sy'n eistedd ymhlith chwiorydd yr ofalaeth. Ef a fedyddiodd Rowan. Gyda'r rhai sy'n sefyll ar eu traed yn y rhes gefn (yn ddegfed o'r chwith), mae ei famgu, Annie Morris

Annie Morris,
mam Delphine

Rowan y baban ym mreichiau Delphine ei
fam, a llyfr yn ei gôl, 1950

Rowan a'i gyrlen
yn ei ŵn nos,
1953

Gwên fawr yn haf
1955

Gwyliau yn Llundain,
a Rowan yng nghôl y
Sffincs, 1959

Priodwyd Elfed a Myra Morgan yn Abercynon ar 3 Awst 1937.
Mae Sydney Morgan, brawd y priodfab yn sefyll ar y chwith iddo
yn y llun. Ef fu'n dysgu Lladin i Rowan tra'n fachgen ifanc ifanc
yng Nghaerdydd. Aeth i Abertawe ac i Ysgol Dinefwr yn un ar
ddeg a chanddo fesur da o Ladin.

Yn ardal Abertawe. Rowan (13eg oed) yng nghôr
Eglwys yr Holl Saint Ystumllwynarth, 1963

Y Parchedig
Wolfran Neuman
(gweinidog
Lutheraidd) yn
sefyll yn y lle y
safai Rowan yng
nghôr eglwys
Ystumllwynarth

Gwên fach fach Rowan, enillydd y wobr Ladin yn y Chweched
Dosbarth yn Ysgol Dinefwr. Mae'r Athro J. Gwyn Griffiths ar y dde

Chweched Dosbarth Ysgol Dinefwr a rhai o'u hathrawon. Rowan yw'r trydydd o'r chwith yn y rhes flaen

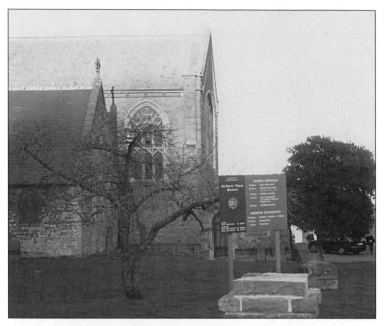

Eglwys yr Holl Saint, Ystumllwynarth

Bachgen swil yr
arddegau
diweddar

Myfyrio ar y môr am Norwy

Diwrnod graddio hapus yn haul Coleg Crist, Caergrawnt, 1971.
Menig gwyn ac ambarél ei rieni balch

Diwrnod hapus arall!
Priodas Jane a Rowan yn Bradford

Y teulu diwrnod y briodas – Aneurin, Delphine, Rowan, Jane,

Y teulu diwrnod y briodas – Aneurin, Delphine, Rowan, Jane,
Christopher Morgan (y gwas), Pamela, mam y briodferch,
a'i phriod, Geoffrey Paul, Esgob Bradford, 1981

Pawb â'i farf. Rowan a'i gyfeillion ar ddydd ei briodas.
Tim Richards (Darlithydd yn y Gyfraith), Rowan, John Walters a
Gerald Gabb (Hanesydd)

gwrthod ei ganfod ynddynt eu hunain, ac yn wylo gyda'r rhai sy'n methu wylo drostynt eu hunain'.

A dyma yw'r groes i'r bugail a'r pregethwr o Gymru – cariad Duw yn cael ei ddaearu yn nioddefaint ac ym marwolaeth ei Fab. Dyma gynnwys a chenadwri'r athrawiaethau oll, ac yn sicr dyma fonllef athrawiaeth yr Iawn. Fel yr eiconau a'r emynau, maent yn ein gwahodd i ystyried yr hyn a gyflawnwyd ar ein rhan gan Dduw yn Iesu Grist. Cofnodwyd y 'mawrion weithredoedd', a lluniwyd yr athrawiaethau i gyffroi ein dychymyg, i gronni ein defosiwn, i ddiogelu uniongrededd ac i waredu'r byd o ddistryw. Nid creiriau o'r gorffennol mohonynt, ond ysbardunau i'n gwneud yn genhadol ac yn greadigol ar y ffin rhwng yr eglwys a'r byd. Ac am fod ffydd, o raid, yn anweledig, mae'n hanfodol i ninnau wneud y newyddion da yn weledig a rhoi rhaglen Iesu ar waith.

ATHRAWIAETH YR IAWN

Ceir trafodaeth hanesyddol, drefnus a chofiadwy ar athrawiaeth yr Iawn gan Frances Young, Athro mewn Diwinyddiaeth ym mhrifysgol Birmingham. Fe'i hordeiniwyd yn weinidog gan y Wesleaid, ac, fel yr Archesgob, mae'n awdur toreithiog ar hanes cynghorau cynnar a chredoau yr eglwys ac mae galw mawr arni hithau i bregethu ym mhob cangen o'r eglwys ym mhob rhan o'r byd. Mae'r Athro Frances Young ar yr un donfedd â'r Archesgob; mae'r ddau yn hoff o farddoniaeth, drama, rhyddiaith a'r celfyddydau cain. Gan fod y fath ffresni anturus yng ngwaith y ddau, mae'n anodd eu gosod yn dwt mewn un ysgol ddiwinyddol! Mae'r awen beunydd yn eu hwyliau a rhyw fesur o anghydffurfiaeth iach a phrotest yn eu hymchwil am ffydd gyfan.

Teitl cyfrol Frances Young ar athrawiaeth yr Iawn yw *Can These Dry Bones Live?* (SCM, 1982). Pwrpas y llyfr yw ystyried a fydd 'byw yr esgyrn hyn', sef y llu damcaniaethau am y groes a'r dioddefaint a gyhoeddwyd ar hyd y canrifoedd. Ganwyd iddi blentyn ddeugain mlynedd yn ôl gyda nam meddyliol difrifol arno. Adroddodd ei hanes yn magu Arthur yn y gyfrol *Face to Face* (Epworth Press, 1985). Daeth ei thrasiedi deuluol â hi at gwestiynau dwys a dyrys, ac at droed y groes.

Yn ei chegin ac yn ei choleg, fe wêl Frances Young fflachiadau o wirionedd yn y damcaniaethau ynghylch arwyddocâd y groes. Maent fel mân berlau, ac, o'u clystyru, dyma athrawiaeth sy'n garreg werthfawr, a phob ffased ohoni yn agwedd ar genadwri ysol marwolaeth Crist. Mae hithau'n gweld gwendidau amlwg yn y damcaniaethau a gynhwyswyd yn yr emynau a fu'n megino'r diwygiadau mawr. Ond nid yw'n mynd mor bell â dweud, fel Rowan Williams, i ni ymgyfarwyddo â'r syniadau hynny wrth i ni ganu'r emynau hyn ac nid wrth astudio'r athrawiaeth. Yn un o. ddarlithoedd Rowan Williams ym Mryste mae'n cyfeirio'n garedig at syniad ffiwdalaidd Anselm (1033-1109), un o'i ragflaenwyr yng Nghaer-gaint, sef bod Iesu wedi talu pris ein rhyddid ar y groes. Ond, rhyw bum canrif yn ddiweddarach dywed Calfin yntau, er mwyn cyfleu dieithrwch dychrynllyd pechadur, fod Iesu wedi cario ein cosb i'r groes.

Fel Rowan Williams, ni all Frances Young dderbyn safbwynt y rhyddfrydwyr eithafol mai esgyrn sychion yw credoau'r eglwys, yr athrawiaethau traddodiadol a phregethau'r Tadau. Etifeddiaeth gyfoethog i'w diogelu a'u cyfoesi ydynt mewn gwirionedd. Ond ni ddylid glynu'n ddigyfaddawd wrth ddamcaniaethau ˙ sy'n perthyn i ddiwylliannau a ddiflannodd ynghyd â'u harferion a'u defodau.

ANSELM, ABELARD AC AULÉN

Nid yw Rowan Williams yn amau dilysrwydd cwestiwn Anselm (sef teitl ei gyfrol – *Cur Deus Homo?*): 'Pam y daeth Duw yn ddyn?' neu 'Pam y mae angen y Duw-ddyn?' Nid yw'n amau bod ein dyled i Dduw yn arswydus, a'i fod yn haeddu mwy nag y gallwn ni ei dalu iddo. Dyma sydd y tu cefn i'n cyfyng-gyngor beunyddiol. Roedd hwn yn fater cyfreithiol i Anselm, yn fater i'w resymoli. Oni allwn dalu, ni fedrwn fyw gyda ni ein hunain. Pwy, felly, all gyflwyno i Dduw yr hyn sy'n ddyledus iddo? Y Duw-ddyn yw'r ateb. Gall ef roi i'r Tad yr hyn y mae'n ei deilyngu, ac agor eto lifddorau'r cariad sy'n bodoli rhwng personau'r Drindod.

A dyma ddwyn y Drindod i mewn i'r broses o greu heddwch. Addawodd Iesu y byddai'r Ysbryd Glân yn cael ei anfon i'r byd ar ôl ei groeshoeliad a'i ymadawiad. I Rowan, nid yw'n bosibl adfer y byd heb y Tad, a'r Mab a'r Ysbryd Glân. Yr Ysbryd Glân sy'n ein dwyfoli a'n galluogi i weddnewid y byd.

Yn yr un modd, mae Duw yn weledig ac o fewn ein cyrraedd yn nioddefaint Iesu. Nid gwylio'r dioddefaint a wna'r Tad, ond dewis bod yng nghanol y frwydr. Ar adegau, mae tuedd yn yr eglwys, fel ymhlith y Gnosticiaid gynt, i gadw Duw allan o ddioddefaint y Mab. Ond i'r Archesgob, fel Jürgen Moltmann, dewisodd Duw ddod i ganol ein holl dreialon a'n trybini.

Yn ogystal â hyn, ni allai cyfraniad Abelard, mynach a'r cyntaf o'r Sgolastigiaid, lai nag apelio at yr Archesgob. Ganwyd Abelard ym 1079, rhyw ddeng mlynedd ar hugain cyn marw Anselm, a chafodd fywyd o ofidiau a thrafferthion enbyd. Mae Helen Waddell wedi adrodd ei stori yn ei nofel fyd-enwog, *Héloise*, sef hanes y lleian honno a gipiodd galon y mynach, gan ddeffro ynddo y goddrychedd dwfn hwnnw sy'n gwasgu ar y gydwybod o'n mewn ac yn annog yr eglwys i roi cariad Duw ar waith. Profodd Abelard ddial a dicter yr eglwys, ond, yng nghanol ei rwystredigaethau, cafodd ei gynnal yng nghariad gŵr y groes. Canfu ym marwolaeth Iesu y cariad hwnnw sy'n creu ysbryd edifeiriol o'n mewn, a'r 'agwedd meddwl' sy'n cymell ufudd-dod a gwasanaeth yn ein plith. Byw cariad y groes sy'n gwneud Duw yn real i'r ddynolryw.

Ar draws y canrifoedd apeliodd dysgeidiaeth Abelard at y rhai a fethodd ddygymod â 'gerwinder' safbwynt moesol Anselm. Mae safbwynt Abelard yn ddealladwy, ac fe'n cyflwynwyd iddo gan Eifion Wyn, a ninnau'n ddim ond babanod:

> Wrth feddwl am dy gariad gynt / o Fethlehem i'r groes
> mi garwn innau fod yn dda / a byw er mwyn fy oes.

Cawsom yr un dyhead yn y penillion gweddigar hynny a wahanwyd gan y gytgan, 'O na bawn i fel efe . . .' Mewn gweddi, gwasanaeth a gwarchodaeth dosturiol, fe'n gwahoddir i ddilyn Iesu, a bod yn Grist-debyg.

Ond yn sgil erchyllterau'r ganrif ddiwethaf, a chan gofio nad yw'r ganrif bresennol wedi agor yn rhy addawol, mae Rowan Williams, fel Frances Young, yn cynhesu at athrawiaeth a fynegwyd, mewn cyfnod mwy cyfoes, gan yr Esgob o Sweden, Gustav Aulén. Mae'r teitl a roddodd i'w gyfrol, *Christus Victor*, a gyhoeddwyd yn Saesneg ym 1931, a throeon ar ôl yr Ail Ryfel Byd, yn cyfleu argyhoeddiad y diwinydd hwn. Ni ellir gwadu'r cariad a ddatguddiwyd ar y groes, ond ni ellir celu'r drwg sy'n amlwg yn ein byd.

Yn un o'i bregethau mae Rowan Williams yn cymeradwyo'r athrawiaeth hon sydd â'i gwreiddiau yn llythyrau Paul ac a ddefnyddiwyd gan Irenaeus i gynnal ei system yntau. Hon yw'r un 'glasurol', ac mae'n apelio at Rowan am fod ynddi elfen o besimistiaeth rybuddiol, o realiti digamsyniol ac o optimistiaeth hanfodol. Dyma ddarn byr o'i bregeth yn *Open to Judgement*, (tud. 92):

Mae iaith traddodiad y Christus Victor yn fodel gwell i ni, mewn sawl modd, na'r un athrawiaeth arall sy'n gweld yr 'iawn' yn dwyn trefn a rheolaeth i'r byd. Fe gymer ati, gyda'r difrifoldeb mwyaf, yr afreolus a'r anllywodraethadwy, y dieithr a'r bygythiol yn y byd, gan ddweud, nid bod Crist wedi eu dileu, ond ei fod wedi eu gorchfygu. Maent yn dal yno, ond fe welir eu harswyd bellach mewn persbectif newydd; y clwyfau a adewir ganddynt yw ôl yr hoelion yng nghorff yr Arglwydd. Bu'n brwydro gyda'r tywyllwch annealladwy, y drwg 'anghymarebol', ond mae'n dal yn fyw. Mae ef yn cynnwys y drwg, ond ni all y drwg ei gynnwys ef. Mae wedi edrych i mewn i 'galon y tywyllwch', mae wedi dal y byd sy'n llosgi yn ei fynwes, ac yn ei ddal bob amser, gan ddwyn y poen na fedrwn ni ei ddirnad . . . 'Hyn a wneuthum dros fy ngwir gariad'. Mae ffydd yn gorffwys ar fuddugoliaeth a enillwyd.

Gyda'i gwreiddiau yn y Testament Newydd, ei phoblogrwydd ymysg y Tadau cynnar a'i pherthnasedd yn ystod yr ugeinfed ganrif ddadrithiol, nid rhyfedd bod yr athrawiaeth a danlinellwyd gan Aulén yn cael lle yng nghalon Rowan Williams. Ac, unwaith eto, fe'i gosodwyd yn daclus mewn pennill gan y Pêr Ganiedydd o Bantycelyn:

> Dacw gariad, dacw bechod,
> heddiw ill dau ar ben y bryn;
> hwn sydd gryf, hwn acw'n gadarn,
> pwy enilla'r ymgyrch hyn?
> Cariad, cariad
> wela'i'n perffaith gario'r dydd.

Christus victor! Mae'r cariad hwn a welwyd ar Galfaria yn fuddugoliaethus, yn gynhwysol ac yn aberthol ei natur. Ar wahân i'r uniaethu cariadus hwn, sef yr uniaethu hwnnw sy'n ein trawsnewid yn nyfnder ein methiant a'n hanobaith, byddai'n naturiol i ni ystyried yr ymgnawdoliad fel ymweliad Duw bodlon â'i fyd. Ond mae'r croeshoeliad yn ein hysgwyd o'n hunanfodlonrwydd. Yma, mae gosodiad Moltmann, y carcharor rhyfel o'r Almaen, wedi gafael yn yr heddychwr o Gymru – 'Duw croeshoeliedig yw Iesu'. Yn ei ddioddefaint, daw Duw atom yn ein llwyddiant ymddangosiadol, a chynnig ystyr a phwrpas i'n bywyd. Mae aberth y groes yn her i ni gefnu ar ein byd moethus a chysurus, a gwneud hynny er mwyn eraill. Ac ar y groes y gwelir gliriaf 'y dyn dros eraill', chwedl Bonhoeffer.

YN ÔL AT YR EFENGYLAU

Yn y flwyddyn 2000, gwahoddwyd Archesgob Cymru gan yr Archesgob George Carey i baratoi llyfr ar gyfer tymor y Grawys. Yn nechrau 2001, cyhoeddwyd *Christ on Trial*. Mae'r is-deitl yn arwyddocaol: 'How the Gospel Unsettles Our Judgement'. Ac yn ôl y wasg y pryd hwnnw, yr oedd y gyfrol yn wahanol i'r hyn a ddisgwylid ym Mhalas Lambeth. Cadwodd Rowan Williams o fewn i'r ffiniau a osodir yn flynyddol gan Lambeth, sef glynu wrth y testun beiblaidd a dilyn llwybrau'r pedwar efengylydd at y groes. Ond, yn ôl ei arfer, mae'n torri ei gwys ei hun, a'r annisgwyl a geir ganddo yn siglo'r sefydliad. Cyn iddo gyrraedd Palas Lambeth, yr oedd sibrydion ymhlith y Saeson y gallai'r gŵr a fagwyd ar lannau'r Tawe a'r Taf roi'r Tafwys ar dân! Yn sicr, mae gwreichion ei radicaliaeth yn amlwg yn y gyfrol hon.

Beth sydd mor annisgwyl yn y gyfrol? Y ffaith ei fod yn dychwelyd at y pedair Efengyl mewn ffordd mor ffres. Yn lle ailadrodd hen athrawiaethau, mae'n datgelu ei argyhoeddiadau dyfnaf ac yn gosod colyn angau Iesu yn ôl yn y groes. Fe gred fod y testunau beiblaidd yn ganllawiau mwy diogel at y groes na'r damcaniaethau mwy diweddar a gynigiwyd gan rai fel Anselm, Abelard ac Aulén. Dyma ddweud go fawr gan un sy'n arfer coleddu'r athrawiaethau clasurol. Ond yn nehongliadau Marc, Mathew, Luc ac Ioan, fe wêl ystyriaethau diwinyddol, seicolegol, cymdeithasegol a gwleidyddol sy'n cyfleu perthnasedd cyfoes y groes. Wrth drafod yr ystyriaethau hyn, caiff Rowan Williams ei gyfle i gyhoeddi barn Duw ar y byd ar drothwy mileniwm newydd. Ar ôl y rhyfel yn Irac a'i ganlyniadau erchyll, fe gyhoeddodd mewn erthyglau ac ar lwyfan fod y rhai sydd mewn awdurdod, gan gynnwys y Prif Weinidog, yn atebol i Dduw.

Fel Iesu o Nasareth, mae pawb ar brawf yn y llyfr bywiog hwn – y rhai sy'n eistedd mewn barn yn ogystal â'r tystion, a darllenwyr y gyfrol, fel y carcharor a groeshoeliwyd. Mae sŵn a naws y gair 'treial' yn fanteisiol i un sy'n gyfarwydd â llenyddiaeth dirfodwyr yr ugeinfed ganrif, rhai sy'n treiddio trwy groen pobl at eu pryderon, eu hingoedd a'u heuogrwydd. Mae'r llys yn orlawn o'r meistri geiriau hyn. Yn eu plith mae Lewis Carroll, Arthur Conan Doyle, H.F.M. Prescott, Iris Murdoch, Nikos Kazantzakis, Anne Wroe, Thomas Keneally, Frances Young, Dostoyevsky, Shakespeare, Bonhoeffer a William Golding. Daeth sylw Ceridwen, modryb Rowan Williams, yn ôl i mi droeon wrth ailddarllen ei lyfr Garawys: 'Darllen a darllen fydde fe'n grwt; ro'dd e'n byw â'i ben mewn llyfre!'

Dewisodd Iesu y groes fel ffordd o fyw ac o farw. A byddai unrhyw un sy'n gyfarwydd â dehongliad dirfodol Rudolf Bultmann o'r croeshoeliad ac â chyfaredd nofel Franz Kafka, *The Trial*, wedi rhag-weld y llwybr a gymer awdur *Christ on Trial* ar y bont rhwng dwy ganrif. Wrth iddo ddilyn yr efengylwyr 'o lys i lys', chwedl Dyfed, mae'r cwestiynau sy'n poeni Rowan ar y ffordd i Golgotha yn amlwg: 'Sut mae dod â'r byd a'i bobl ynghyd heddiw?' a 'Sut mae creu heddwch ymhlith arweinwyr fel y rhain?' 'Ym mha le mae dechrau gwneud cymod?' Dyma faterion i ansefydlogi'r sefydliad ac i godi o'u rhigolau y rhai sy'n gaeth i'w rhagfarnau a'u sloganau slic. I Rowan Williams, hesb yw diwinyddiaeth a thenau iawn yw'r bywyd ysbrydol heb yr Efengylau. Ac yn ystod chwarter olaf yr ugeinfed ganrif, daeth yn ffasiynol i osod yr Efengylau ochr yn ochr â'i gilydd, cymharu eu cynnwys a'u darllen fel naratif llenyddol. Wedi tymor hir o ddelio â'r ffynonellau, olrhain y benthyciadau, trafod y traddodiadau a mesur y golygu a fu arnynt, argymhellir gan nifer o ysgolheigion beiblaidd heddiw y dylid eu darllen bellach yn eu cyfanrwydd fel creadigaethau llenyddol neu fel dogfennau am ysbrydoledd. Dyma a wnaeth Stephen C. Barton yn orchestol yn ei lyfr *The Spirituality of the Gospels* (SPCK, 1992).

DISTEWI I DDEALL – NEGYDDU I GREDU

Marc oedd y cyntaf i ysgrifennu 'Efengyl', a hynny rhwng 65 a 70 OC yn Rhufain. Mae ei arddull, fel ei stori, yn gwta, ac mae darllen ei Efengyl fel gwylio ffilm. Mae'n brasgamu o un digwyddiad i'r llall, ond yn arafu yn y diweddglo, gan roi mwy o ofod ac amser i stori'r dioddefaint. A rhyw ugain mlynedd yn ddiweddarach, ar ôl derbyn Efengyl Marc fel cynsail, mae Mathew a Luc yn hamddena mwy gyda'u fersiynau hwy o'r stori a gofnodir.

I Marc, mae cadw'r gyfrinach feseianaidd yn hollbwysig. 'A byddai yntau yn eu rhybuddio hwy yn bendant i beidio â'i wneud yn hysbys' (3:12). Nid oedd y disgyblion i wastraffu geiriau, ac mae'r cynildeb geiriol hwn yn ddyfais i atgoffa'r eglwys i beidio â chredu y gall ddweud y cyfan am y dirgelion mawr. Mae'r cyfrinydd yn argyhoeddedig bod yn rhaid ymdawelu yng ngŵydd y Presenoldeb a bod yn ddarbodus gyda'n geiriau. Trwy ddal yn ôl a bod yn dawedog, daw rhywun gam wrth gam i sefyll ar dir cadarn.

Apelia'r dull apoffatig hwn o ddiwinydda at Rowan Williams. Am ganrifoedd lawer, arddelwyd y *via negativa* (y ffordd negyddol) o ddiwinydda gan yr Eglwys Uniongred, a nifer o'i harweinwyr. Ymhlith y rhestr hir gellir cynnwys y Tadau o Capadocia, Dionysius yr Areopagiad, a Vladimir Lossky. Mae Lossky yn ei gyfrol *Orthodox Theology: An Introduction* (SVS Press, 1978) yn diffinio'r ffordd apoffatig yn dwt fel 'yr ymdrechion i adnabod Duw, nid yn yr hyn ydyw . . . ond yn yr hyn nad ydyw' (tud. 320).

Yn ei hanfod, traddodiad yw hwn a ddisgybla'r sawl sy'n meddwl yn ddwys i gofio bod iaith yn annigonol ac yn aml yn aneffeithiol i drafod a chyfleu hanfodion ei ffydd. Mewn gair, mae'r Bod o Dduw yn anhraethadwy, ac mae'n angenrheidiol i ni osgoi, i'r graddau y mae'n bosibl, yr arfer o fenthyca iaith sy'n delio â'n nodweddion dynol i ddisgrifio priodoleddau'r Duw anfeidrol. Dadleuir bod secwlariaeth ac anghrediniaeth y Gorllewin yn ein gorfodi erbyn hyn i weld gwerth y dull hwn o ddiwinydda. Yn lle ailadrodd a phwysleisio (arfer sy'n gwbl groes i'r dull apoffatig), mae ailfeddwl yn greadigol, oedi mewn gweddi a chychwyn trafodaeth a deialog, yn ein harwain i'r dyfnderoedd sydd yn ein heneidiau.

Yn hanner cyntaf ei efengyl mae Marc yn cyflwyno Iesu o Nasareth fel gŵr prysur sy'n gwibio yma a thraw ac yn cyflawni cant a mil o weithredoedd. Gweithgarwch diflino sy'n nodweddu ei weinidogaeth yng Ngalilea, ac mae darllen adroddiad byrlymus Marc yn cyfleu'r argraff ei fod ef, y cyntaf i lunio efengyl, am bortreadu personoliaeth rymus, anturus a pharablus.

Mae'r diweddar W.H. Vanstone yn *The Stature of Waiting*, cyfrol a wnaeth argraff ddofn ar lawer ers ei chyhoeddi gyntaf ym 1982, wedi dadansoddi'n gofiadwy gymhellion Marc a'i ddefnydd o'r ferf *paradidomi* yn ei efengyl. Cyfieithwyd y ferf trwy'r canrifoedd i ddisgrifio gweithred anfad Jwdas fel 'bradychu' Iesu, ond ystyr y gair yn yr iaith Roeg medd yr awdur yw 'trosglwyddo'. A dyma a wna Jwdas yn y darlun ar glawr y gyfrol, lle mae'n ei baratoi ei hun yng nghanol y milwyr helmog i gusanu Iesu. Wedi'r 'trosglwyddo' hwn, tawedog iawn yw'r gŵr o Nasareth, ac i gyfleu'r mudandod hwnnw dethol yw geiriau Marc yntau. O'r foment y rhoddwyd Iesu yn y ddalfa hyd ei ddioddefaint ar Galfaria, prin y dywedodd air. Wedi'r prysurdeb a'r hir ddisgwyl, daw'r distawrwydd a'r llonyddwch. Mae Vanstone yn crynhoi trwy wrthgyferbynnu 'gwaith a dioddefaint' Iesu, 'action and passion' – dau air sy'n odli ac yn britho ail hanner ei gyfrol. Dyma'i eiriau cofiadwy: 'It is of this God that we bear the image – an image that includes passion no less than action, working no less than waiting' (tud. 102).

Ond yn yr oedi a'r dioddef, yn y cydymddwyn tawel a'r dibristod llwyr mae Duw yn dwyn iachawdwriaeth a buddugoliaeth i'w fyd a'i bobl. Tra oedd yn 'llonydd ar y pren', yn fud yn ei wendid, fe ddatguddia Iesu yn ei farw distaw ddirgelwch creadigol ei fywyd a'i farwolaeth.

I'r Archesgob Rowan Williams mae dull Marc o adrodd stori'r croeshoeliad a'r atgyfodiad i'w gymeradwyo mewn cyfnod o wrthgilio o'n heglwysi, ac i'w fabwysiadu i ennill clust y rhai sy'n chwilio yn eu hunigedd am brofiad cyfrin a newydd. Gall amddiffyn y safbwynt hwn ymysg ei braidd trwy ddyfynnu un o ddiwinyddion Eglwys Loegr yn yr unfed ganrif ar bymtheg. Dyma eiriau Richard Hooker (1554-1600):

> Ac eto, ein gwybodaeth sicraf yw gwybod nad ydym yn ei adnabod yn union fel y mae, ac na allwn ei adnabod ef; a'n huodledd diogelaf ynglŷn ag ef yw ein mudandod pan gyffeswn heb gyffes fod ei ogoniant yn anesboniadwy a'i fawredd y tu hwnt i'n cynhwysedd a'n cyrhaeddiad. Mae ef uwch ein pennau, yr ydym ni ar y ddaear; felly, priodol yw i'n geiriau fod yn ochelgar a phrin. (*The Laws of Ecclesiastical Polity*)

Ac i Rowan Williams, mae'r gair Saesneg 'understand' yn gyfystyr â derbyn bod rhywun 'uwch ein pennau' (ymadrodd

Hooker) sy'n ddirgelwch tu hwnt i'n deall. Y cyfan a allwn ni ei wneud yw 'sefyll oddi tanodd' ('understand') heb dorri gair.

Ac yn yr un modd, mae sefyll o dan y groes a'r dioddefaint yn arwain at fudandod, profiad cyfarwydd i William Williams o Bantycelyn. Ar Galfaria fe wêl 'fendithion ar fendithion' fel 'grawnsypiau mawrion aeddfed yn hongian ar y groes'. Ac yna, daw ton o dawedogrwydd drosto, moment a ddisgrifir ganddo mewn brawddeg sy'n ddiffiniad o'r hyn a olyga'r eglwys wrth 'apoffasis':

A minnau yn eu canol / heb allu dwedyd dim.

Syndod, rhyfeddod a myfyrdod sydd y tu cefn i fudandod saint yr oesoedd, ac yn eu plith mae Rowan Williams yn gosod Marc ac awdur y bedwaredd efengyl.

Gŵr a ddylanwadodd yn drwm ar Rowan Williams, yn enwedig yn ystod ei dymor fel myfyriwr, oedd yr Athro Donald MacKinnon. Yng Nghaer-grawnt ac yn fwy diweddar yn Rhydychen, gwnaeth argraff fawr ar ei fyfyrwyr fel ysgolhaig hynod o alluog, ac fel gŵr a geisiodd bontio'r agendor rhwng athroniaeth a diwinyddiaeth. O flaen ei ddosbarth byddai'n fynych yn dadlennu gwewyr ei enaid sensitif, ac fel cyfaill agos i'r nofelydd a'r athronydd, Iris Murdoch, byddai'r athrylith aflonydd fu'n darlithio iddi yn ymbalfalu fel ei ddisgybl gyda'r materion moesol, cymdeithasegol a seicolegol fyddai'n ei chorddi hi. Mae A.N. Wilson yn ei gofiant iddi, *Iris Murdoch: As I Knew Her* (Hutchinson), yn dal iddynt fod yn gariadon am flynyddoedd, cyn iddynt ddechrau casáu'i gilydd. Ef yw Rozano yn un o'i nofelau mwyaf, *The Philosopher's Pupil* (1983), ac yn *The Red and the Green*, fel yn ei nofel gynnar *The Bell*, mae'n greulon yn ei phortread ohono. Mae Wilson yn ei ddisgrifio fel 'Anglican arteithiedig', 'Kantiad cystuddiol', ac fel y dyn a gredai 'mai gweledigaeth drasiedïol o'r byd yw Cristionogaeth yn ei hanfod'.

Pwysleisiodd yr Athro MacKinnon fod cenadwri'r croeshoeliad yn bwysicach na'n hymdrechion i roi'r digwyddiad mewn geiriau, a bod y distawrwydd a ddilynodd ing Gethsemane ymysg y disgyblion cyntaf yn cyflwyno gwirionedd y groes yn effeithiolach na'r un traethiad. Y gair a dawelwyd yw'r gair huotlaf, ac yn nhywyllwch Golgotha y caiff yr eglwys ei chenadwri. Rhaid derbyn bod yna wythïen drasiedïol yn rhedeg trwy ganol ein bywydau ni oll, ac na ellir ei dileu. Fel Pascal, fe wêl MacKinnon fod hyd yn oed golau gwawr yr atgyfodiad yn estyn ac yn lledu cysgodion pren y groes.

Mae'r Wythnos Fawr yn anhraethadwy, ac yn orlawn o'r profiadau hynny nad oes adnoddau geiriol i'w mynegi. Ni all geiriau grynhoi'r dirgelwch sydd yn Nuw na maint cariad y Drindod. Ond er y prinder hwn o eiriau, fe ellir ymateb i'r cyfan â'r mawl a gostrelwyd yn litwrgi'r eglwys. Dyma argyhoeddiad yr Archesgob.

I'r diwinyddion sy'n dewis y ffordd apoffatig, ffordd o negyddu ac o ymddistewi yw ffordd y groes. Ac i Rowan Williams, mae'n rhaid agor y *via negativa* cyn cael awyr iach i'n plith a ffresni i'n mynegiant. Yn y distawrwydd hwn, yn yr ysbeidiau tawel sy'n gwahanu'n cwestiynau oddi wrth ein myfyrdodau, daw cyfnodau o hunan ymchwiliad, adegau o ymgodymu dygn. Ar y ffordd hon, mae dogmâu yn werthfawr fel canllawiau ac yn help i'n cyfarwyddo at gariad Duw. Ond rhaid cadw mewn cof rybudd Bonhoeffer yn ei *Lythyrau a Phapurau* na ellir mwyach ddweud y cyfan mewn geiriau wrth bobl sy'n dal i wrando. Aeth y dyddiau hynny heibio. Cyhuddodd y merthyr hwn ei gyfoeswr amleiriog, Karl Barth, o 'weiddi'n ddiwinyddol'. Heddiw, 'huodledd distawrwydd' a 'thawedogrwydd disgwylgar' yw'r ffordd ymlaen. Yn y cywair hwn mae Rowan Williams am gynnal trafodaeth ar faterion dyrys fel efengylu mewn byd a aeth i'r annuw, cyd-fyw gyda phobl o grefyddau eraill, dehongli'r diwylliant a ddaeth yn sgil ôl-foderniaeth, cynnal deialog â'r hen wyddorau o'r newydd, a dal ati i drafod yr holl faterion a fu'n ddrain yn ei ystlys ers iddo gyrraedd Lambeth. Gwell ganddo'r gofynnod na'r atalnod hwnnw sy'n tagu pob dadl, ac yn aml yn creu ysbryd o ddial. Bachyn yw'r gofynnod sy'n cynnal cadwyn yr ymresymu tawel a dwys.

Meddai Humphrey Southern a fu'n dehongli diwinyddiaeth Rowan Williams yn Awstralia yn 2003:

I rai Cristnogion, 'efengylu' yw dweud ac ail-ddweud y stori, cyhoeddi ac ailadrodd gwirioneddau'r Beibl a'r Ffydd, yn y gobaith ac mewn ymddiriedaeth bod y rhai sydd y tu allan i gymuned y ffyddloniaid yn mynd i ddod i mewn iddi a bod yn rhan ohoni. Nid yw Williams yr efengylwr yn y traddodiad hwn o efengylu: iddo ef gwrando'n astud a chymryd o ddifri yr hyn a glyw y tu allan i'r gymuned ac ar ei hymylon yw'r ffordd orau o gyflwyno'r newydd da i'r rhai sy'n barod i ddal pen rheswm ag ef.

Fe wêl Southern pam mae'r math yma o efenyglu yn cael ei wfftio gan rai sy'n bleidiol i fudiadau fel y 'Degawd o Efengylu', mudiad a gododd ei ragflaenydd George Carey ar ei draed. Ni cherddodd ymhell. I'w olynydd, nid yw crwsâd i ddwyn perswâd yn tycio mwyach, a dywedodd hynny yn y gyfrol a baratowyd ganddo ar gyfer y Grawys 2001, ar wahoddiad George Carey.

GWELD Y BYD YN GAM

Gyda'r un gwreiddioldeb mae awdur *Christ on Trial* yn dadansoddi cyfraniad arbennig Mathew, gŵr sy'n amlwg wedi troi tudalennau'r Gwŷr Doeth, sef awduron Iddewig sy'n cyfateb i athronwyr Groeg. Wedi i Gerhard von Rad ddatgelu'r wythïen gyfoethog o ddoethineb sy'n brigo o dro i dro yn yr

Hen Destament, sylweddolwyd mor werthfawr yw eu cyfraniad i ddysg ac addoliad cenedl Israel. Yng ngwaith llenorion Doethineb ceir yr hyn a alwodd un diwinydd yn 'ddewrder i amau'r ffydd a dderbyniwyd'. Clywid y brotest oedd yn eu heneidiau clwyfus a'r gwyn oedd ym mêr eu hesgyrn. Trwy holi cwestiynau dwys deuai iddynt ymwared, ac mewn Salm o brotest neu alarnad gwynfannus, ffurfiwyd y math hwnnw o ysbrydoledd sy'n loetran lle y mae gofid a chyfyngder. Mae Llyfr Job a Llyfr y Pregethwr yn frith o ymholiadau ynghylch annhegwch amgylchiadau'r bobl dda sy'n dioddef, a'r anghyfiawn sy'n llwyddo mewn bywyd.

Nid yw Mathew yn galw am dawedogrwydd, ond yn herio'i ddarllenwyr i weld y peryglon o fod yn fyddar i ddoluriau ac ocheneidiau'r byd. Yn y distawrwydd, yn ôl Marc, y mae'r enaid yn deffro, ond mae Mathew yn canfod ffordd o waredigaeth yng nghanol twrw a berw'r byd. Mae'n taflu ambell gwestiwn at Iesu fel yr un trwy ddisgyblion Ioan Fedyddiwr: 'Ai ti yw'r hwn sydd i ddod . . .?' a daw ateb byrlymus Iesu (11:1-11). Mae Iesu yn hoffi cwestiynau a sylwadaeth y rhai sy'n ceisio gwyntyllu'u profiadau. Mae Mathew yn dweud ei stori gan osod allan ei ddeunydd yn gyfanwaith pryfoclyd. Fel awduron Llên Doethineb, nid yw'r atebion yn dod yn rhwydd iddo, ond mae'r sawl sy'n darllen ei Efengyl yn synhwyro ei fod yn anelu at ddatrys y problemau a gwyd ac yn cymell ysbryd ymofynnol taer.

I'r Archesgob, mae Mathew yn ysgrifennu yn nhraddodiad Llên Doethineb, ac yn gweld y byd yn gam. Cafodd ei genedl ei chyfarwyddo, ond bu'n ystyfnig a gwargaled. Eto, mae Mathew, ac yntau yn Iddew pybyr, yn mynnu bod Duw yn nyfodol ei bobl a daw cyfiawnder iddynt os byddant fyw'n anfodlon â chyflwr y byd. Rhaid wrth ymdrech meddwl, amynedd i holi a gwrando, a chydweithio i ddwyn i'r amlwg gynllun y Creawdwr. Mae Mathew yn gweld dioddefaint Iesu a'i ddibristod o'i fywyd wrth farw ar y groes yn ffordd o

110

ddwyn y byd ynghyd, ac mae ei atgyfodiad yn rhoi dyfnder ac ehangder i iaith ffydd a gobaith. Hunanddigonol yw ein bywydau oni allwn ymwacáu, ac arwynebol oni allwn dreiddio i ddyfnderoedd bywyd. Yr ydym ar brawf, fel y dengys storïau Mathew am Iesu, ac yn fethiant oni allwn ofyn y cwestiynau na ddaeth i gyffiniau meddwl Caiaffas.

Mewn byd lle mae trwch y boblogaeth yn wrth-ddeallusol a llu o aelodau'r eglwys yn wrth-ddiwinyddol, mae'r Archesgob wedi rhoi ei fys ar fater difrifol a dolurus unwaith eto wrth drafod neges Mathew. Ar lwybr y groes, mae'n rhaid wrth ddeialog, hunanymholiad ac ymroddiad i gyfannu byd Duw. Yn y cyswllt hwn, rhaid galw i gof eiriau'r Athro Donald MacKinnon, 'Fel mae esiampl a adawyd i ni gan Socrates a Iesu'n ei gwneud yn glir, dim ond mewn deialog y gellir ymestyn ein dealltwriaeth foesol . . .' (*Exploration in Theology*, Cyf. 5, tud. 108, SCM).

SAFLE I BOBL YR YMYLON

Mae Efengyl Luc o'i dechrau i'w diwedd yn gydnaws â'r sosialaeth a'r radicaliaeth a fu'n rhan o fywyd Cymry'r cymoedd diwydiannol ers rhai cenedlaethau. Mae Rowan Williams wedi ei uniaethu'i hun â'r cymunedau hyn tra bu'n byw ym Morgannwg ac yng Ngwent. Ar foment led gellweirus, cyfeiriodd ato'i hun fel y 'chwith blewog', label fydd yn sicr o lynu wrtho er iddo babellu bellach ymhlith pobl gwastadeddau bras de-ddwyrain Lloegr.

Yn nechrau Efengyl Luc, yn y Magnificat, ceir maniffesto merch ifanc feichiog, un a fydd yn rhoi genedigaeth i Iesu, ac yn ei feithrin yn yr egwyddorion a wyntyllwyd yn ei chân wleidyddol. Proffwydir yn gynnar gan y fam, a'r ffyddloniaid disgwylgar yn Israel, y bydd croes ar lwybr yr un a gafodd ei eni i ddioddef. Os gwerthuso distawrwydd Iesu a wnaeth Marc, a mawrygu doethineb yr un a ganfu ddeallusrwydd yr un sy'n dioddef a wnaeth Mathew, cyfraniad Luc yw iddo ddyrchafu'r di-nod a rhoi statws i bobl yr ymylon.

Mewn byd creulon, lle mae anghysonderau ac annhegwch cymdeithasol, mae Luc am roi cyfle i'r isel-radd ac ail gyfle i anffodusion y byd. Mae'r anghyfiawnderau a welodd Gwenallt yn ei Gwm Tawe yno ym myd Iesu o Nasareth, ond bydd Duw, trwy ei ddysg a'i ddioddefaint, yn troi byd y difreintiedig wyneb i waered. Mae stori'r Samariad trugarog (10:25-37), yn dweud cyfrolau. Ac mae Rowan Williams wedi pledio'n huawdl achos y digartref, y di-waith, y mewnfudwyr, y newynog a'r rhywiol gwahanol am nad ydynt yn meddu ar iaith i ddweud eu cwyn, ac am nad oes clustiau sy'n barod i wrando arnynt.

Dyletswydd y Cristion yw ehangu ei fyd i gynnwys eraill, yn enwedig y di-allu, a chyhoeddi'r gwir yn erbyn y byd yn y seibiannau hynny sy'n boenus o faith a chreulon. Daw *The Trial*, nofel Kafka, yn ôl i'r cof, a thynged y rhai, fel Iesu, a boenydiwyd a'u curo heddiw fel gynt wrth furiau dinasoedd llychlyd y Dwyrain Canol.

Yn *Seven Words for the 21st Century* (DLT), myfyrdodau nifer o Anglicaniaid ar y geiriau a lefarodd Iesu ar y groes, mae gan yr Archesgob bennod ar ystyr y groes yn ein byd cyfoes. Arwyddlun y pwerus oedd y groes yn yr hen fyd, a gair sarrug y rhai mewn awdurdod wrth bobl yr ymylon. Y tu allan i fur y dref, rhoddwyd Iesu i farw gyda'r rhai nad oeddent yn ddinasyddion cydnabyddedig, pobl a ddifreiniwyd ac a adawyd yn y mudandod ofnadwy. Ond, mae'r croeshoeliedig yn llefaru dros Dduw, ac yn cynrychioli'r Duw hwn ymhlith yr alltudion.

Yma, fel yn ei ail ddarlith ar yr Iawn ym Mryste, mae'r Archesgob yn dyfynnu o'r llythyr at yr Hebreaid, lle y mae'r awdur yn gwahodd ei ddarllenwyr i fod gyda Iesu 'y tu allan i'r gwersyll' (Heb. 13:13). Dyma ein lle ni os ydym yn codi'r groes a'i ganlyn – bod gyda phobl yr ymylon, a wrthodwyd gan y ddynoliaeth y cymerodd Duw o'i chnawd i'w hachub. Yr ymgnawdoledig hwn 'a daflwyd allan o'r byd a'i roi ar groes' (Bonhoeffer).

Mae'r tair Efengyl gyntaf yn rhoi sylw manwl i'r Wythnos Fawr, ac yn cynnal argyhoeddiad yr Archesgob bod treialon bywyd yn sicr o godi cwestiynau ym meddwl pob un sy'n cael ei fygwth gan yr elfennau enbyd sy'n bygwth y ddynoliaeth. Ymdrechu i gael ateb i'r cwestiynau hyn yw hanfod y bywyd a'r ddiwinyddiaeth ysbrydol. Meddai am Efengyl Ioan: 'Fe allai un ddarllen Efengyl Ioan ar ei hyd fel stori am dreial'. Mae Rowan yn ŵr sy'n cymryd rhan flaenllaw i geisio tawelu'r storm hirfaith rhwng Iddew ac Arab, ac ers iddo gael ei orseddu yng Nghaer-gaint, mae wedi ymweld â'r Dwyrain Canol fwy nag unwaith. Felly, mae ganddo ddiddordeb byw yn y rhan a gymer yr Iddewon yn y Prawf, yn enwedig o gofio bod llawer yn beio Efengyl Ioan am adrodd hanes yr Wythnos Fawr gyda rhagfarn yn erbyn ei bobl ei hun. I lawer, Ioan a roddodd hwb i wrth-Semitiaeth.

Pilat â'i gwestiwn herfeiddiol a gaiff sylw Ioan: 'Beth yw gwirionedd?' Braidd yn ddibwys yw rhan Caiaffas yn y treial, a phrin yw ei gwestiynau. Ond mae cwestiwn y gwirionedd yn amlwg yn un sy'n poeni Ioan, ac wrth drafod yr Eiriolwr, 'Ysbryd y Gwirionedd' (14:16; 15:26; 16:13), mae'n amlwg ei fod am baratoi ei ddarllenwyr ar gyfer cwestiwn Pilat. Ac mae Rowan am ddod â'i ddarllenwyr at ei ddiffiniadau yntau o wirionedd. 'Byw yn y gwirionedd,' meddai, 'yw byw lle mae Iesu'n byw.' Mae byw yn y gwirionedd yn golygu byw i wynebu treialon, peryglon, erledigaeth a marwolaeth. Byw gan wynebu'r elfennau bygythiol mewn bywyd mae Iesu, a daw'r Prawf ag ef i awyrgylch yr elyniaeth sy'n cau amdano a'r rhwystredigaethau sy'n rhwym o ddilyn yr ymchwil am y gwirionedd.

Mae cyfieithiad Rowan Williams o'r ddwy adnod (8: 31-32) yn arwyddocaol: 'Os gwnewch fy ngair i yn gartref i chwi, fe fyddwch yn wir yn ddisgyblion i mi. Fe ddysgwch y gwirionedd, a bydd y gwirionedd yn eich rhyddhau'. Yn awyrgylch y gwirionedd y gwna'r disgybl ei gartref, ac mae'r amgylchedd lle caiff ei ryddid yn gydnaws â'r Ysbryd a addawodd Crist i'r byd. Byw yn y gwirionedd yw byw lle mae Crist yn teyrnasu. Mae'n ollyngdod i Pilat glywed nad yw'n meddu ar 'deyrnas ddaearol' ac felly, yn wahanol i Rufeiniaid ei ddydd, nid yw'n gorfod ystyried 'trais amddiffynnol' fel ffordd o amddiffyn ei deyrnas 'nad yw o'r byd hwn' (18:36). Prif nodwedd teyrnasiad Iesu yw 'tystio i'r gwirionedd' a, thrwy hynny, ein rhybuddio rhag y byd a'i anwiredd. Gyda chymorth yr Ysbryd, gallwn weld y byd fel mae Duw yn ei weld a byw ynddo fel llysgenhadon i Iesu, yn 'dangnefeddwyr, plant i Dduw' (Waldo Williams). Yn ddiweddarach, cawn weld bod Rowan yr heddychwr yn ddyledus i'r olygfa hon yn y Bedwaredd Efengyl, lle daw Iesu a Pilat wyneb yn wyneb â'i gilydd. Ac ar fwy nag un achlysur, ni all fynd heibio'r ddeialog heb gofio Waldo.

Mae storïau'r Prawf yn y pedair Efengyl wedi'u llunio i godi ynom gwestiynau na ellir eu hosgoi. Ac i'r Archesgob, wynebu'n onest y cwestiynau sy'n rhwym o'n poeni yng ngoleuni'r gwirionedd a ddatguddiwyd yn Iesu sy'n cynnal diwinyddiaeth ac yn rhoi cyfeiriad i'r eglwys wrth iddi geisio rhoi arweiniad ar faterion fel rhyfel a heddwch, tlodi a golud, hiliaeth a rhyw. Her y Prawf yw ein galw o'r fan lle na ddylem fod i sefyll gyda Iesu a'i achos.

PENNOD 5

YR ATGYFODIAD

Ar 2 Mawrth 2003, trannoeth i ŵyl ei nawddsant Dewi, a thridiau ar ôl ei orseddu yng Nghaer-gaint, traddododd Rowan William bregeth delynegol a darluniadol yn ei Gadeirlan. Thema ei bregeth oedd y frwydr a ddaw i gof yr Eglwys yn flynyddol yn ystod tymor y Grawys a'r Pasg, y frwydr rhwng y goleuni a'r tywyllwch.

Fe'i gorseddwyd yn Archesgob Caer-gaint ar ddiwrnod heulog o wanwyn. Yr oedd ambell gwmwl llwyd uwchben y gadeirlan hynafol, ac er mor lliwgar y dyrfa oddi mewn, yr oedd ambell garfan go annymunol yn y cyffiniau yn cynnal protest ac yn cynllunio gwrthryfel. Wedi'r dathlu, ac yntau wedi derbyn dymuniadau gwresog Cristnogion Cymru a'r byd, a llythyrau oddi wrth anffyddwyr ac agnosticiaid i'w galonogi, buan y gwelodd Rowan na ellir byw yn hir cyn i gysgodion y nos dywyllu ein gorwelion.

Delweddau'r bardd-bregethwr, ffigwr amlwg ym mhulpudau Cymru ers canrifoedd, sydd gan Rowan Williams yn ei bregethau mwyaf gorchestol. Yn ei bulpud, gall gyfuno'r storïau beiblaidd â'r hyn a eilw'n draddodiad gorau'r Eglwys, a'u gwneud yn newydd a chyfoes gyda'i ddawn storïol Geltaidd. Rhoddwyd iddo lais cyfoethog, yr offeryn cerddorol a phersain hwnnw sy'n cario'i neges yn glir i glust a chalon ei wrandawyr.

A'r Garawys yn nesáu, manteisiodd ar ei gyfle y bore hwnnw i atgoffa ei braidd bod hwn yn dymor i weddïo ac i ymprydio, ac aeth â'i wrandawyr i gopa mynydd Tabor i gofio'r Gweddnewidiad unwaith eto. Yno, dallwyd Pedr, Iago ac Ioan gan ddisgleirdeb y goleuni a'r gogoniant pan weddnewidiwyd Iesu ym mhresenoldeb Moses ac Elias. Rhaid bod yr eicon hwnnw, sydd ar glawr ei gyfrol *The Dwelling of the Light*, yn loetran yn ei feddwl. Yna, mae'n tywys ei wrandawyr i ardd Gethsemane yng nghwmni'r un disgyblion, gyda'r un pwrpas, sef i weddïo. Yn ei ysgrifau ar y bywyd ysbrydol mae Rowan yn fynych yn sôn am weddi fel ffordd i fyw ac i fodoli. Ond, fel yng ngoleuni llachar Tabor, felly yng nghysgodion tywyll Gethsemane, mae cwsg yn drech na'r triawd. Yn eu dychryn, ni all y disgyblion ddirnad dirgelwch Duw, sydd weithiau'n dywyllwch, ond dro arall yn oleuni. Ym mhresenoldeb Duw mae i'r tywyllwch, fel i'r goleuni, ei ogoniant ysblennydd. Mae'r chwys yng Ngethsemane, fel y disgleirdeb ar fynydd Tabor, yn dynodi mesur y cariad hunanaberthol hwnnw a welwyd ar y groes.

Rhwng y ddwy stori gyfochrog hyn, y Gweddnewidiad a Gethsemane, mae'n bywydau ni oll. Ac yn y tensiwn sydd rhwng y ddau begwn hyn y gwêl yr Efengylwyr ystyr y croeshoeliad a'r atgyfodiad. Yn y tensiwn hwn mae tannau calon Rowan Williams yn dirgrynu. Fe gwyd o'i galon gyfalaw ddefosiynol ei naws i gynnal ei nwyd ddiwinyddol. Mae hyn yn digwydd yn aml yn ei anerchiadau, ac weithiau yn ei erthyglau a'i lyfrau. Mae'r perorasiwn sy'n ddiweddglo i *The Wound of Knowledge* yn enghraifft berffaith o'r peth Celtaidd hwn.

O dro i dro, defnyddia Rowan gyfatebiaeth syml i gyfleu baich cenadwri'r Pasg. Mor effeithiol o agos atom yw'r agoriad hwn i'w bregeth ar esgyniad Iesu. Mae yntau, fel awdur y Bedwaredd Efengyl, yn ystyried stori'r esgyniad fel rhan o stori'r atgyfodiad:

Un o dreialon mawr ein bywyd ar y ddaear yw dihuno a throi'r golau bach ymlaen am y tro cyntaf yn y bore. Fe ddigwydd pethau rhyfedd i'ch llygaid; am dipyn nid ydych yn medru gweld yn glir, ac rydych yn tueddu i fynd o gwmpas gan daro i mewn i bethau. Ond, fel arfer, erbyn i chwi gyrraedd yr ystafell ymolchi, mae'r byd yn dechrau dod i'w le. I gychwyn, mae rhywun mor ymwybodol o'r golau fel na fedr – mewn ffordd o siarad – ei ddefnyddio i weld; ond ar ôl ysbaid, nid yw sylw un wedi'i ganoli mwyach ar y golau hwnnw, ond ar yr hyn a ddengys y golau i chwi. Byddai'n rhyfedd gweld rhywun yn mynd o gwmpas ganol dydd neu mewn ystafell a oleuwyd yn llachar yn gofyn, 'Ble mae'r golau?', fel petai'n rhywbeth ychwanegol i bopeth a welir gennych, yn un eitem arall i'w chyfrif.

Mae storïau'r efengyl am yr atgyfodiad yn llawn o'r teimlad hwn a gaiff y boregodwr: nid yw pethau'n glir, nid yw'n rhwydd adnabod pobl, byddai'n fwy cysurus aros yn y tywyllwch. Storïau yw'r rhain am syndod a dryswch, syndod a dryswch a ddigwyddodd i ffrindiau Iesu wrth iddynt ddarganfod nad yw'n farw. Nid darn o hanes mohono, nid corff o dan rhyw faen coffa; mae ei fywyd *daearol*, yn gorff a meddwl, wedi dod yn gyfrwng i Dduw barhau i lefaru wrth ei fyd, yn y ffordd mae Duw gyda ni, wedi ymrwymo i ni beth bynnag a wnawn . . . Mewn geiriau eraill, mae atgyfodiad Iesu fel golau yn cynnau i'n galluogi ni i weld popeth. Ac fel mae rhywun yn ymwybodol y peth cyntaf yn y bore o'r golau, yn llachar a dryslyd, felly gyda storïau'r Pasg, mae ei gyfeillion yn ymwybodol o *Iesu*, canolbwynt, calon y byd newydd cymysglyd (*Open to Judgement*, tud. 81).

Gan fod Eglwys Uniongred y Dwyrain yn dathlu'r Pasg ar ein hôl ni yn y Gorllewin, bydd llawer ohonom fydd ar wyliau yng Ngwlad Groeg neu Rwsia yn cael y cyfle adeg yr ŵyl hon i ymuno yn y gorymdeithio a'r dathlu brwd. Gallwn wedyn gytuno â Rowan bod hwn yn un o brofiadau mwyaf cofiadwy y miliynau sy'n cofio atgyfodiad Iesu. Mae'r nofelydd Nikos Kazantzakis, brodor o ynys Creta, yn fynych yn disgrifio ymroddiad ei bobl i ddwyn ar gof ddydd yr atgyfodi yn eu heglwys. Er ei fod yn amheuwr, bydd yn portreadu offeiriaid y wlad yn eu gynau duon yn canu *Christos voskrese* ('Cyfododd Crist'). Fe'u gwêl 'fel ceiliogod plygeiniol' yn clochdar toriad gwawr ar draws y wlad ac yn cyhoeddi diwrnod arall o obaith i'r byd. Cynigir 'ffrwythau' marwolaeth y groes i ddynolryw: maddeuant, trugaredd a thangnefedd. Hoffais sylw'r Archesgob: 'Mae Iesu, yr Atgyfodiad, wedi creu gofod i Dduw, a lle iddo yn y byd i gael ei gyfle i'w adnewyddu.' Rhyddhawyd Duw a'i gariad i'n plith, y cariad a welwyd yn angau Iesu, i'n hiacháu o'n doluriau. Dyma'r newyddion da sy'n galw am ymateb pawb i gariad y groes.

RHYDDID

Mae ei bregeth 'Atgyfodwyd yn Wir' yn *Open to Judgement* (tud. 67) yn anthem o fawl i Dduw ac i'r bedd gwag sy'n arwyddlun o annherfynoldeb Iesu.

Nid yw Rowan yn blino dweud mai mawl yw man cychwyn diwinyddiaeth, ac yn y mawl hwn y ffurfiwyd yr Eglwys. Ynddi mae gwirionedd y Nadolig (Duw gyda ni) a gwirionedd y Pasg (Duw trosom ni) yn gwawrio. Yr Eglwys, trwy allu'r Ysbryd Glân (Duw ynom ni), sy'n mynd â'r goleuni allan i blith y bobl. Ac mae canhwyllau'r Pasg dwyreiniol yn dynodi hyn. Tymor y golau yn trechu'r tywyllwch ydyw mewn gwirionedd.

I gyfleu neges Sul y Pasg, ac i gyflwyno'r atgyfodiad fel agoriad i oes y goleuni a'r greadigaeth newydd, dewisodd Rowan, yn ei gyfrol *The Dwelling of the Light* (t.22), eicon o'r

Yr Atgyfodiad

Bu'n angau i'n hangau ni
Wrth farw ar y pren;
A thrwy ei waed y dygir llu,
Trwy angau, i'r nefoedd wen.

John Elias o Fôn

bymthegfed ganrif. Yn gefndir i'r digwyddiad hanesyddol hwn (a phwysleisir yr hanesyddol), mae cylch o ddüwch yn yr eicon, ond o'i gwmpas mae fframwaith o oleuni sy'n fwy na'r tywyllwch. Mae'r ffigwr canolog, y Crist atgyfodedig, yn sefyll rhyngom a'r tywyllwch. Mewn fersiynau mwy diweddar o'r eicon, mae'n cario croes ei fuddugoliaeth. Hon a rydd iddo'r hawl i dynnu Adda ac Efa, cynrychiolwyr y ddynoliaeth golledig, o drigfan y meirw. Yn fynych, bydd yr Eglwys Uniongred yn crynhoi'r neges sydd yn yr eicon mewn brawddeg gofiadwy: 'Sathrodd angau â'i angau'.

Saif Iesu, yn yr eicon, yn droednoeth ar ddwy astell (a all fod yn rhan o'r drws a chwalwyd). Mae craig o dan ei draed, ac islaw iddo mae uffern. Ac yn nüwch uffern fe welir olion caethiwed, cloeon, allweddi, bolltau, hoelion a chadwyni a fu'n 'dal eneidiau yn ôl'. Mewn ambell gopi o'r gwreiddiol, bydd Satan yn sefyll yng nghanol y gweddillion hyn sy'n symbolau o'n caethglud. Mae yn yr eicon hefyd gynrychiolwyr o'r Hen Destament ac yn eu plith nifer o broffwydi fel Eseia, a brenhinoedd fel Dafydd a Solomon. Rhagdybiwyd yr atgyfodiad gan rai o'r cyndadau hyn, a bu sibrydion ymhell cyn geni Iesu y byddai Duw'r Creawdwr yn gwaredu'r rhai cyfiawn o afael marwolaeth (cf. Deu-teronomium 32:39; Eseciel 37). Yn yr eicon mae gwep pob un ohonynt yn awgrymu nad ydynt wedi cael bywyd yn ei gyflawnder. Lled-fyw oedd eu hanes hwythau cyn yr atgyfodiad. Maent yn llonydd ac yn llipa, ac wedi aros yn hir am yr ymwared a ddaeth iddynt pan estynnodd Iesu ei law i godi dynoliaeth y codwm o'i thrueni. Gras Duw yw'r llaw estynedig.

Esbonnir y llaw estynedig a roddir i Pedr ar fôr Galilea hefyd yng nghyd-destun yr atgyfodiad. Storm enfawr oedd y croeshoeliad, a thrwy wadu Iesu suddodd Pedr yn y ddrycin. Yn ail hanner y ganrif gyntaf, a'r eglwysi'n wynebu erlid a marwolaeth y tystion cyntaf, cyflwynwyd y stori hon fel dameg i'r gweddill oedd yn digalonni. Fel yn yr eicon, arwydd o'r fuddugoliaeth dros angau yw'r llaw gadarn sy'n gwaredu, arwydd o'r awydd i adfer.

Ac fel hyn y mae Rowan Williams yn dynesu at y testunau beiblaidd a'r pynciau athrawiaethol, yn fugeiliol ac yn ddefosiynol ddwys. Wrth gwrs, mae'r ymchwil academaidd wedi'i gyflawni'n drylwyr. Ond mae'n guddiedig y tu cefn i'w nod i bregethu'r gwirionoedd a'i gyflwyno mewn ieithwedd gyfoes sy'n datgelu ei ddiddordeb mewn seicoleg, moeseg, semanteg a chymdeithaseg. Ni all ollwng yr hen eicon hwn heb gynnig y math o sylwadau a'i gwnaeth yn feirniad cymdeithasegol a berchir gan y wasg a'r cyhoedd. Wrth graffu ar yr eicon gwêl beryglon ein hunigolyddiaeth hunanol a'n tuedd i godi muriau a chloi'r drysau hynny sy'n atal cymdogaeth a pherthynas iach.

Mae'n dwyn i gof hefyd sylw gan un o hen Dadau'r Eglwys yn y seithfed ganrif, Macsimus Gyffeswr. Mae Iesu, ar ôl ei atgyfodiad, yn cyflwyno i'w gilydd y cymeriadau hynny a lwyddodd i ymddieithrio oddi wrth ei gilydd ar hyd y canrifoedd. Ond, wele Iesu'n pontio pob agendor, ac yn cyflwyno Adda i Efa yn enw cariad a chymod. Syniad ffansïol yn sicr, ond un ymarferol yn ein cymdeithas rwygedig ac yn cin byd rhyfelgar. Mae'r Iesu byw yn awyddus i greu byd gwâr a chymen. Mae eicon yr Atgyfodiad o Rwsia, fel ambell bennill o emyn Cymraeg, yn ein 'dadlaith' (gair Rowan), er mwyn i ni gael ein creu yn ddynoliaeth bur a newydd. Mae Elis Wyn o Wyrfai yn ategu'r gwirioneddau a wêl yr Archesgob yn yr eicon:

> Goleuni ddaeth ar byrth y bedd:
> dynoliaeth bur, â newydd wedd,
> a ddaw i'r lan o'r carchar trist
> i fywyd newydd – cododd Crist.

Yn dilyn atgyfodiad Iesu, mae'r rhai a alwodd arnynt i fod yn gwmni iddo yn byw mewn awyrgylch cwbl wahanol, ac yn bodoli i ledaenu'r awyrgylch hwn. Gan gychwyn yn Jerwsalem, mae aelodau'r gymuned hon yn rhannu eu rhyddid newydd trwy ddatgan bod yr un a fu farw yn eu plith wedi dychwelyd atynt i adfywio eu mawl ac i'w hatgyfnerthu yn eu cenhadaeth.

Yn ei gyfrol *The Hungry Spirit* (tud. 263-4) mae Charles Handy, yr economegydd a'r darlledwr, yn gweld y dyhead am fywyd a dyfodol yn narlun Pierro della Francesca. A'r un genadwri ydyw ag a gafodd Rowan Williams yn yr eicon sy'n portreadu'r atgyfodiad, gyda Christ yn codi Adda ac Efa o dywyllwch uffern. Peintiodd yr Eidalwr ei ddarlun byd-enwog ar fur neuadd tref Borgo San Sepolcro yn Umbria, ryw bum canrif yn ôl. Tua'r un adeg, felly, y peintiwyd y ddau ddarlun. Coedwigoedd a bryniau gogledd yr Eidal yw cefndir darlun Pierro. Cododd Crist yn fore, ac y mae ei gorff lluniaidd yn llawn egni ar ôl tymor yn y bedd sydd islaw iddo. Maen y bedd yw gobennydd y milwyr sy'n dal i gysgu'n drwm. Mae un o draed y Crist buddugol ar y maen, yn arwyddlun ei fod wedi sathru angau â'i angau ei hun.

Dyma ddau ddarlun gwahanol iawn, ond yr un yw neges yr atgyfodiad i Handy a'r Archesgob. Mae'r digwyddiad yn ein rhyddhau o'n gorffennol, ac yn rhoi rhyddid i ni wynebu'r dyfodol gyda hyder yn y gorchfygwr. Adferir ni i fywyd newydd os medrwn ymddihatru o'n gorffennol. Yng ngeiriau Handy: 'Mae'r gorau eto i ddod i ni'. Ac fe wêl yr Archesgob ddynoliaeth newydd yn yr eicon. Nid atodiad yw'r atgyfodiad, ond gwahoddiad i fywyd. Nid stori i dacluso ei ddienyddiad trist, ond digwyddiad allweddol i roi stori fawr i'r Eglwys ar ddechrau'i thaith. Mae'r 'greadigaeth newydd' yma. Dyma ymadrodd sy'n eiddo'r apostol Paul (2 Cor. 5:17) ymhell cyn i Paul Tillich ei boblogeiddio yn y ganrif ddiwethaf. Fe ddylai'r ymadrodd fynd â ni'n ôl i benodau agoriadol y Beibl, a'i drydaneiddio â'r elfen gosmig honno a welai Paul ac Ioan yn y person a atgyfododd ar doriad gwawr: 'Ond daeth yr Adda diwethaf yn ysbryd sydd yn rhoi bywyd' (1 Cor. 15:45).

Yn ôl un sy'n arwain cangen gref o'r Eglwys Gristnogol, nid yw'r Eglwys yn y Gorllewin wedi rhoi digon o sylw i'r atgyfodiad. I'r Eglwys yn y Dwyrain, nid diweddglo twt ydyw, nid rhyw ffordd gyfleus o gloi'r stori mo'r atgyfodiad. I'r Eglwys Uniongred, yr atgyfodiad yw'r llinyn arian sy'n cynnal y stori. Meddai Rowan Williams wrth Roland Ashby ym Melbourne: 'Fe ddysgais i gan yr Eglwys Uniongred mai'r atgyfodiad yw'r ail-greu – y plymio i lawr i'r dyfnderoedd i adfer y byd i fod yn gyfanwaith eto'. Dyma'r esboniad ar y ffaith fod Eglwys y Dwyrain wedi dewis eicon sy'n perthyn yn nes i'r Sadwrn wedi'r croeshoeliad nag i Sul y Pasg. Er mwyn y greadigaeth newydd, plymiodd Iesu i ddyfnderoedd uffern, gan dynnu Adda ac Efa o'u beddau.

MADDEUANT

Yn dilyn marwolaeth Iesu, yr oedd y rhai a fu'n agos ato yn ei fywyd a'i farwolaeth yn ddiymadferth ac yn ddryslyd eu cof. Fe'u taflwyd i stâd o ofn a pharlyswyd hwy gan euogrwydd. Mae'r efengylau'n cloi gyda nifer o storïau am eu cyfarfyddiadau â Iesu wedi iddo atgyfodi. Yn y storïau hyn, mae Iesu yn dal i bregethu a chyfarwyddo'i ddilynwyr, ac mae eu cynnwys wedi cynnal y trafodaethau am yr atgyfodiad hyd heddiw. Mae amrywiaeth yng nghynnwys yr hanesion hyn, ac i'r rhai a geisiodd esbonio'r atgyfodiad mae'r amrywiaeth yma yn brawf o ddilysrwydd y profiad ac o ddatganiad yr Eglwys Fore.

Cyfrol o'r eiddo Rowan Williams sy'n dirnad teimladau'r disgyblion yn y tymor ar ôl yr atgyfodiad yw *Resurrection* (Darton, Longman and Todd), ac mae iddi naws ddefosiynol am ei bod yn feiblaidd, yn fugeiliol ac yn seicolegol dreiddgar.

Ei chynnwys yw'r darlithiau a draddododd Rowan yn esgobaeth Stepney yn ystod tymor y Garawys, 1981. Saernïwyd y darlithiau hyn, fel ei bregethau a'i anerchiadau, i gyfathrebu ac i argyhoeddi. O ganlyniad, mae'r gyfrol hon yn ddarllenadwy ac yn gyfraniad nodedig i fater sy'n allweddol i bob Cristion. O dderbyn mai cydbwysedd yw nod uniongrededd, dyma hi yn ei dillad gorau. Gwireddir safbwynt yr awdur mai myfyrdod cydlynol ar y Pasg yw swm a sylwedd yr holl athrawiaethau Cristnogol.

Fe ddychwel y Duw graslon at ddisgyblion Iesu gan roi iddynt addewid a gobaith i ddal ati. Mae ei fywyd newydd gyda Duw yn adnewyddu ei gyfeillion trwy ei rodd o ryddid a maddeuant. Dychwelodd i ehangu'r cariad Cristnogol ac i rannu *shalôm*. Daw Iesu o'i fedd gan gynnig ei dangnefedd. Duw a'i rhoddodd ef yn ôl i'w Eglwys er mwyn iddi adnewyddu'r ddynoliaeth trwy ei bregethu. Hyn a wnaeth y Deuddeg yn Jerwsalem, sef yr union fan y dedfrydwyd Iesu i farwolaeth. Ni allai eu gadael gyda'u galar a'u heuogrwydd; anadlodd arnynt yr Ysbryd hwnnw sy'n dileu trais a dialedd.

I'r Archesgob, yr oedd presenoldeb Iesu gyda'i eglwys ar ôl yr atgyfodiad yn foddion i iacháu ac i adfer y gymuned fechan. Ar ôl y croeshoeliad llethwyd y disgyblion gan ofn a chywilydd. Effeithiodd y gyflafan ar eu cof, a theimlodd pob un ohonynt ei fod yn llai na'i hunan y tu cefn i ddrws clo. Ond, mae'r ymddangosiadau yn adfer iddynt eu hatgofion, eu gobeithion a'u hyder. Medd Rowan Williams: 'Y cof yw'r hunan yn ôl yn bresenoldeb o'u mewn'. Y cof am y Dioddefwr yw dyfodol y cwmni o apostolion a'i aberth yw eu gobaith hwy a ninnau am faddeuant. Syndod a rhyfeddod y cwmni a ddaeth â hwy atynt eu hunain gan gychwyn yn eu plith y broses o hunan-ddealltwriaeth.

Yn Jerwsalem, yr oedd eraill heblaw ei ganlynwyr yn ymwybodol ei fod yn ôl yn y ddinas, sef ei erlidwyr a'i elynion. Cais Rowan Williams ddirnad teimladau'r Iddewon crefyddol a gribiniodd achos yn erbyn Iesu, a'r Rhufeiniaid imperialaidd a'i dienyddiodd yn enw trefn a chyfraith. Tradwy i'w farw, dyma ddileu dyfarniad y Sanhedrin a'r Ymerodraeth Rufeinig. Tanseiliwyd dyfarniad llysoedd y llywiawdwyr! Heriwyd dedfryd y rhai oedd mewn awdurdod! A dyma yw mesur grym y Pasg.

Gwnaeth yr Archesgob y pwynt hwn mewn anerchiad a roddodd rai dyddiau wedi Pasg 2004 yng Nghaer-grawnt. Hwyrach iddo fwynhau'r cyfle o gael dweud hyn yng nghyffiniau'r dref lle y coddod yntau ei brotest yn yr wyth degau yn erbyn arfau niwclear a chan herio yn ei gyhoeddiadau liaws o anghyfiawnderau ei ddydd. (Ar ddydd Mercher y Lludw, 1985, rhoddwyd ef a rhai o'i gyfeillion mewn cell am rai oriau am lamu dros y gwifrau pigog i wersyll yr awyrlu yn Alconbury, ac offrymu gweddi yno. Ar y pryd, roedd yn Ddeon Coleg Clare yng Nghaer-grawnt.)

Mae'n amlwg fod yr heddychwr o Gymru, fel y bardd Waldo a ddylanwadodd yn drwm arno, yn gorfod ystyried mater Crist ynteu Cesar yng nghyd-destun pŵer ac awdurdod y Duw byw. Ar hyd y canrifoedd, coddod y cwestiwn, 'Pwy piau'r hawl i lywodraethu?' Cipiwyd yr awenau gan Herod a Philat pan groeshoeliwyd Iesu, a thua adeg gorseddu'r Archesgob presennol yng Nghaer-gaint, cymerodd Bush a Blair y cam gwag o fynd i ryfel yn Irac. Am dymor, hwy na'r disgwyl, ceisiwyd rhannu'r bai rhwng yr Americanwyr a'r Prydeinwyr. Ac yn nyddiau awduron y Testament Newydd, gosodwyd y bai am groeshoelio Iesu wrth borth y Deml gan rai ac wrth ddrws plasty Herod gan eraill.

Yng ngoleuni'r atgyfodiad y mae canfod nodweddion y bywyd da, sef gwneuthur barn, caru cyfiawnder, a charu Duw a chymydog. Cyfrifoldeb cyntaf y rhai oedd yn dystion i'r atgyfodiad oedd dangos i'r rhai a gondemniodd Iesu i farwolaeth mai ef oedd cynrychiolydd Duw ar y ddaear a'r un a ddewiswyd gan Dduw i adfer ei greadigaeth.

Yr oedd ymddangosiadau'r 'dieithryn cyfarwydd' yn achos syndod a rhyfeddod i aelodau'r Eglwys Fore. Synhwyrai'r apostolion fod eu tasg o gyfleu'r digwyddiadau hyn ar ôl yr atgyfodiad yn un unigryw. Yn fud am dymor, gwyddent y byddai'n rhaid iddynt wrth iaith a geirfa newydd i gyfleu'r profiadau dieithr a'u goddiweddodd wedi'r Pasg. Yr oeddent yn adnabod y dieithryn, ac yn sylwi ar y tebygrwydd annileadwy rhwng yr un a fu gyda hwy am ryw dair blynedd a'r un a ddychwelodd i'w plith dridiau wedi ei farwolaeth greulon. Gallent dyngu fod y dieithryn yn cerdded yn gyson gyda hwy.

Daeth yr atgyfodiad â rhyw fwrlwm newydd i ddeffro'r disgyblion swrth, ac mae'r storïau am ei ymddangosiadau a'i gyfarwyddiadau iddynt yn dystiolaeth bod yn y gymdeithas fechan awyddfryd i greu cydberthynas rhwng Duw a phobl, a rhwng pobl a'i gilydd. Ac yn ei drafodaethau niferus ar yr atgyfodiad, mae'r gair 'perthynas' yn britho pregethau ac erthyglau'r Archesgob. Ni allai Cymro sydd wedi ymhyfrydu yn nhraddodiad ein beirdd Cristnogol, un a fu'n troi cyhyd gyda phobl cymoedd y De, ymwrthod â'r edau aur yma a gysylltir â syniadaeth Martin Buber ac a frigodd ym marddoniaeth Waldo a Gwenallt, Kitchener Davies a Rhydwen Williams. Meddai Rowan Williams:

> Yr hyn a ddigwydd yn awr yw bod perthynas yn bodoli rhwng Duw a'i greaduriaid dynol, un rymusach a chyfoethocach, â mwy o ddirgelwch ynddi nag a fodolai cyn hyn. Dyma'r esboniad ar eiriau'r atgyfodedig yn niweddglo Efengyl Mathew: 'Ac yn awr, yr wyf fi gyda chwi yn wastad hyd ddiwedd amser' (28:20).

Yn yr anerchiad a draddodwyd yng Nghaer-grawnt rai dyddiau ar ôl y Pasg (2004), mae'r Archesgob yn ailadrodd ei safbwynt yn ei ddarlithoedd a gyhoeddwyd yn *Resurrection* (DLT, 1982). Digwyddiad yw'r atgyfodiad sy'n annisgrifiadwy. Fel y dywedwyd un tro yn y wasg, 'nid oedd camera yn yr ardd lle bu'r digwyddiad rhyfedd hwn'. Felly, ni cheisiwyd rhoi'r digwyddiad mewn iaith. Daliwyd y dirgelwch mwyaf hwn mewn distawrwydd am ddegawdau. Ni cheisiwyd damcaniaethu am yr hyn a ddigwyddodd hyd yr ail ganrif. Ar fater yr anallu hwn i gyfleu beth a ddigwyddodd yn yr ardd, nid yw'r Archesgob wedi newid ei safbwynt. Nid yw yn un o'r diwinyddion hynny sy'n newid ei farn gyda phob chwa o wynt. Bydd yn craffu ar y cyfnewidiadau cymdeithasol (a bu digon ohonynt rhwng 1981 a 2004), yn gwylied y gogwyddiadau gwleidyddol ac yn cyhoeddi ei gasgliadau. Nid yw'n barod i beryglu'r cynseiliau diwinyddol na'r uniongrededd sy'n eu diogelu. Ond mae'n awyddus i ddathlu'r atgyfodiad. Bydd y dathlu hwn yn cael y flaenoriaeth ganddo fel diwinydd. Yna daw'r cyfathrebu, sy'n fwy anodd mewn sefyllfa pan gydnabyddir bod digwyddiad a gyflwynir yn annisgrifiadwy. Ond wrth law mae gweddïau Awstin Sant, nofelau Iris Murdoch, barddoniaeth T.S. Eliot, llythyrau Flannery O'Connor, a mwy, i gyfleu gwirioneddau tragwyddol yr atgyfodiad.

Os nad oedd camera yng ngardd yr atgyfodiad, mae dychymyg creadigol y canrifoedd wedi ceisio cyfleu dirgelwch y digwyddiad nad yw'n annhebyg, medd un, i'r glec fawr ym more bach y byd. Ei ddychymyg ei hun a'i ddefnydd o ddychymyg y canrifoedd a ddefnyddir gan Rowan i bortreadu grym yr atgyfodiad sy'n drech na'r cyfnewidiadau cymdeithasegol a feirniadwyd yn ei weithiau. Gwêl yr angen am iaith a chategorïau ystyrlon i gyfathrebu â chymunedau sydd wedi cael eu denu gan ddiwylliannau newydd a dieithr. Maent ar gael i'r sawl sy'n chwilio amdanynt. I mi, mae'r enghraifft orau yn *Cancer Ward*, nofel hunangofiannol Alexander Solzhenitsyn. Cafodd ef ei 'ddedfrydu' i farw gan y meddygon. Ond yn y bennod olaf ond un, 'Diwrnod cyntaf y greadigaeth . . .' mae'r awdur a gafodd y profiad 'o Stalin y tu ôl i mi, Hitler o'm blaen a chancr o'm mewn' yn ailddechrau byw ar fore o wanwyn. Mae'r Rwsiad, yn fy marn i, yn benthyca arddull yr efengylwyr wrth iddo sôn am fyd 'newydd yn troi'n wyrdd'. Crëwyd byd newydd a daeth gorchymyn iddo, 'Dos allan a bydd fyw!' Ar fore cyntaf y greadigaeth, gwelodd bren eirin gwlanog dan ei flodau, a phlant yn chwarae o dan ei frigau â'u blagur pinc. Ar ei ffordd i'r sŵ, a'i wisg yn hongian amdano, mae'n mwynhau blasu'r hufen iâ a'i ryddid. Yn y sŵ, mae'n gwerthfawrogi cymeriad yr afr ar y graig, a phangfeydd y wiwer fach sy'n gaeth ar olwyn sy'n troi. Mae'r adar yno yn eu gwisgoedd lliwgar yn rhyfeddod, a'r anifeiliaid mwy – yr eirth, yr eliffant, y lefiathan a'r mwncïod – wrth eu campau yn datguddio nodweddion y ddynoliaeth!

Mae'r ymddangosiadau yn Jerwsalem, Emaus a Galilea yn awgrymu 'pennod' newydd gyda Iesu. Mae'r bennod gyntaf wedi'i chloi, ac mae'r Eglwys yn cael ei hebrwng ar ei thaith o Jerwsalem gan yr atgyfodedig. Mwyach, nid yw'n gyfyngedig i le nac amser. Yn awr, mae gorwelion ehangach o'u blaen, a bydd galw am fynegiant deinamig o ffres i gyflwyno'r ail bennod. Diau bod y Pasg wedi 'puro'r delweddau' a fu'n ddefnyddiol yn ystod y bennod gyntaf. Mae'r un a fu'n fyfyriwr ymchwil yn Rhydychen yn benthyca'r ymadrodd 'puro delweddau' o nofel gan un o awduron enwocaf y ddinas honno, Iris Murdoch. Teitl y nofel yw *The Red and the Green* a'r prif gymeriad yw Barney, dyn crefyddol, niwrotig a chymhleth. Sylwi a wna'r nofelydd ar adwaith Barney, fel llawer ohonom ni, i'r atgyfodiad. Cymaint haws i ni ein huniaethu ein hunain â stori ei ddioddefaint. Ond rhaid i ninnau, fel yntau, newid ein hagwedd:

> Fe ellir gwneud y Crist sy'n teithio tua Jerwsalem i ddioddef yno yn un rhy gyfarwydd. Gall y Crist

atgyfodedig droi yn sydyn yn anadnabyddus. Yn y gorffennol bu'r trawsnewid (o fod yn ddioddefwr i fod yn orchfygwr) yn siom i Barney, fel diwedd drama. Ni feddyliodd erioed am y peth (yr atgyfodiad) fel man cychwyn. Ond felly y meddyliodd amdano yn awr, a hynny am y tro cyntaf. Gyda'r safbwynt newydd hwn, yn sydyn fe ddaeth yn gwbl eglur iddo mai'r Crist a atgyfododd o anghenraid yw'r gwaredwr, nid y Crist a ddioddefodd, y Crist sydd ynghudd yn Nuw, ac nid y dioddefwr tra adnabyddus. Yr oedd ef yn rhy ofnadwy o gysylltiedig â'i ddelwedd ei hun o'r Crist a ddiraddiwyd ar ddydd Gwener y Groglith. Rhaid i'r Pasg buro'r ddelwedd honno yn awr . . . Ei angen ef oedd y peth hwnnw sy'n llechu y tu allan i batrwm amlwg dioddefaint, y posibilrwydd plaen o newid heb unrhyw ddrama, a hyd yn oed heb gosb. Wedi'r cyfan, hwyrach mai dyma oedd neges y Pasg. Absenoldeb, nid poen, fyddai defod ei iachawdwriaeth.

Defnyddia'r Archesgob y paradocs hwn o Dduw yn bresennol yn ei absenoldeb i amddiffyn traddodiad y bedd gwag. Ymddangosodd yr erthygl, 'Rhwng y Cerwbiaid: y Bedd Gwag a'r Orsedd Wag', yn y gyfrol *Resurrection Reconsidered* (gol. Gavin D'Costa), ond mae wedi'i chynnwys yn *On Christian Theology*, casgliad o erthyglau a darlithiau a luniwyd ganddo ef ei hun (Blackwell, 2000). Dyma erthygl feistrolgar, a'r awdur yn gweithredu'n unol â'i argyhoeddiad bod yn rhaid parhau i geisio datrys dirgelwch yr atgyfodiad, a chwilio am gymariaethau, delweddau a geiriau i gyfleu ein profiad o ryfeddod y rhyfeddodau. Ac yntau'n argyhoeddedig bod y maen wedi'i dreiglo, ei bolisi yw dal ati i symud pob carreg sy'n rhwystr i ddadl, a chroesholi'r holl ddadleuon a gafwyd, gan gynnwys ei ddadleuon ei hun. Bu'r Eglwys gynnar yn ymdrechu'n galed i gyfleu'r hyn a olygir wrth y digwyddiad o atgyfodiad Iesu. Yn wir, ni ellir gobeithio cael yr ateb terfynol i fater y bedd gwag. Glynu wrth y cwestiynau a gwyd yn y storïau yng nghymdeithas gweddi ac addoliad yw'r ffordd ymlaen. Oni allwn fod yn sicr o'r 'hanesyddol', mae'r math o drafodaeth a geir yn yr erthygl 'Rhwng y Cerwbiaid' yn ehangu ein canfyddiad diwinyddol.

Fel llawer ysgolhaig a fu'n arwain yn yr eglwys Anglicanaidd, mae'r Archesgob presennol yn hoff iawn o Efengyl Ioan. Fel dau Archesgob a'i rhagflaenodd yng Nghaergaint, William Temple a Michael Ramsey, mae wedi cyfoethogi'r astudiaethau a gafwyd o'r Bedwaredd Efengyl. Mae'n cloi un o'i gyfrolau diweddaraf, *Anglican Identities* (DLT), gyda phennod am gyfraniadau B.F. Westcott, E.C. Hoskyns, William Temple a John A.T. Robinson i esbonio Efengyl Ioan. Dynion â safbwyntiau gwahanol iawn oedd y rhain, ond un o gryfderau'r eglwys Anglicanaidd hyd yn ddiweddar oedd medru gwerthfawrogi a derbyn safbwyntiau amrywiol.

B.F. Westcott, yn ei esboniad ar Efengyl Ioan (1882), oedd y cyntaf i dynnu sylw at y 'ddau angel mewn dillad gwyn' (Ioan 20:12), yn yr adroddiad am yr hyn a ddigwyddodd yng ngardd yr atgyfodiad. Mae'n awgrymu bod Ioan am ddwyn i gof y ddau gerwb ar glawr arch y cyfamod. Mae esboniwr mwy diweddar, C.K. Barrett, yn cytuno bod i'r darlun arwyddocâd yng nghyd-destun yr atgyfodiad. Ac mae'n ddarlun sy'n apelio at feddwl eiconograffaidd Rowan Williams. Ar ôl arwain y genedl allan o'r Aifft, mae Moses yn cyfarwyddo'r genedl i godi'r Tabernacl yn yr anialwch, a'i ddodrefnu. Yn llyfr Exodus (37:6-8) ceir hanes Besalel y gof yn llunio'r arch: 'Gwnaeth drugareddfa o aur pur, dau gufydd a hanner o hyd, a chufydd a hanner o led. Gwnaeth hefyd ar gyfer y naill ben a'r llall i'r drugareddfa ddau gerwb o aur wedi ei guro, a gosod un yn y naill ben a'r llall yn y pen arall, yn rhan o'r drugareddfa.' Yn y gofod rhwng y ddau gerwb, yr oedd y Presenoldeb wedi'i orseddu – ond yn anweledig. Yr oedd Duw yn 'y man lle nad ydyw'. I sicrhau buddugoliaeth mewn brwydr, byddai'r genedl yn cario'r arch, a'r Anweledig, ar y drugareddfa i ryfel.

Ymhlith diwinyddion ac athronwyr crefydd, bu'r paradocs o Dduw yn bresennol yn ei absenoldeb yn amlwg yn eu trafodaethau, yn enwedig yn y blynyddoedd ar ôl yr Holocost. Hyd yn oed yn ystod rhyfel 1914-18, gwelodd Hedd Wyn fod 'Duw ar drai ar orwel pell'. Erbyn chwe degau'r ganrif ddiwethaf cododd ysgol o ddiwinyddion yn yr Unol Daleithiau oedd yn eu galw eu hunain yn 'ddiwinyddion marwolaeth Duw'. Trafodwyd barddoniaeth y diweddar R.S. Thomas yn fywiog a diddorol gan un arall o fechgyn Cwm Tawe, yr Athro Dewi Z. Phillips, mewn cyfrol sy'n dwyn y teitl *Poet of the Hidden God* (Pickwick Publications, 1986). Mae'r bennod 'Presence and Absence' yng nghyfrol D.Z. Phillips yn werthfawr iawn i bawb sy'n darllen barddoniaeth R.S. Thomas ac ambell bennod fel 'Rhwng y Cerwbiaid'. Gwelir yn aml bod dylanwad yr un meddylwyr creadigol a chwyldroadol ar y ddau o Gwm Tawe. Ac yn eu plith roedd pobl fel Simone Weil a Ludwig Wittgenstein.

Y bedd gwag yw gorsedd wag yr Eglwys. Cymerwyd Iesu ymaith gan adael yr Eglwys yn amddifad o'r awdurdod hwnnw y mae'n ei chwennych yn ei chryfder. Dyma neges ac ystyr y ddau angel mewn dillad gwyn. Ar lefel ddiwinyddol mae'n amlwg mai pwrpas traddodiad y bedd gwag yw gwarchod yr Eglwys rhag iddi lyncu Iesu'n llwyr, a'i amddifadu o'i rym a'i ryddid yn y byd y tu allan. Nid eiddo'r Eglwys yw'r atgyfodedig.

I Elisabeth Schüssler Fiorenza, a fu'n brwydro am hawliau cyfartal i ferched yn yr Eglwys, ac a safodd yn ddigymrodedd dros hawliau'r difreintiedig, mae'r storïau am yr ymddangosiadau yn y Testament Newydd yno i gysuro'r rhai sydd mewn adfyd, ac i galonogi'r rhai sy'n cario beichiau trwm. Lle mae Duw'n absennol, mae marwolaeth, poen ac annhegwch. Ni all hithau ddygymod â thuedd yr Eglwys i fawrygu poen a dioddefaint. Y dyddiau hyn, bydd y merched sy'n diwinydda yn gweld yn stori'r bedd gwag, fel yn yr hanesion am yr ymddangosiadau, awyddfryd y gwragedd i fod gyda Iesu. Ac mae'r Eglwys, yn ddynion ac yn ferched, yn gweld bod Iesu ar ei ffordd yn ôl i Galilea i sefydlu'r deyrnas lle mae tlodi a chaledi. Cyhoeddi presenoldeb yr un a godwyd ac sydd ar y ffordd i waredu yw pwyslais Schüssler Fiorenza.

Nid yw Rowan William yn medru ei dilyn bob cam o'r ffordd. Yn nodweddiadol ohono, mae'n awyddus i ddiogelu'r dimensiwn hwnnw a anghofir yn fynych gan y radicaliaid gwleidyddol a'r diwygwyr cymdeithasol. Iddo ef dyrchafwyd Iesu ar ôl yr atgyfodiad i fod yn farnwr ar y gymuned Gristnogol a'r byd. Synhwyrir tawedogrwydd Iesu wedi'r atgyfodiad wrth ddarllen gwahanol fersiynau'r efengylwyr o'r hanes. Mae'r *Beibl Cymraeg Newydd* wedi italeiddio fersiwn Marc, ac mae'n gwta ac yn amlwg yn fwriadol anorffenedig. Nid yw'r stori drosodd, ac mae'n stori anodd i'w hadrodd. Mae yma ffordd newydd o siarad a rhyw gignoethni herciog yn y mynegiant.

Ym marn yr Archesgob, mae'r testunau Groeg yn awgrymu i'r efengylwyr ei chael hi'n anodd i gyfleu'r hanesion am yr atgyfodiad mewn geiriau. Ar ôl trafod yr hanes a diwinydda amdano, daw'r ieithydd i'r golwg ac agor ein llygaid i weld yr hyn a wêl ef yn y brawddegau a'r arddull. Ni cheir mwyach y llyfnder hwnnw a gaed yn yr hanesion am Iesu cyn yr atgyfodiad. Mae fel petai rhyfeddod yr amgylchiad a sioc y digwyddiad wedi parlysu lleferydd. Roedd yn stori od, i'r efengylwyr, ac mae'n dal i atal y ffrydlif geiriau. Meddai'r Cymro, enwog am ei huodledd mewn sawl iaith: 'Fe fydd ein ffydd yn yr atgyfodiad yn cynyddu fel y byddwn yn cerdded gyda'r Iesu atgyfodedig'.

Mae dilyn Rowan Williams mewn defosiwn yn dyfnhau ffydd, ac y mae dychwelyd i'r fan y'n galwyd yn dwysáu ein hymlyniad. Adnewyddir y defodau a sefydlwyd cyn y dioddefaint, yn enwedig y pennaf un – y swper sanctaidd. Mae ôl yr hoelion yn cystwyo'r cwmni sy'n gorfod dirnad pris maddeuant. Mae'n amhosibl anghofio yn ystod y cymun bod gormes a thrais yn dinistrio hawliau pobl, yn achos rhyfel a dinistr, ac yn difetha cariad aberthol Iesu, a groeshoeliwyd ac a atgyfodwyd.

PENNOD 6

CYMDEITHAS GREF O GARIAD

Y Tri yn un a'r Un yn Dri
yw'r Arglwydd a addolwn ni

Ysbrydoledd i Rowan Williams yw dathlu bywyd y Drindod gyda diolchgarwch, mawl a gweddi, ac athrawiaeth y Drindod sy'n grymuso, yn tacluso ac yn cysoni holl ffrydiau gwasgaredig ysbrydoledd. Mae cymorth hael y Tri yn Un ar gael bob amser i'n cynorthwyo i dyfu ym mhob amgylchiad, i'n cymell i fod yn agored i'r dwyfol ac i dderbyn y bywyd sydd o Dduw. Y dwyfoli hwn (*theosis*, sef y broses o gyfranogi yn Nuw) yw cychwyn trawsnewid y natur ddynol. Fe'n crëwyd oll ar lun a delw Duw, ac felly mae'n bosibl i'r ddynolryw dderbyn y cariad hwnnw sydd yng nghymdeithas Duw y Tad, Iesu Grist y Mab a'r Ysbryd Glân. Fe ddatguddiwyd y bywyd uwch i ni, ac o gyfuno'n greadigol ysbrydoledd a diwinyddiaeth, cam hanfodol i'r Archesgob, gellir trosglwyddo'r cydbwysedd hwnnw sydd yng nghymdeithas y Drindod a'i gynnig i fywyd a chymdeithas o fewn yr eglwys a'r byd.

Bu'n demtasiwn, mi wn, i ystyried y math yma o iaith yn hen ffasiwn, a'r eirfa'n amherthnasol i'n byw o ddydd i ddydd. Prinhau fu'r sôn am y Drindod ym mhulpudau Anghydffurfiol Cymru, ond mae'r Anglicaniaid wedi diogelu'r athrawiaeth, a'i phregethu ar Sul y Drindod, a'u Harchesgob presennol wedi'i chyfoesi. Mewn adran yn ei gyfrol *On Christian Theology* ac mewn toreth o erthyglau ac anerchiadau o'i eiddo, mae dehongliad ffres o'r athrawiaeth hon, sy'n ddigon i adfywio'r meddwl a'r ysbryd. Ei amcan yw ailgynnau ein ffydd, ein gobaith a'n cariad yng nghymdeithas y Tri yn Un, a'n tynnu i gyfeiriad y gwir, y da a'r prydferth, ac i undeb dwfn. Ac wrth bontio rheswm a ffydd, a derbyn na fynnai'r Tadau cynnar eu hysgaru, mae'n diogelu'r berthynas hir a fu rhwng diwinyddiaeth ac ysbrydoledd ac yn llanw athrawiaeth y Drindod â'r newydd-deb perthnasol hwnnw a allai newid ein bywydau y dwthwn hwn.

Yn hytrach na dechrau gyda dirgelwch y Bod o Dduw, a rhesymu ei fodolaeth, fe gymer yr Archesgob y datguddiad ohono o fewn cwlwm cariadus y Tri yn Un. Mae Vladimir Lossky yn ei gyfrol *The Mystical Theology of the Eastern Church* (tud. 47) yn dyfynnu Sant Gregori Nazianzen. Meddai'r 'clerwr' ymysg y Tadau cynnar: 'Pan fyddaf yn dweud DUW, golygaf y Tad, y Mab a'r Ysbryd Sanctaidd.' Mae'r rhif tri yn cyfleu undod iddo fel y gwna i'r Celtiaid, ond rhif sy'n gwahanu yw dau. Yn y Tri Pherson fe drig y digonedd dwyfol, ac yn eu hanfod maent o'r un natur ac yn anwahanadwy. Ni ellir eu gwahanu gan eu bod o'r un natur – Duw. Cyfranogi ym mywyd y Tad a'r Mab a'r Ysbryd Glân yw'r bywyd ysbrydol i'r Tadau cynnar ac i Eglwys Uniongred y Dwyrain.

Tra bu'n astudio gweithiau'r Tadau hyn y sylweddolodd Rowan Williams fod yr Eglwys Uniongred wedi coleddu dwy athrawiaeth a fu'n cynnal ei bywyd a'i thystiolaeth. Mae'r naill yn datgan bod Duw wedi dod mewn cnawd a'r llall yn hawlio bod y Drindod yn gymuned o gariad ar waith.

Ar y ddwy athrawiaeth hyn y saif uniongrededd, ac wrth fynd i'r afael â dadleuon y Tadau cynnar, fe welodd Rowan Williams na ellir anwybyddu'r naill na'r llall. Ac fe wnaeth yr Eglwys Uniongred yn fawr o'r athrawiaethau hyn, a chadw'r cydbwysedd angenrheidiol rhyngddynt. Daeth Duw yn ddyn i'n gwneud yn debycach iddo, ac i'n cynorthwyo daeth yr Ysbryd Glân i'n hysbrydoli. Byw bywyd Duw yn y byd yw ysbrydoledd, a chymwynas y Drindod yw'n goleuo a'n hysbrydoli yng nghariad Duw. Ffrwyth y cariad hwn yw bywyd creadigol y Tad a'r Mab a'r Ysbryd Glân.

AELWYD O GARIAD

Trwy'r canrifoedd bu nifer o ymdrechion taer i bortreadu'r Drindod, a llawer ohonynt yn gwbl aflwyddiannus. Mae angen dychymyg byw i beintio'r Duw anweledig! Mae'n wir fod gan y Beibl ei arwyddluniau o Dduw. Duw y Tad a apeliodd at yr artistiaid, yr henwr barfog â chnu o wallt gwyn fel yr eira ar ei ben, yn unlliw â'i farf. Daw darlun Michelangelo o Dduw ar nenfwd y Capel Sistinaidd yn Rhufain i gof fel enghraifft o hyn. Cafwyd ymdrechion lluosog i roi darlun o Iesu, yr Iddew ifanc, ar gynfas, ac mae ysgolheigion y Testament Newydd, a Rowan Williams yn eu plith, wedi craffu ar ddarluniau'r canrifoedd cynnar, yn ymerawdwyr, athrawon a gwerin Palestina yn y ganrif gyntaf, er mwyn gweld Iesu fel y'i gwelwyd gan rai oedd yn byw yn nes ato mewn amser a lle. Roedd gan yr arlunydd ei ddelwedd o Iesu fel yr hanesydd, yr archaeolegydd a'r diwinydd.

A cholomen a gynrychiolai'r Ysbryd Glân. Yn union wedi bedydd Iesu o Nasareth gan Ioan Fedyddiwr yn yr Iorddonen, gwelodd Iesu, yn ôl Marc (1:10), 'y nefoedd yn rhwygo'n agored a'r Ysbryd fel colomen yn disgyn arno'. Anfoddhaol fu'r ymgais i ddarlunio trydydd person y Drindod, ac mae sylwadaeth yr Archesgob am 'le a maint yr aderyn' bondigrybwyll ochr yn ochr â'r ddau ffigwr sydd mor amlwg mewn lluniau o'r Drindod yn adleisio anniddigrwydd ei gyfeillion yn yr Eglwys Uniongred. Iddynt hwy mae eglwysi'r Gorllewin wedi gwneud cam â'r Ysbryd Glân.

Ymserchodd yr Uniongredwyr hyn yn narlun byd-enwog un o artistiaid mawr Rwsia, Andrei Rublev (1370-1430), eicon sy'n apelio at Gristnogion o bob enwad, ac a fu'n gymorth parod i'r Archesgob i adfer diddordeb ei ddarllenwyr yn athrawiaeth y Drindod. Fe'i peintiwyd i ddileu heresi, ond fe'i trysorwyd am iddo roi mynediad i'r meddylgar i ddirgelwch y Tri yn Un, a chyfleu cariad annherfynol y Tad a'r Mab a'r Ysbryd Glân i genhedlaeth ar ôl cenhedlaeth.

I ddynodi'r cydbwysedd a ddylai fod rhwng y Tri yn Un, benthycodd Rublev y stori honno o'r Hen Destament am y tri angel a ddaeth at Abraham a Sara gyda'r newydd y genid mab iddynt. Croesawyd y tri angel gan y Patriarch, ond fe gofiwn fod ei briod – oedd 'heb fod yn oed planta' – wedi chwerthin (Genesis 18). Mae dyfnder o ddiwinyddiaeth yn y stori, ac fe ddiogelwyd yr eicon oherwydd gwreiddioldeb y darlun a'r defnydd cyffrous o'r hanesyn. Fe welodd Rublev fod 'trindod yr Hen Destament' – fel y gelwir ei gyfansoddiad – yn portreadu cydbwysedd y cariad hael sydd yn y Tri yn Un. A hyn sydd y tu ôl i'w boblogrwydd.

Newyddion da oedd cenadwri'r tri angel i'r hen Batriarch wrth dderw Mamre. Negeswyr ffydd, gobaith a chariad yw'r tri angel, ac fe apeliodd eu cenadwri at Rublev. Defnyddiodd liwiau a golau, gofod a geometreg yn effeithiol i gyflwyno'i ddehongliad o'r stori. Mae'r tri chymeriad yn gyfeillgar a chynnes, a'u hwynebau hardd yn cyfleu cyd-ddealltwriaeth a llawenydd. Ac mae'r tri tua'r un oed! O'u blaen mae gofod, lle i dderbyn y rhai sy'n dymuno bod yn eu cymdeithas, yn cyfranogi o'u cariad ac yn ystyried yn weddigar y dirgelwch mwyaf. Oes, mae lle i ni oll ym mywyd y Tri yn Un, a chroeso i bawb i ddod at Dduw. O graffu'n fanwl, fe welwn fod osgo'r tri angel a lleoliad trefnus y dodrefn yn arwyddocaol, ac yn rhoi cyfle i Rowan ddiwinydda a chyflwyno rhai o'i ddaliadau a'i argyhoeddiadau dyfnaf.

Ac fel y digwydd yn aml yn yr eiconau Bysantaidd, gan

gynnwys yr un o'r Forwyn Fair a'i baban, mae Rublev wedi targedu'r sawl sy'n edrych ar y darlun â'r llinellau geometrig sy'n cynnal cenadwri fawr yr eicon, sef 'mae lle, gofod a chroeso yn ein cymdeithas i chwi. Pam na ddowch i mewn?'

Dyma ddisgrifiad yr Archesgob ei hun o'r argraff a adawodd yr eicon arno:

Yng nghyfansoddiad Rublev, mae'r llecyn i sefyll arno yn cael ei ddynodi'n amlwg gan fwrdd sy'n ein hwynebu, a thri ffigwr yn eistedd o'i gwmpas gan ein gadael ni yn y gwacter yr ochr arall i'r bwrdd. Yr hyn sy'n ein taro ar amrantiad yw'r ffigwr canolog yn y cyfansoddiad, yr angel yr ochr arall i'r bwrdd; ond nid yw'r ffigwr hwn yn taflu'i olwg yn ôl at y sawl sy'n edrych arno ond i gyfeiriad y ffigwr ar yr ochr dde iddo. Yn ei dro, nid yw'r ffigwr hwn yn taflu'n ôl edrychiad uniongyrchol yr angel yn y canol ond yn taflu'n hedrychiad ni i gyfeiriad y ffigwr a welwn ar y dde i ni. Ymddengys nad yw'r trydydd ffigwr hwn yn sylwi ar edrychiad y naill na'r llall o'r ddau o'i ddeutu, ac mae llinellau'r cyfanwaith yn ein tynnu ni'n ôl yn ddi-wrthdro at y ffigwr yn y canol, yr un a ganfyddwyd gennym gyntaf. (Allan o'r bennod 'The Deflection of Desire', yn *Silence and the Word* – cyfrol a olygwyd gan Oliver Davies a Denys Turner.)

GWEDDI A NEGYDDU

Mae'r gair *deflection* (allwyriad, edrych heibio, taflu llygad) yn egluro pam mae'r Archesgob wedi dewis sôn am eicon Rublev yn ystod ei ddarlith ym Mhrifysgol Birmingham ym 1999 ac yntau ar y pryd yn Archesgob Cymru. Mae is-deitl y gyfrol – *Diwinyddiaeth Negyddol a'r Ymgnawdoliad* a phenawdau'r naw pennod arall yn ein paratoi i dderbyn mai *apoffasis,* sef y ffordd negyddol o amgyffred Personau'r Drindod oedd pwnc y gynhadledd.

138

Yn ei emyn i gariad (1 Corinthiaid 13), fe ddywed yr Apostol Paul yn y diweddglo: 'Yn awr, gweld mewn drych yr ydym, a hynny'n aneglur . . .' Rhwystredigaeth fwyaf y diwinydd yw gorfod derbyn nad yw'n bosibl iddo amgyffred yn llawn ddirgelwch Duw. 'Beth yw Duw?' meddai Tomos o Acwin un tro. Ac mae'n ateb ei gwestiwn ei hun trwy addef nad yw'r gair 'Duw' yn dweud dim wrthym am yr hyn yw Duw 'ynddo'i Hun', dim ond dweud wrthym sut yr ydym yn perthyn iddo ef ac yntau i ninnau. Ef yw'n Creawdwr, ein Cynhaliwr a'n Gwaredwr. Ein Tad ydyw, a gwrthrych i'w addoli, fel y dywed Ann Griffiths yn un o'i hemynau. Apeliodd 'Abba', sef y gair Aramaeg am dad, a gair oedd ar wefusau ac yng ngweddïau Iesu yn aml, at yr Eglwys gynnar a'r Tadau bore. Mae'n dal fel y teitl mwyaf poblogaidd hyd y dydd hwn. Ond ni ellir cynnwys Duw yn y teitlau a'r enwau a roddwyd iddo. Hon oedd y genadwri a dderbyniodd Jacob yn nyfroedd byrlymus afonig Jabboc fel ateb i'w gwestiwn 'Beth yw d'enw?' Ni chafodd ef na Moses yn nhymor ei alltudiaeth yn y Sinai yr ateb a ddisgwylient. 'Ydwyf yr hyn ydwyf' oedd ateb y llais o'r berth a losgai ond heb ei difa. Ond ar ôl eu profiadau ysgytwol, gwyddai'r ddau fod Duw yn hawlio eu gwasanaeth a'u haddoliad er ei fod yn parhau'n ddirgelwch pell iddynt.

Bu'n rhaid bathu a benthyca arwyddluniau fel Brenin, Bugail, Craig, Tŵr ac ati i ddelweddu Duw o ddyddiau'r Hen Destament hyd heddiw. Gelwir y traddodiad hwn, neu'r ffordd hon o ddiwinydda yn *via positiva* (y ffordd gadarnhaol) o ddynesu at Dduw. Yr enw technegol am y *via positiva* yw *cataffasis*. O ddyddiau Tomos o Acwin hyd heddiw, mae llawer o ddiwinyddion blaenllaw yn beirniadu'r dull cataffatig am ei fod yn cymeradwyo pendantrwydd ystyfnig ac yn magu agwedd unllygeidiog a di-droi-nôl. Nid rhyfedd felly mai amddiffynnwr diflino y dull apoffatig yw'r Archesgob, un sy'n credu mewn 'troi'n ôl' yn aml i archwilio a chywiro ac i ailystyried a chymhwyso. Amod dechrau deall ei gyfraniad diwinyddol a'i ymdriniaethau â phrif athrawiaethau'r eglwys Gristnogol yw ceisio ei ddilyn ar hyd y *via negativa*. Iddo ef, ac i restr hir o Gyfrinwyr, hon yw'r briffordd i feysydd toreithiog dirgelion Duw. Ym marn Humphrey Southern, yn y traddodiad apoffatig y torrodd Rowan Williams ei gwys ddiwinyddol. A ninnau'n cofio iddo lynu trwy'r blynyddoedd wrth safbwyntiau Eglwys Uniongred y Dwyrain, nid yw hyn yn syndod i ni.

Rhoddwyd deisyfiad y Cyfrinwyr yn dwt yn un o emynau adnabyddus Ann Griffiths:

O am dreiddio i'r adnabyddiaeth
o'r unig wir a bywiol Dduw . . .

Yn *Meistri'r Canrifoedd*, cynhwysir ysgrif gan y diweddar Ddr Saunders Lewis dan y pennawd: 'Ann Griffiths a Chyfriniaeth'. Ateb y diweddar Athro J.R. Jones, Abertawe, a wna'r Dr Lewis gan i'r athronydd hwnnw ei gyhuddo o 'wrthod cydnabod cyfriniaeth Ann Griffiths' yn ei ddarlith yn ystod Eisteddfod Genedlaethol y Drenewydd ym mis Awst 1965. Nid yw Saunders Lewis yn derbyn diffiniad J.R. Jones o gyfriniaeth, fel 'dyhead am dreiddio' i "undod BOD" – i undod nid â bodau, sef â'r hyn a elwir yn gyffredin yn unigolion . . . ond i undod â Dyfnder neu Drosgynolder Bod, neu, fel y dywedai'r cyfrinydd crefyddol, i undod â Duw'. Yna, ar ôl mynnu bod y dyhead am undod yn 'tarddu, i gychwyn o ryw gynneddf yn ei natur hi ei hun', ei dyhead fel merch am gariad, rhydd ei ddiffiniad ei hun o gyfriniaeth. 'Gweddi yw cychwyn cyfriniaeth. Gweddi yw pob cam ymlaen mewn cyfriniaeth. Nid oes cyfrinydd ond gweddïwr.' A dyma safbwynt Rowan Williams.

Felly, trwy gymryd ffordd negyddu a dilyn llwybr gweddi y mae agosáu at Dduw. Dyma bwyslais Rowan Williams, a dysgeidiaeth yr Eglwys yn y Dwyrain ers cenedlaethau. Yn y chweched ganrif o Oed Crist, mae mynach o barthau Syria a alwodd ei hun yn Dionysius yr Areopagiad yn cyflwyno'r dull apoffatig yn ei gyfrol ddylanwadol, *Ynglŷn â Diwinyddiaeth Gyfriniol.* I ddynesu at y Duw anhreiddiadwy, y Duw sy'n cuddio i rai o'r awduron beiblaidd, dyma'r ffordd a gaiff ei chymeradwyo trwy'r canrifoedd. Gan nad yw'r allweddeiriau sy'n agor drysau'r dirgelion o fewn ein cyrraedd, fe'n gadewir mewn rhwystredigaeth ddistaw a'n llefaru'n 'bosibilrwydd amhosibl'.

Fel Vladimir Lossky, apostol y Ddiwinyddiaeth Uniongred yn yr ugeinfed ganrif a dylanwad arhosol ar Rowan Williams, nid yw'r Archesgob yn gwrthod delwedd a darlun, ond mae'n galw am adolygu cyson ar ddealltwriaeth pobl o'u cynnwys yn yr eglwys a thu allan i'r gymuned Gristnogol. Mae gwerthuso a dehongli'r arwyddluniau a luniwyd ddoe ac a wrthodir heddiw yn dasg hanfodol cyn y gellir eu defnyddio eto i gyfathrebu'r newyddion da. A dyma a wna gyda'i fedrusrwydd arferol ym Mhrifysgol Birmigham wrth iddo ddadansoddi cynnwys eicon Rublev. Dyfais i esbonio'r dirgelion mawr yw hon ac i gyflwyno datganiadau positif. Ond dyfais hefyd sy'n amlygu ymlyniad hir wrth y fformwla apoffatig, sef holi, yna troi'n ôl at weddi, holi drachefn ac yna dychwelyd eto at weddi, mwy o holi ac addoli. Ac fel y dywed Humphrey Southern, ystyr 'orthodoxy' i'r Groegwr ac i Eglwys y Dwyrain yw nid 'credu'n iawn' ond 'addoli'n iawn'.

Bu'r athronwyr yn barod iawn i atgoffa'r diwinyddion bod iaith yn annigonol i drafod dirgelion pennaf y Ffydd. Fe dderbyn y diwinydd na all ein geiriau prin ddisgrifio'r bod o Dduw, na'n rheswm dynol ei gwmpasu. Duw ydyw Duw yng ngoludoedd ei arallrwydd a'i ogoniant, a dyn yw dyn yn nhlodi'i eirfa ar y ffiniau rhwng mynegiant a mudandod, a rhwng gwybod ac anwybod. Yma rhaid rhestru'r hyn na ellir ei ddweud am Dduw a derbyn mai bod anchwiliadwy ydyw, un na ellir ei gynnwys mewn geiriau. Mae'n anhreiddiadwy i'r bardd a'r cyfrinydd. Trwy ganrifoedd hanes, mae credinwyr wedi gorfod cydnabod bod Duw y tu hwnt i'w deall, ac awduron fel y bardd a'r offeiriad R.S. Thomas yn derbyn bod Duw yn ddirgelwch rhy ddyrys i'w ddatrys. Anfoddhaol fu'r ymgais gataffatig a bu'n rhaid dewis y ffordd apoffatig a derbyn y paradocs y gall Duw fod yn bresennol yn ei absenoldeb. Mewn cerdd i'r 'Via Negativa', mae R.S. Thomas yn cyflwyno'r paradocs hwn yn gofiadwy:

> . . . Ni feddyliais erioed yn wahanol
> Nad yr absenoldeb mawr yw Duw
> Yn ein bywydau, y distawrwydd gwag
> o'n mewn, y man lle yr awn
> i geisio, nid yn y gobaith
> o gyrraedd na chanfod . . .
>
> (*Collected Poems*, tud. 220)

Yn nechrau *The Wound of Knowledge* (tud. 2) mae Rowan Williams yn diffinio'r Eglwys Gristnogol fel y corff sy'n cario 'dwys gwestiynau' y ddynoliaeth. Ymddiriedwyd iddi, nid yr atebion, ond y cwestiynau sy'n rhoi i genhedlaeth ar ôl cenhedlaeth yr 'holiadur' hwnnw a fedr gynnal deialog â'r byd, ac â'i Chreawdwr mewn gweddi. Yn ei dyb ef, yr unig ffordd effeithiol o gynnal a throsglwyddo'r etifeddiaeth Gristnogol o genhedlaeth i genhedlaeth yw dal i drafod y cwestiynau hynny sy'n mynnu aros i'n poeni. Nid yw Iesu o Nasareth yn caniatáu i'w Eglwys sefyll yn ei hunfan. Aflonyddwr yw'r 'brenin alltud' (ymadrodd Waldo am Iesu), sy'n herio'n holl atebion. Ac mae'r dull apoffatig o ddiwinydda yn cynnal yr aflonyddwch hwn trwy ddal ati i blethu'r cwestiynau hynny sy'n chwalu pob system. Ond mae 'aelwyd cariad' y Tri yn Un yn aros, a chynnwys y datguddiad o'r Duw sy'n caru yn chwyldroadol. Gall y grym hwn newid y ddynoliaeth. Fe'i daearwyd ym mywyd, marw ac atgyfodiad Iesu, a'i rannu â ni yn y Sacramentau ac yn y Drindod.

CORLANNU GEIRIAU

Mewn Rhagair i'w gasgliad o erthyglau diwinyddol, *On Christian Theology*, a gyhoeddwyd gyntaf ym 1999 gan Blackwell, Rhydychen (llawer ohonynt yn gynnyrch ei dymor prysur ym Mynwy), fe rydd Rowan Williams fraslun o'i fethod diwinyddol. Dyma fap i'n cynorthwyo i ddilyn trac yr ysgolhaig ar ei bererindod ysbrydol ac ar ei lwybrau academaidd. Yn ôl yng Ngwent yng nghadair Esgob ac Archesgob, ac yn ei eiriau ef 'yng nghanol pethau', mae'n ailgydio yn ei yrfa fel bugail eneidiau ac yn darparu porthiant i'w braidd, ac i'w ddarllenwyr disgwylgar. Roedd y mileniwm newydd wrth y drws a phobl yn wynebu canrif newydd gyda phryder.

Bu Rowan 'yng nghanol pethau' o'i ddyddiau cynnar yn Ysgol Dinefwr, a thrwy gydol ei flynyddoedd yn y colegau. Er ei fod yn ŵr tawedog a swil, mae wedi byw bywyd cyhoeddus nodedig o lawn. Bu ei ddiddordebau mor eang â'i ddarllen, a'i ofid a'i ofal am bawb cyn lleted â'i allu a'i ymroddiad. Cynhaeaf darlithydd, athro a gŵr ordeiniedig yw'r gyfrol hon, a medel ysgolhaig a meddyliwr a fu'n cario beichiau gŵr canol oed prysur ar ddiwedd canrif go gynhyrfus. Ar drothwy canrif newydd, ac yntau'n gweld dryswch cynyddol draw ar y gorwel, mae am ddadlwytho cyfoeth meddyliau'r eglwys ddoe i'n hysbrydoli i wynebu'r argyfyngau sy'n dyfnhau. Wrth edrych ar draws ei blwyf, sydd erbyn hyn gyfled â'r byd bregus, mae'n galw'r eglwys yn ôl at ei gweddi a'i gwreiddiau, a'i hannog i ogoneddu Duw wrth geisio dirnad rhaglen waith y Drindod a'r Deyrnas.

Yn y sefyllfa hon, fe'i gwêl ei hun yn ddiwinydd sy'n ceisio meithrin iaith a geirfa i sôn am Dduw. O'i ieuenctid bu'n craffu ar y gymuned Gristnogol er mwyn ystyried ystyron y gair 'Duw'. Bu'n gwylied yr eglwys yn gweithredu, addysgu, dychmygu ac addoli, a bellach mae'n bur sicr o'r arddull ddiwinyddol a roddwyd iddo trwy ras Duw. Wedi'r corlannu a fu ar eiriau a'r myfyrio dwys ar y traddodiadau, dathlu'n awenyddol, cyfathrebu'n effeithiol a beirniadu'n adeiladol yw'r nod a'r cyfrifoldeb.

(i) Dathlu

Yn y deugeiniau cynnar, bu Ludwig Wittgenstein, athronydd mwyaf yr ugeinfed ganrif, yn darlithio yn y brifysgol yn Abertawe. Gadawodd ar ei ôl ei ddylanwad a'i bwyslais ar iaith ystyrlon, glendid mynegiant a chywirdeb barn a thrafodaeth. Nid yw'n syndod bod y traddodiad hwn a ddiogelwyd yn yr Adran gan y pennaf o ledaenwyr y safbwynt Wittgensteinaidd, yr Athro Dewi Z. Phillips, wedi gafael yn yr Archesgob. Trwy gydol ei yrfa, mae safbwynt yr Awstriad hwn wedi glynu wrtho, a nifer o'i ddisgyblion wedi croesi'i lwybrau, gan ddylanwadu arno.

Ac yn Abertawe, roedd parch i feirdd, dramodwyr ac actorion, a'r gŵr ifanc o Ystumllwynarth yn glustdenau i ddylanwadau'r ddau ddiwylliant o gwmpas y bae, yn enwedig i'r un Seisnig. Ymhlith y seiri geiriau hyn, cydiodd yr 'awelon' a'r awen ynddo, ac yng Nghaer-grawnt a Rhydychen, mae rhai'n dal i gofio'r myfyriwr fyddai'n troi geiriau Dylan Thomas a Vernon Watkins yn ddathliad celfydd ar ei dafod. Mewn dinas lle roedd yr arfer i drafod crefydd a phynciau'r dydd yn bodoli mewn Ysgol Sul, dosbarthiadau nos, cyfarfodydd, cymdeithasau a chylchgronau, nid yw'n syndod bod Rowan, 'yng nghanol y pethau', am wynebu'r dasg o gymhwyso iaith fyddai'n denu pobl yn ôl i drafod lle a gwaith y Tri yn Un. Roedd yn barod, yn unol ag egwyddorion uniongrededd, i alw am gymorth y *via negativa* i ddelio â'r argyfwng ieithyddol yn yr eglwys.

Ond, ni chaniateir llacrwydd. Os dathlu, rhaid dethol, a byw y geiriau ym mhos ein bywydau brau. Mae dathlu yn galw am ddifrifoldeb. Fe ellir colli'r difrifoldeb hwn wrth ein difyrru'n hunain a'n gilydd trwy raffu geiriau a brawddegau a'u gwacáu o'u hystyr. Prin bod yna frawddeg wedi'i dyfynnu'n amlach na 'Gwae inni wybod y geiriau heb adnabod y Gair'. Yr un yw rhybudd y Prifardd Gwenallt â'r Archesgob o Gwm Tawe. Yr hyn a wna eiriau'n ddilys yw'r cyfarfyddiad hwnnw sy'n esgor ar greisis a phrofiad creadigol. Ni ddaw lles o lefaru a chanu geiriau er mwyn cadw defod neu lanw amser. Mae'n rhoi teyrnged i un o'i arwyr mawr, un y'i gwahoddwyd i gyfieithu peth o'i waith, Hans Urs von Balthasar. Gall y Pabydd hwn feithrin y dathliadol trwy fod yn atgofus ac awenyddol a gall gyfleu'n ddarluniadol ei weledigaeth o ogoniant Duw a swyddogaeth dyn yng nghanol cymhlethdod ei fywyd wrth iddo geisio'i lanw ag ystyr o ddydd i ddydd. Y greadigaeth ac amrywiaeth y creadigaethau celfyddydol mawr, gan gynnwys yr eicon a'r emyn, a rydd hwb i'r anturiaeth ddathliadol. Lle mae diogi meddyliol a thuedd i fyw mewn rhigolau diwylliannol, fe gwyd protest weithiau yn erbyn y 'ffasiwn' yma. Ond mae'n rhoi trefn ar y stôr o ddeunydd sydd yn amgueddfa'r cof ac yn llyfrgell y meddwl.

(ii) Cyfathrebu

Wrth iddi ddathlu, mae'r gymdeithas Gristnogol yn puro'i hiaith ac yn ystwytho'i chystrawen. Distyllir y mynegiant, a'i adnewyddu yr un pryd. Gall gor-ddefnydd o iaith ei threulio fel dilledyn, a'i gadael heb gynhesrwydd. Gall y crebwyll crefyddol oeri a menter ffydd ddiffodd.

Ar ôl corlannu geiriau'r bywyd, a'u gosod yn ddwfn yn y cof, rhaid eu defnyddio rhag iddynt fynd yn llipa, a diflannu. Rhaid eu herio bob un yn rheolaidd a'u gloywi fel petaent yn offer i ymchwil bellach. O'n cwmpas mae diwylliannau sydd wedi hen anghofio'r geiriau hyn, a bellach rhaid benthyca ieithwedd y bobl na fydd yn siarad ein hiaith ni. Mae hyn wedi digwydd ar hyd y canrifoedd, ac fel hanesydd hyddysg yn natblygiad yr eglwys a'i hathrawiaeth, fe rydd yr Archesgob ambell enghraifft, a gallai roi mwy o lawer. Yn naturiol, mae'n cyfeirio at y Tadau cynnar, yn llunio'r credoau, ac yn dewis dysgu a benthyca priod-ddulliau'r athronwyr cynnar er mwyn cyfathrebu. Mae stamp y gwersyll athronyddol yn drwm ar athrawiaeth y Drindod. Yn niweddglo'r ganrif ddiwethaf, a chaerau Comiwnyddiaeth yn disgyn yn Nwyrain Ewrop, defnyddiwyd ymadroddion ac athroniaeth y Marcsiaid i hyrwyddo Diwinyddiaethau Rhyddhad a Ffeministiaeth. Ac yn nes atom yn ddaearyddol, o fewn i'r traddodiad crefyddol Cymreig, gwelwyd y dychweledigion wedi'r diwygiadau mawr yn canu eu profiadau ar alawon gwerin y Cymry.

Ni fydd Rowan byth yn blino ar annog ei gyd-Gristnogion i geisio 'sgwrs ffrwythlon' gyda phobl o berswâd gwahanol, ac i wrando ar 'dafodiaith' y gwrthgilwyr secwlar a gefnodd ar yr eglwys, ei ffydd a'i thraddodiad. Rhaid trafod eu safbwyntiau a chofio bod modd cyffwrdd â darn o hen gredo sy'n gorwedd dan gramen yn seleri'r cof, a'i ddihuno.

(iii) Beirniadu

Swyddogaeth y beirniad ym mhob cylch o fywyd yw gwrando, bwrw golwg, pwyso a mesur, holi a chywiro. Cyn y gellir cynnal y 'sgwrs ffrwythlon' rhaid atgyweirio'n gyson iaith ffydd, a dyma dasg drom i'r diwinydd. Rhaid iddo adolygu'r cynnwys diwinyddol, dwyn ar gof sŵn a swyn yr iaith gysefin er mwyn ei diweddaru, ac wrth iddo'i diweddaru adfer iddi yr urddas a fu iddi gynt. Iaith sy'n datblygu yw iaith ffydd, ac fel pob pren da, gall ffrwythloni os perchir y gwreiddiau a difa'r chwyn wrth ei fôn.

Mewn deialog â'r disgyblaethau eraill, ac wrth ymwneud â'r crefyddau cymharol, rhaid gwarchod y cynseiliau Cristionogol, glynu wrth yr hyn sy'n sylfaenol a chroesholi'r rhai sy'n gwthio'u safbwyntiau ar eraill. O dro i dro, rhaid wrth stôr o oddefgarwch, ond mae'r diwinydd sy'n dal y glorian yn gorfod herio haerllugrwydd y rhai gor-awdurdodol yn y gymuned Gristnogol. Flynyddoedd yn ôl bu'n rhaid i'r diwinydd mawr a'r Pabydd Hans Küng wrthsefyll yr wrthblaid geidwadol yn y Fatican. Ar droad y ganrif, bu'n rhaid i Rowan Williams ffrwyno'r Esgob John Spong trwy ateb ei gyhuddiadau mewn llythyr digon beirniadol a chwyrn a gyhoeddwyd ar y wefan.

Mae gan y Dr Gareth Jones o Brifysgol Birmingham gyfrol a ganmolwyd gan yr Archesgob, sef *Critical Theology*, ac ynddi fe ddywed yr awdur mai tasg y diwinydd beirniadol yw pendroni uwch 'y dirgelion' a'r 'datguddiad', a chyfleu 'neges yr Efengyl yn nhermau dirgelwch, digwyddiad a rhethreg' (tud. 31). Mae ei benodau ar Bonhoeffer, Moltmann a Rahner yn gymorth mawr i ddeall Rowan Williams a'i safbwynt ar fater beirniadaeth. Fel Bonhoeffer, mae'n credu'n gryf yn yr hyn a eilw'n 'ostyngeiddrwydd ffydd' ond yn feirniadol o 'haerllugrwydd rheswm'.

Gwarchod dirgelwch Duw a'r Ymgnawdoliad a chyf-lwyno'r Tri yn Un yw pwrpas yr elfennau dathliadol, cyfathrebol a beirniadol yn ei ddiwinyddiaeth. Cyn dathlu a chyfathrebu rhaid dewis yr eirfa orau posibl a phuro'r brawddegau clogyrnog. A dyma werth y *via negativa* iddo; mae'n ein tywys at y cariad hwnnw a ddatguddiwyd ym mywyd, marwolaeth ac atgyfodiad Iesu Grist. Efe yw'r Gair, ac yn narlun Rublev, mae'n sefyll yn y canol, gan ein gwahodd i'r gofod a grëir gan y Tad, y Mab a'r Ysbryd Glân.

IESU YN Y CANOL

Yr Arglwydd Iesu Grist yw'r ffigwr canolog yn eicon dyfeisgar Andrei Rublev o'r Drindod, ac ef a gaiff y lle canolog ym mhregethau, erthyglau a llyfrau Rowan Williams. Mor ddiweddar â 2004, mewn darlith a gyhoeddwyd yn *Biblical Concepts and our World* (Golygyddion: D.Z. Phillips a Mario von der Ruhr), mae'n dal i roi ei resymau dros barhau'r ymchwil am Iesu Hanes. Hwn yw'r llwybr i'n tywys ar ei bererindod ef at Grist Ffydd.

Ond mae'n well cychwyn yn y dechrau, yng Nghaergrawnt, lle y cyflwynwyd y myfyriwr deunaw oed o Abertawe i astudiaethau'r Testament Newydd. Ar raglen waith y myfyriwr diwinyddol y pryd hwnnw, roedd ystyried sut i ddod o hyd i Iesu o Nasareth yn yr Efengylau yn cael blaenoriaeth. Onid oedd y sôn am olygu'r efengylau, dosbarthu'r hanesion am Iesu, a dadfythu'r deunydd a ddiogelwyd yn y Testament Newydd yn drysu'r hen a'r ifanc? Cyn ei gyflwyno i'w hoff gyfnod, sef y blynyddoedd rhwng Cyngor Nicea (325) a Chyngor Chalcedon (451) bu'n rhaid iddo ymgyfarwyddo â'r holl faterion a adawyd gan Bultmann a'i gyd-ysgolheigion i'w datrys. Ac roedd llyfr yr Esgob J.A.T. Robinson ym 1963 (*Honest to God*) wedi tarfu'r colomennod a thynnu sylw llawer o bobl at y problemau a gafodd lonydd cyhyd ond a greodd aflonyddwch mawr gan gynnig esgusodion parod i bobl gefnu ar yr eglwys a'i chredo.

Un o'r rhai cyntaf yng Nghaer-grawnt i gyflwyno cefndir a chenadwri'r Testament Newydd iddo oedd yr Athro C.F.D. Moule. Rhai blynyddoedd yn ddiweddarach, ef fyddai'n gweinyddu ym mhriodas Rowan a Jane Paul. Mae Jane yn un o bump o ferched a anwyd i'r Esgob Geoffrey Paul a'i briod Pamela. Cyfarwyddwr Rowan yn ei ymchwil yn Rhydychen, yr Athro A.M. Allchin, a wahoddwyd i bregethu yn y briodas. Felly dau hen lanc a roddodd Archesgob Caer-gaint ar ben ei ffordd academaidd a'i fywyd priodasol! Ganwyd merched Geoffrey a Pamela Paul yn India lle bu'r Esgob yn athro ac yn genhadwr am un mlynedd ar bymtheg. Dychwelodd i wasanaethu'r eglwys Anglicanaidd ym Mryste, y ddinas lle bu Mrs Jane Williams yn ddarlithydd mewn diwinyddiaeth pan oedd y teulu'n byw yng Nghasnewydd, yr ochr arall i'r Hafren. Roedd yr Esgob Geoffrey Paul yntau'n ŵr hyddysg yn yr astudiaethau a fu ym maes y Testament Newydd. Yn ôl disgrifiad ei fab-yng-nghyfraith ohono yn ei ragymadrodd i'w gyfrol *A Pattern of Faith*, sy'n cynnwys rhai o anerchiadau'r Esgob Paul, dewisodd Jane Williams ŵr oedd o'r un natur a'r un diddordebau â'i thad a fu farw'n 62 mlwydd oed ar ôl dim ond dwy flynedd yng nghadair Esgob Bradford.

Cyhoeddwyd cyfrol yr Athro C.F.D. Moule, *The Birth of the New Testament* ym 1962, ac mae hi'n gyfrol a gafodd ei hailargraffu yn gyson gan A.C. Black hyd y dydd hwn, ac wedi bod ar silffoedd myfyrwyr diwinyddol am fwy na deugain mlynedd. Gŵr swil a bonheddig yw'r awdur, un sy'n dal i ddiwinydda ac i ysgrifennu er ei fod yn ei naw degau. Un efengylaidd ei ysbryd yw'r ysgolhaig mwyn, ceidwadol ei ddiwinyddiaeth, ac un a gofir am ei dynerwch a'i ofal am ei fyfyrwyr trwy gydol ei yrfa. Fel yr ysgolhaig arall hwnnw o natur debyg, y diweddar Archesgob A.M. Ramsey, bu'r Athro Moule yn dywysydd diogel i'r myfyriwr ifanc ym maes y Testament Newydd.

Yn ei ragymadrodd i'r gyfrol *The Birth of the New Testament*, mae'r Athro Moule yn datgelu nad yw ef yn medru derbyn popeth a ddywed y llu ysgolheigion a fu'n archwilio'r Testament Newydd gyda'r grib fân feirniadol. Yn naturiol, mae'n derbyn beirniadaeth ffurf a beirniadaeth destunol, yr ymgodymu llafurus â phroblem adeiladwaith y pedair Efengyl. Diwydrwydd bygythiol y dadfythwyr a ddilynodd Rudolf Bultmann sy'n dychryn Moule, a'r modd y peryglir ffydd yr Eglwys wrth i ysgolheigion a fagwyd o'i mewn deneuo'r llyfr a ymddiriedodd yr Eglwys Fore i'r cenedlaethau i ddod.

YR YMCHWIL AM IESU HANES

Trwy gydol gyrfa golegol Rowan Williams fel myfyriwr a darlithydd, ac yna fel Athro mewn Diwinyddiaeth yn Rhydychen, parhaodd ysgolheigion â'r ymchwil am Iesu hanes. Cychwynnodd y cwest yn gynnar yn y bedwaredd ganrif ar bymtheg. Cyhoeddwyd *Bywyd Iesu* gan D.F. Strauss ym 1836, ond ni allai ef ddelio'n foddhaol â'r fytholeg a welodd yn y Testament Newydd. Byddai'n rhaid aros am Rudolf Bultmann a'i ysgol i fynd ati i ddadfythu'r Testament Newydd.

Ond, yn y cyfamser, cyhoeddwyd llyfr chwyldroadol Albert Schweitzer, *Yr Ymchwil am Iesu Hanes* (1910). Bu'r meddyg enwog, y cerddor a'r cenhadwr, yn ysbrydoliaeth i lawer, ac aeth y sôn am ei wasanaeth yn Lambaréné ar draws y cyfandiroedd. Yn y gyfrol hon, dywed iddo sylwi bod y rhyddfrydwyr brwdfrydig oedd wedi ceisio portreadu Iesu o Nasareth yn rhy barod i ddilyn eu ffansi; yn aml caed portreadau neu gofiannau ohonynt hwy eu hunain fel y carent hwy fod, nid o Iesu o Nasareth!

Daeth Schweitzer â'r math hwn o ysgrifennu i ben pan fynegodd ei farn ei hun, yn ddi-flewyn-ar-dafod, mai yn nhermau'r dyddiau diwethaf yn unig y mae esbonio bywyd a marwolaeth Iesu. Yn ôl Schweitzer, fe arweiniodd Iesu ei ddisgyblion i gredu bod diwedd y byd yn agos, a hynny er mwyn eu hysgogi i fyw y bywyd uchel a 'wêl ei waith', ac i geisio'r bywyd ysbrydol gan weddïo am ddiwedd y byd presennol. Ac er mwyn i'r diwedd ddod ynghynt, aeth Iesu yn ifanc i'r groes.

Gafaelodd yn olwyn y byd i'w symud ar y tro olaf hwnnw oedd i ddirwyn hanes i ben. Pan welodd nad oedd yn troi, fe'i lluchiodd ei hun arni. Iddew oedd Iesu o Nasareth, a syniadau Iddewig oedd ganddo.

Bu'n rhaid wrth athrylith Albert Schweitzer i roi taw ar y cofianwyr niferus, ac i ysbrydoli eraill i barhau'r ymchwil am Iesu hanes yn ddiweddarach yn y ganrif ddiwethaf. Ar ôl cyfnod cyffrous y dadfythu gan Bultmann a'i ddisgyblion, cychwynnwyd ar yr ymchwil newydd wedi i Ernst Käsemann draddodi darlith 'Y Broblem o Iesu Heddiw' ym Marburg (1953). Yn y ddinas hon y bu Bultmann yn Athro, yr un a roddodd fwy o le i Grist y cerygma a Christ Ffydd yr Eglwys Fore yn hytrach na Iesu hanes. Ond teimlwyd yn awr y gellid dilyn trywydd newydd, sef ystyried i ba raddau y gellid derbyn mai'r Crist a bregethwyd ar ôl y Pasg oedd y person hwnnw – Iesu o Nasareth – a fu'n crwydro'r wlad cyn y croeshoeliad a'r atgyfodiad.

Tua'r un adeg, yr oedd ysgolheigion Iddewig a Christnogol yn cychwyn ar eu hymchwil hwythau i fywyd a gwaith Iesu. Bu darganfod Sgroliau'r Môr Marw yn hwb ac yn gaffaeliad iddynt. Sylweddolwyd yn fuan nad oedd ymchwiliadau'r gorffennol wedi rhoi rhyw lawer o le i gymeriad Iddewig Iesu a'i ddysgeidiaeth. Gwelwyd yn awr bod yr holl ymchwilio i hanes a bywyd Iesu wedi canolbwyntio'n ormodol ar ddiogelu hunaniaeth y ffydd Gristnogol, a hynny er mwyn cadw Cristnogaeth yn unigryw ac ar wahân i grefyddau eraill. Gwelodd pobl fel E.P. Sanders, Geza Vermes a Gerd Theissen y gallent hwy roi hwb i don arall o ymchwil bellach, gan iddynt gasglu gwybodaeth ychwanegol i gyfnod a chymdeithas Iesu, am ei le ymhlith y sectau o fewn Iddewiaeth ac yn yr Eglwys Fore, sef cymdeithas y Crist byw, atgyfodedig.

Gwnaeth dau Gymro gyfraniad sylweddol iawn at arloesi'r ymchwil yma, sef C.H. Dodd, brodor o Wrecsam, a W.D. Davies, Cymro Cymraeg ei iaith o Lanaman. Codi to'r Eglwys Fore a wnaeth C.H. Dodd, a rhoi golwg newydd i ni yn ei lyfrau ar ddysgeidiaeth canlynwyr Iesu, ar gynnwys eu pregethau a'u bywydau Crist-debyg. Roedd gan yr Athro W.D. Davies, disgybl i C.H. Dodd, ddiddordeb dwfn mewn Iddewiaeth ac yn nysgeidiaeth y rabbiniaid. Mewn cyhoeddiadau niferus mae'n gosod Iesu a Paul yn gadarn o fewn eu cyd-destun Iddewig.

Ac i Gaer-grawnt, lle bu C.H. Dodd a W.D. Davies, y daeth y myfyriwr ifanc o Abertawe yn effro iawn i'r cyffro arbennig hwn. Dilynodd lwybrau'r beirniaid a fu'n ymdrin â'r Testament Newydd. Yr oedd Rowan yn llwyr ymwybodol bod y drafodaeth oedd yn pegynu'r ceidwadwyr a'r rhyddfrydwyr, un garfan am adael popeth yn llonydd a'r llall am weld newid, yn mynd i hollti'r farn Gristnogol. Ac ers iddo gael ei orseddu yng Nghaer-gaint, bu'r hollt anorfod yma yn gur pen i'r Archesgob. Ond yr oedd wedi paratoi ei feddwl a'i ysbryd ar gyfer unrhyw anghydfod a fyddai'n codi gyda mater dehongli'r Ysgrythur. Rhaid ceisio dangos sut y gwnaeth hyn yng ngoleuni'r cefndir a amlinellwyd uchod a sut y mae wedi dal at ei safbwynt trwy ddychwelyd at hanes yr Eglwys Fore a'i ffydd, ac at uniongrededd y Tadau cynnar.

DARLLEN NES DOD O HYD I'R GAIR

Gwelodd Rowan Williams yn gynnar yn ei yrfa fod yna frwydr chwyrn ar y gorwel, ac na fyddai'r gwersyll rhyddfrydol na'r un ceidwadol yn ildio. Mynnai'r rhyddfrydwyr fod yn rhaid i'r eglwys dderbyn darganfyddiadau'r ysgolheigion, ac na allai Cristnogion osgoi'r ymchwil wyddonol heb ganlyniadau amlwg. Ar y llaw arall, roedd y ceidwadwyr yn dal y byddai rhesymoli gormodol yn diffodd fflam yr Ysbryd. Gallai'r darlithydd ifanc, a ddeuai'n Athro mewn amser, fod wedi osgoi'r ddrycin oedd yn bygwth rhannu'r eglwys, trwy aros o fewn i gaerau diogel a diddos y Brifysgol. Ond dewisodd dderbyn y gwahoddiad i fod yn esgob Mynwy ddiwedd 1991, gan ddychwelyd i aros ymhlith ei bobl ei hun a wynebu'r gwyntoedd croesion a flinai offeiriaid a gweinidogion fel ei gilydd. Mae'r gair 'ymgodymu', fel y gair 'eicon', yn air allweddol i'r gŵr hwn na chafodd erioed flas ar fabolgampau na chystadlu mewn gymnasium! Heb ymaflyd codwm, nid oes i'r Archesgob Rowan gynnydd ysbrydol.

Mae pennod ddadlennol iawn yn ei gyfrol *On New Testament Theology*, sef casgliad o ddeunaw o'i ysgrifau. Ynddi fe welwn sut mae Rowan Williams yn llwyddo i fod yn rhyddfrydol ac yn geidwadol ar yr un pryd, ac i bwrpas. 'Disgyblaeth yr Ysgrythur' yw teitl yr ysgrif, ac mae'n werth ymgodymu â hi. Ymddangosodd yr ysgrif yn gyntaf ym 1990 yn y cylchgrawn *Evangelische Theologie* o dan y teitl 'Der Literalsinn der Heiligen Schrift'. Mae'r gair Almaeneg 'Literalsinn' yn galw'r gair 'llythrennol' i'r cof, a dyma fyrdwn ei resymeg yn y papur hwn. Ni ddylid caniatáu i'r rhai mwyaf ceidwadol ddal na all neb ond hwy ddarllen yr Ysgrythur lân fel gair Duw; o droi tudalen ar ôl tudalen, gellir derbyn bod yma hanes i'w gofio a'i goleddu. Dadleua'r Archesgob y gellir darllen y Beibl heddiw fel y'i darllenid gynt gan ein cyndadau, ei ddarllen yn rhwydd. Gall y darllenydd ganfod ei hun yn yr hanes, a chyfranogi o fywyd y gymuned a ddisgrifir yn y naratif.

Yr ymadrodd technegol am y math hwn o ddarllen yw darllen 'diachronig'. Mae'r darllenydd yn eistedd gyda'r awdur yn y man a'r lle a ddarlunnir, adeg ei ysgrifennu gynt ac yn awr adeg ei ddarllen. Mae'r darllenydd yn rhan o'r hyn a ddigwyddodd, ac wrth ddilyn trywydd yr hanesydd, yn cael ei gyffroi gan gadwyn o ddigwyddiadau sy'n ei newid. Caiff y darllenydd ei gorddi i'w ddyfnderoedd gan lu o gwestiynau sy'n sicr o'i newid. Pan ddaw'r ateb, rhaid bod yn barod i'w herio â mwy o ymholiadau. Mae'r cwestiwn a'r ateb yn ddeialog ddramatig, oherwydd mae darllen yn ddiachronig fel darllen neu weld drama. Nid 'ffordd osgoi' yw hon, ond ffordd i lawr i'r dyfnder sydd ynom, y dyfnder 'sy'n galw ar ddyfnder', chwedl y Salmydd. Yn y dyfnderoedd hyn mae symudiadau a thensiynau, yr un math o densiynau ag a fodolai yn y Cynghorau cynnar pan oedd y Tadau eglwysig yn llunio ac yn gweddïo'r credoau clasurol.

Yn ddiamheuol, mae holl ymchwil y canrifoedd diweddar ac astudiaethau'r beirniaid beiblaidd wedi agor nifer o ddrysau i ddimensiynau newydd. Rhaid diolch am y drysau newydd sydd wedi'u hagor, ac, mewn ysbryd gweddigar a gwylaidd, rhaid mentro trwyddynt a darllen yn ddiachronig. Nid darllen arwynebol yw hwn, ond ymarfer sy'n ein tywys i dduwioldeb ymarferol ac i aeddfedrwydd. Ers ei ddyddiau yn yr ysgol, mae Rowan wedi gwerthfawrogi cynnyrch awen y beirdd, hen a diweddar, ac wedi llunio ei gerddi ei hun a chynnwys ynddynt ei deimladau a'i brofiadau ar daith bywyd. Mae'n dal bod gan y beirniad llenyddol a'r beirniad beiblaidd lawer yn gyffredin. Swyddogaeth y ddau yw clustfeinio a gwrando ar yr hyn a ddywedir ac a glywir mewn darn o farddoniaeth neu ryddiaith. Mae'r bardd a'r llenor, y cofnodydd a'r hanesydd, yn ymdeimlo â'r cynyrfiadau sydd yn y mynegiant, wrth symud ymlaen gyda'r llinellau ac wrth symud yn ôl at y digwyddiadau. Mae o'r farn bod rhythmau cân yn codi cwestiynau ac yn creu aflonyddwch ym meddwl ac ysbryd y darllenydd. Gall darllen yr Ysgrythur, fel darllen cerdd, fod yn brofiad dramatig. Dyna ydoedd pan fyddai'r diweddar Ddr John Gwilym Jones, y dramodydd, yn dehongli cerdd gyfarwydd. Yn ôl ac ymlaen ar lwybrau ddoe, heddiw ac yfory, a heb ymwrthod â'r hen nac anwybyddu'r newydd, mae'n bosibl cyplysu'n effeithiol y darganfyddiadau newydd a'r traddodiadol. Gellir ailgodi hen freuddwydion ac ymweld drachefn â hen lecynnau cysegredig.

Y darllen 'llythrennol' yw'r darllen sy'n datgelu i ni hanes y cyfansoddi, ac yn darlunio'n ddramatig yr hypothesis y tu ôl i'r hanes. Math ar ddarllen yw hwn sy'n agor drws i bob awel iach; ymarfer ydyw sy'n cyfoethogi ac yn aeddfedu profiad trwy'n tywys i weld ymhell ac agos. Mae'r darllen diachronig yn ein gwaredu rhag croesawu'r atebion slic neu ffoli ar y patrymau sy'n ffasiynol ar y pryd. Temtasiwn parod yw darllen y Beibl yn Seion esmwyth neu mewn stydi gysurus. Ond, medd Rowan Williams, darllen 'synchronig' yw hwnnw, darllen â'n pen yn y cymylau. Oni fydd ein traed ar y ddaear (y darllen diachronig), collir ystyr y darlleniad i'r pedwar gwynt. Mwmian yn y gofod yw'r darllen synchronig, myfyrdod mewn amser yw'r darllen diachronig.

Yn yr ysgrif hon, felly, mae Rowan Williams yn rhesymu'n glòs ynghylch ei ffordd at y gymuned Gristnogol, y gymuned honno sy'n adlewyrchu meddwl Iesu, y datguddiad o Dduw. Crist yw eicon Duw i'r Eglwys Fore. A'r Eglwys honno, mewn gweddi a mawl, sy'n cyflwyno, trwy esiampl a chredo, y Tad a'r Mab i'r byd. Gan hynny, mae'n rhaid i ni fod yn glustagored ac yn llygad-agored i'r cymeriadau hynny yn y Testament Newydd sy'n datguddio Duw o ddydd i ddydd i'r byd. Medd yr Archesgob: 'Amlygir cymeriad Duw yn hunangofiant y ddynoliaeth'. Fel mae Iesu'n ddarlun neu'n eicon o Dduw, mae'r rhai a fu gydag ef o Galilea i Galfaria, a'r rhai a fu'n dystion i'w atgyfodiad o Jerwsalem i Samaria, yn eicon neu'n bictiwr o'r Gwaredwr i ni, a ninnau i'r byd. Dyhead pennaf Rowan William yn ei holl ysgrifau a'i anerchiadau yw i'r ddynoliaeth gyfranogi o'r Duw a'i datguddiodd ei hun i ni yn ei Fab Iesu. O holl ddywediadau cofiadwy'r Tadau Cynnar, yr un a ddylanwadodd fwyaf ar feddwl ac ysbryd yr Archesgob yw hwn:

Gogoniant Duw yw dyn byw, gogoniant dyn yw Duw ei hun.

Felly, mae'r ffordd ddiachronig o ddarllen y Beibl, y ffordd a wnaed yn arw ac weithiau'n anodd gan ysgolheigion beiblaidd, yn gwarantu bod meddylfryd, geirfa ac anian y cymunedau cynnar yn cael eu trosglwyddo ymlaen. Mae rhoi sylw drachefn i ddysgeidiaeth Iesu a'i Eglwys, a chynnwys yr athrawiaethau mawr, yn agor drysau'r dyfodol.

155

Ond cyn y medrwn ddirnad gwirioneddau mawr yr Efengyl, rhaid ymgodymu â'r Ysgrythurau a manteisio ar bob cyfle i ddarllen a myfyrio ynddynt. Yn ei gyfarwyddiadau, mae'r Archesgob yn galw am ddwyster, trylwyredd ac amynedd wrth droi tudalennau'r Beibl. Mae'r testun yn hen, ond ynddo, os daliwn ati, deuwn at wirioneddau sy'n fythol newydd. Gall y cyfan fod yn ddisgyblaeth fydd yn ein harwain, nid at atebion parod, ond at gyfresi o gwestiynau dyrys a buddiol. Gellir cyfarfod â'n cyd-Gristnogion i ddarllen gair Duw, a chanfod yno effeithiau'r cariad sy'n clymu'r gymuned yn un o fewn i'r cyfamod newydd. Dro arall, yn nistawrwydd yr ystafell breifat, gellir darllen a myfyrio, chwilio a gweddïo:

> . . . nes dod o hyd i'r Ceidwad
> fu gynt ar liniau Mair.

Yn yr Efengylau, fe gofiwn fod y Crist atgyfodedig, yn union wedi'r Pasg, yn annog yr apostolion a'i ganlynwyr i 'chwilio'r Ysgrythurau'. Dewisodd eu calonogi yn Jerwsalem ac yn Emaus trwy 'egluro'r Ysgrythurau' iddynt, a gresynu'r un pryd eu bod wedi camddeall ei addewid a chamesbonio ei genhadaeth. Yn ôl y bedwaredd Efengyl, 'nid oeddent eto wedi deall yr hyn a ddywed yr Ysgrythur, fod yn rhaid iddo atgyfodi oddi wrth y meirw' (Ioan 20:9). Nid oedd gwirionedd y dydd mwyaf yng nghalendr yr Eglwys wedi gwawrio arnynt. Dychwelodd i'w hatgoffa o'r hyn a ddysgodd iddynt, a'u cyfarwyddo i dderbyn cenadwri'r Pasg – testun pregeth y gymuned Gristnogol – yng ngoleuni'r digwyddiad unigryw hwn. Dywed Luc hefyd iddo fanteisio ar y cyfle yn ystod hwyrddydd y diwrnod hwnnw i gyfarwyddo dau ddisgybl, Cleopas a'i ffrind, i ddeall stori'r Pasg trwy eu tywys mewn astudiaeth feiblaidd yn yr Hen Destament: 'A chan ddechrau gyda Moses a'r holl broffwydi, dehonglodd iddynt y pethau a ysgrifennwyd amdano ef ei hun yn yr holl Ysgrythurau'

(Luc 24:27). Ni cheir ffydd heb y darllen diachronig, y darllen sy'n ymestyn yn ôl ac ymlaen yr un pryd. Fe barodd y drafodaeth rhwng Iesu a'i ddisgyblion o gyrion Jerwsalem i Emaus, ac o Emaus yn ôl i Jerwsalem. O dipyn i beth aeth y drafodaeth yn ei blaen i Samaria, ac o Samaria i'r 'holl fyd'. Ond i ganol aelodau'r gymuned yn Jerwsalem y dychwelodd Cleopas a'i ffrind, dychwelyd yno i *addoli* gyda'r gymuned oedd yn ymffurfio yno.

Fel y mae awduron yr Ysgrythurau yn ymateb i Dduw ac yn cofnodi eu profiadau, mae'n rhaid i ddarllenwyr yr efengylau ymateb mewn rhyfeddod ac ufudd-dod, gan drysori a rhannu eu cynnwys. Ffrwyth atgof a phrofiad y rhai a fu'n adrodd y storïau am Iesu mewn gweddi a mawl a gydiodd yn awduron y Testament Newydd. Mae'r fath ddilysrwydd yn galw am ymateb yr Eglwys ym mhob oes, a hyn a wna'r Archesgob ei hun yn ei bregeth ar yr atgyfodiad yn *Open to Judgement* (tud. 70).

Iesu yw'r Arglwydd. Iesu o Nasareth yw wyneb Duw wedi'i droi atom mewn hanes, yn benodol ac yn ddiffiniol. Duw'n gweithredu yw'r bywyd hwn yn ei gyfanrwydd. Nid dyfeisio athrawiaeth yr Ymgnawdoliad a wnaeth yr Eglwys. Yn araf ac yn afrosgo daeth Cristnogion o hyd iddi.

Trwy gydol ei yrfa academaidd, fel diwinydd a hanesydd, bu Rowan Williams yn edmygydd o waith manwl yr ysgolheigion hanesyddol-beirniadol yn hybu'r 'trydydd cwest' am Iesu hanes. Credai ef na ellid cael dealltwriaeth foddhaol o hanes ffydd yr Eglwys heb yr ymchwil hwn. Yr ymchwilwyr hyn a gasglodd y ffeithiau hanesyddol a gafwyd i gynnal y Ffydd yn niwedd yr ugeinfed ganrif. Hebddynt, tenau fyddai Cristoleg, y ddysgeidiaeth am Iesu Grist, ei berson a'i waith, yn enwedig i'r rhai a fu'n galw am ei diweddaru.

Mae Rudolf Bultmann a ddadleuodd yn selog dros

157

ddadfythu'r Testament Newydd mewn trafferthion pan gais bortreadu Iesu o Nasareth. Cawn yr argraff weithiau na all ddod o hyd i Iesu yn y Testament Newydd, a'i fod yn mynd yn union at Grist yr eglwys neu at Grist y bregeth. Ac mewn papur a roddwyd gan yr Archesgob yn Claremont, yng Nghaliffornia, gyda'r pennawd awgrymiadol, 'Chwilio am Iesu a chael Crist', mae'n archwilio'r drafodaeth a gafwyd ar y mater hwn ac yn dod i'r casgliad na ellir dibynnu'n llwyr ar hanes i ddod o hyd i Iesu. Briwsion yn unig a gasglodd yr haneswyr wedi'r holl chwilota. 'Achlysur ffydd' yw Iesu, nid 'consýrn yr hanesydd'. Gall hanes ein cynorthwyo i ddynesu at Iesu, ond nid yw Iesu'n 'wrthrych hanes'. Yr hyn ydyw a'r hyn a ddioddefodd sy'n cynnau ynom ffydd. (Cynhwysir y papur hwn yn *Biblical Concepts and Our World*, golygyddion D.Z. Phillips a Mario von der Ruhr.)

Ond mae'n rhaid parhau'r ymchwil i hanes Iesu o Nasareth a'i ddiogelu rhag y llurgunio a geir ar y darlun ohono ymhlith dramodwyr, sgriptwyr ffilmiau dogfen, nofelwyr, artistiaid, pregethwyr hwyliog ac aelodau eglwysig gor-ddagreuol. Canlyniad y camliwio yma yw portread camarweiniol o Iesu. O'r herwydd, ni chlywir ei lais ef, ond lleisiau aflafar y rhai sy'n ceisio ennill ymlyniad trwch y boblogaeth i'w safbwyntiau hwy. Yn fynych bydd awduron yn poblogeiddio agweddau ar ddysgeidiaeth a pherson Iesu, ac er mwyn i'w hargyhoeddiadau eu hunain gael eu derbyn, byddant yn lloffa'u deunydd yn y testunau sy'n apelio atynt hwy.

Mae'r Archesgob yn cydnabod, efallai mewn peth gofid, bod yr ymchwil cyntaf am Iesu hanes wedi cychwyn yn ystod oes aur rheswm. Ar yr un adeg, cododd amheuaeth ei phen yn uchel a drwgdybiwyd pob defnyn o'r awdurdod traddod-iadol. Mynnai rhai fod yr Eglwys wedi gwyrdroi gwirion-eddau'r Ffydd trwy liwio iaith crefydd yn ôl galw a mympwy'r cyfnodau a'u diwylliannau. Roedd cael y 'trydydd cwest' yn angenrheidiol, yn enwedig pan sylweddolwyd bod

Bultmann ac yn arbennig rhai o'i gywion a'u hagweddau mor negyddol.

Yn niweddglo'i ddarlith yn yr Unol Daleithau, mae'r darlithydd gwadd yn troi at Søren Kierkegaard, a adweithiodd yn erbyn Hegel, y rhesymolwr o'r Almaen. Am gyfnodau tra bu'n byw yn y byd academaidd, roedd system Hegel wedi dylanwadu'n drwm ar Rowan Williams. Gwelai ynddi yr her i agor trafodaeth ac i gynnal deialog. Roedd yn ei chynnig ei hun yn llawforwyn ddefnyddiol i'r diwinydd a fynnai gyfundrefnu'r athrawiaethau mawr mewn termau clir a heb wastraffu geiriau. Gallai athroniaeth Hegel a'r method a alwodd ef yn *dialektik* (dialechteg) gynnwys athrawiaeth y Drindod heb unrhyw drafferth. Ac mae'n ffordd o resymu a argymhellwyd gan yr Almaenwr. Trwy ddechrau gyda gosodiad, ei negyddu gyda gwrthosodiad a chychwyn eto gyda chyfosodiad, mae i'w chymeradwyo gan ddiwinydd sy'n frwd o blaid y *via negativa*.

Yn ei *Philosophical Fragments* mae Kierkegaard yn dadlau bod yn rhaid i'r gwirionedd gael ei gynnig i'r byd gan y 'duw' sy'n bodoli y tu allan i'r byd y trigwn ni ynddo. Mae'r ddynoliaeth yn ddiffygiol yn ei mynegiant a'i deall. Felly, mae'r Daniad pruddglwyfus yn rhoi cynnig ar ddiffinio ffydd trwy ailystyried beth yw 'dysgu' a 'gwybod'. Cyn dysgu, rhaid rhesymu a negyddu. Ond nid yw Kierkegaard yn derbyn safbwynt Hegel y gall rheswm ddysgu, ond mae'n derbyn nad yw'n deall y cyfan. Derbyn hyn yw amod gwybod ac mae deall hyn yn *newid* yr un sy'n chwennych deall. O dderbyn mai rhodd yw'r 'ddysg' a dderbynnir, a rhodd sy'n gwbl annibynnol o'r 'duw' a all ei amlygu'i hun unrhyw adeg, rhaid ailwerthuso hanes. Nid yw'r newid yn dibynnu ar adeg ymddangosiad y 'duw' nac ar fesur yr hyn a allwn wybod amdano mewn amser. Nid yw'n fanteisiol i'w gyfoesi â'r 'duw' na chredu bod gan y rhai sy'n gyfoeswyr iddo fanteision amlwg.

159

Fe all y dystiolaeth felly fod yn annelwig, a dyma brofiad y rhai sy'n chwilio am Iesu hanes trwy ddarllen yr efengylau'n ddrwgdybus ac yn feirniadol. Ni ellir dod at gasgliadau pendant, dim ond tybio bod yna fframwaith hanesyddol i'r cyfan. Fe saif yr ansicrwydd hanesyddol, ond mae un sicrwydd yn aros ar ôl y darllen: yr oedd yna ymateb, a bu yna *newid*. Ac nid yw manteision y disgybl oedd yn gyfoeswr i Iesu damaid mwy na manteision yr un sy'n ei ddilyn heddiw. Nid oes gan neb fonopoli ar destunau'r Testament Newydd.

UN CREADIGOL A CHYNHYRCHIOL

Mae'n rhaid i'r credadun, os yw'n awyddus i'w uniaethu'i hun â Iesu, ymgyfarwyddo â'i hanes trwy chwilota yn yr Efengylau am ei stori. I'r Archesgob mae Iesu yn berson creadigol *(generative)*, egnïol ac atyniadol, ac fe adlewyrchir y bersonoliaeth hon, sy'n ennyn brwdfrydedd heintus ymhlith ei ganlynwyr, yn y gymuned Gristnogol. Pan fydd Iesu'n ganolog yn ei thystiolaeth a'i bywyd, yno mae'r Gair yn ddatguddiad o feddwl Duw. Pennod ffrwythlon, ac un i'w darllen droeon, yw 'Trinity and Revelation' yn ei gasgliad o erthyglau diwinyddol *On Christian Theology*. Ynddi mae'n dadlau'n frwd mai wrth graffu ar y gymuned, yn byw ac yn addoli, yn dathlu ac yn gwasanaethu, y ceir golwg ar y Gŵr a addawodd fod yng nghanol 'y dau neu dri'. Mae'r datguddiad yn aros yn ddisglair yng nghof yr aelod unigol, y gymuned a'r genedl. O fewn i gymdeithas y Tri yn Un, sy'n helaethu'i haelwyd i gynnwys teulu Duw, y datguddir Iesu. Yno hefyd y dysgir ei iaith a'i idiom, a 'dysgu am ddysgu'.

Agwedd bwysig ar ddysgu yw cofio bod yna 'farddoniaeth' mewn diwinyddiaeth. Nid yw'n syndod bod y 'barddddiwinydd' a'r Cymro llengar yn dynesu at bwnc y 'Drindod a Datguddiad' ac yn moli Barddoneg. Ni fydd cynnwys sylwadau Paul Ricoeur, a ddyfynnir ganddo yn y cyswllt hwn, yn ddieithr i'r Cymry fu'n darllen ein beirdd crefyddol.

Islwyn, y bardd o Went, a ddywedodd fod yna 'farddoniaeth' yn y ddynoliaeth. 'Ynom mae pob barddoniaeth . . .' A mynnu y mae Ricoeur ei bod yn bosibl i ni weld mwy na'r rhyddieithol a'r disgrifiadol yn nhestunau'r Beibl. Mae Barddoneg yn ein rhyddhau o'r gorchwyl diflas hwnnw o geisio esboniad gwyddonol a gwrthrychol ar bopeth. Fe gwyd ein meddyliau a'n hysbrydoedd i dir uchel lle y datgelir i ni y realiti hwnnw sy'n datgloi ein dychymyg. Fe dyr y farddoniaeth sydd ynom lyffethair y llythyren a rhyddhau'n calonnau i 'ehedeg unwaith eto' (y Pêr Ganiedydd) a hynny 'uwchlaw cymylau amser' (Islwyn). Mae'n dda clywed Cymro sy'n barddoni'i hun yn tystio bod i farddoniaeth swyddogaeth ddatguddiadol.

Un hanfod â'r Tad yw'r Mab, ac un sy'n datguddio Duw trwy gyfranogi yng ngwaith creadigol Iesu. Gyda chymal Irenaeus, Esgob Lyons (130-200 OC), fel dihareb ar ei gof ac ar ei galon – 'gogoniant Duw yw dyn byw' – fe wêl Rowan Williams Iesu o Nasareth fel pensaer sy'n adfer y ddynoliaeth newydd. Gyda'i gweledigaeth o genhadaeth fyd-eang, bu'n rhaid i'r eglwys ar hyd y canrifoedd greu idiom ac iaith i gyfleu radicaliaeth y Gwaredwr, y Creawdwr newydd grymus ac anturus. Radicaliaeth yr Hen Destament yw hon. Yn y llyfrau hanes, yn enwedig yn llyfr yr Exodus, mae'r frwydr am ryddid ar yr agenda. Galwodd y proffwyd am gyfiawnder a barn, a llên y Gŵr Doeth am ddadl a phrotest. Galw am 'eni' pobl newydd a wnaeth Iesu, ac wrth fyw a marw, a thrwy ei atgyfodiad, gadawodd eirfa newydd ar ei ôl, ac ynddi ddatguddiad o Dduw newydd ar gyfer dyfodol newydd. Enynnodd ei ysbryd radicalaidd a chreadigol gariad a gras yn y cymunedau Cristnogol, ac fe wêl Rowan Williams fod athrawiaeth y Drindod o wir werth am ei bod yn caniatáu i ddatguddiad ddigwydd. Dyma'i eiriau ef: 'Esboniad yw Athrawiaeth y Drindod ar y gosodiad bod Duw yn ei ddatguddio'i hun'.

Gwefreiddiwyd yr Archesgob gan athrawiaeth y Drindod tra bu'n ymgyfarwyddo â thraddodiad, defodau a dysgeidiaeth yr Eglwys Uniongred. Yn gynnar yn ei fywyd, fe ddarganfu bod Eglwys Uniongred y Dwyrain wedi rhoi lle amlwg yn ei chyfundrefn a'i dysg i'r Cynghorau cynnar a'u trafodaethau.

Roedd pwyslais iach y Tadau Cynnar ar unoliaeth cariad a chredo, bywyd a ffydd, yn apelio'n fawr ato, a chanfu yn y bedwaredd ganrif OC theatr i'w fyfyrdodau a llwyfan i'w ymsonau rhwng Nicea (325 OC) a Chalcedon (451 OC). Cyfnod nodedig oedd hwn yn hanes yr eglwys; blynyddoedd o ddadlau a diffinio, o anghydweld a chyfaddawdu. Bu'n rhaid i feddylwyr dysgedig a chreadigol a ddymunai ddiogelu lle Crist ym mywyd y gymuned Gristnogol drafod oblygiadau'r ymgnawdoliad mewn manylder, a disgrifio lle'r Tad, a'r Mab a'r Ysbryd Glân yn y credoau a luniwyd.

Ni fedrai Arius, offeiriad yn Alecsandria a phregethwr poblogaidd yn y ddinas honno, dderbyn yr honiad bod Iesu yn fab Duw ac o'r un hanfod â'r Tad. I'r henadur Arius, y Tad yn unig oedd yn Dduw. Yr oedd i'r Mab ddechreuad, ond ni ellid dweud hynny am Dduw. Ymgnawdolodd Iesu a'i eni i fyw a marw ym Mhalestina. Ond gan na chafodd Duw ei eni, ni allai'r Mab a'r Tad fod o'r un sylwedd. Ni allai Arius, heretic nodedig cyntaf yr eglwys, dderbyn bod y Mab wedi dod oddi wrth y Tad, a thaerai fod adeg pan nad oedd y Mab yn bodoli. Ym marn Arius, roedd Iesu Grist wedi'i leoli rywle rhwng Duw y Tad a'r greadigaeth. Yn y fath sefyllfa, ni allai fod yn Dduw nac yn ddyn, ond yn rhyw fath ar greadur, neu angel. Sut y gallai fod yn Dduw ac yntau'n ymdrybaeddu yng nghanol helyntion a phoenau'r byd hwn? Ni allai ar unrhyw delerau dderbyn bod Duw wedi marw ar groesbren! Hyn oll fu achos y ddaeargryn ddiwinyddol a barodd am fwy na chanrif.

Cwmpasodd Archesgob presennol Caer-gaint y cyffro yn ei

gyfrol *Arius*, llyfr ysgolheigaidd a hynod o gynhwysfawr. Mae'n fanwl, ond yn ddiddorol, yn waith safonol a darllenadwy. Ynddi cawn y cefndir i'r trafodaethau a aeth â bryd Rowan trwy flynyddoedd ei lafur fel ysgolhaig, a'r esboniad ar le athrawiaeth y Drindod yn natganiadau ffurfiol yr Eglwys gynnar. Mae'n bennod i'n hatgoffa bod yn rhaid i ninnau fyw gyda'r dirgelion mawr sydd yn ein Ffydd, ac fel bodau dynol, â'n dealltwriaeth bitw, droi'n ôl wrth wynebu'r dyfodol i ddrachtio o ddoethineb y Tadau gynt. Dal yn ddirgelwch mae'r Anweledig, a bydd yn parhau i'n hatgoffa mor ddiffygiol yw'n geirfa i'w ddisgrifio a'n delweddau i'w ddarlunio. Bydd yn rhaid wrth y diwinydd apoffatig a beirdd fel R.S. Thomas i'n cynorthwyo i adnewyddu'n dychymyg tlawd. Rhaid i ninnau, fel meidrolion crefyddol y canrifoedd, fyw gyda'n cyraeddiadau a dibynnu ar wŷr a gwragedd gostyngedig, fel awdur y gyfrol *Arius*, i'n tywys yn ôl i ganol y dirgelion oedd yn poeni'r Tadau, gan ailagor y drysau i'n gadael i mewn i gartref y Tri yn Un ac i gyfaredd aelwyd y cariad dwyfol. Go brin y gellir disgwyl i'r dewin geiriau mwyaf na'r meddyliwr praffaf gwmpasu'r dirgelion hyn heb gydnabod eu cyfyngiadau.

Trwy ddefnyddio'r ymadrodd Groeg 'o'r un sylwedd â'r Tad' fe achubwyd dwyfoldeb Iesu Grist yn y cyfnod cynnar hwnnw, a diogelwyd yr eglwys i'r dyfodol. Mae'r Eglwys sy'n gweddïo ac yn addoli yn medru synhwyro heresi o bell, ac fe ddaw heresi pan mae iaith yn cael trafferth mawr i gyfleu profiad a'i osod allan yn ddealladwy. Dywedodd Hans Küng, a Rowan Williams ar ei ôl, mai'r sawl sy'n anturus ac yn ddiamynedd gyda'i ddefnydd o eiriau sy'n cychwyn heresi.

GORLIFIAD O GARIAD DUW

Yn *Rhyfeddaf Fyth* . . . (Gwasg Gregynog), casgliad o emynau a llythyrau Ann Griffiths, ceir llythyr yr emynyddes (Rhif VIII) at Elizabeth Evans, chwaer Ruth, morwyn Dolwar Fach yn ôl y Dr E Wyn James, y golygydd. Yng nghanol y llythyr, mae'n datgelu'i theimladau o gywilydd mawr am iddi 'dristáu'r Ysbryd Glân' trwy roi iddo le israddol i'r hyn a roddodd i'r Tad a'r Mab. Dyma'i geiriau:

Dyma oedd rhediad fy meddwl am Bersonau'r Drindod . . . meddwl am Berson y Tad a'r Mab yn ogyfuwch; ond am Berson yr Ysbryd Glân, ei olygu fel swyddog islaw iddynt. O! Feddwl dychmygol, cyfeiliornus am Berson dwyfol, hollbresennol, hollwybodol, a hollalluog i ddwyn yn y blaen a gorffen y gwaith da a ddechreuodd yn ôl trefn y cyfamod rhad a chyngor Tri yn Un ar ran gwrthrychau'r cariad bore. O! Am y fraint o fod o'u nifer.

Mae Rowan Williams yn gyfarwydd â'r llythyr hwn, ac mae'r Athro A.M. Allchin wedi tynnu sylw ato lawer gwaith wrth drafod athrawiaeth y Drindod. Fe allai bron pawb ohonom gywilyddio a chyffesu i'r un bai. Mae blaenoriaeth y Tad, agosatrwydd y Mab ymgnawdoledig, yn gwthio'r 'aderyn dinod', yr Ysbryd Glân, i'r ymylon. Mae'n dyled yn fawr i Rublev am ei gydraddoli yn yr eicon, gan wrthod ei adael yn atodiad, neu'n 'gynffon' go sigledig ar gyrion ein delwedd annheilwng o'r un sy'n cynnal ysbrydoledd.

LLOFFA LLUNIAU

Mae'n rhaid wrth ddarluniau i gyflwyno'r hyn yw'r Ysbryd Glân i'r Eglwys, i gyfleu ei swyddogaeth o fewn y Drindod a'i waith yn y byd. Gwelwyd bod cyfansoddiad Rublev wedi dynodi rhai agweddau ar natur y Tad a'r Mab i Rowan Williams, ac mae yntau'n ein sicrhau bod i'r trydydd Person ei safle a'i gyfraniad yn y datguddiad o Dduw. I wneud hyn mae'n troi at yr Ysgrythurau, yn dwyn ar gof fywyd a chenhadaeth yr Eglwys Fore ac, yn ôl ei arfer, yn galw heibio'r

Tadau cynnar. Ac mewn ysgrif o'i eiddo yn *Sobornost* (Haf 1974), 'The Spirit of the age to come', mae'n datgelu iddo ddysgu llawer yn gynnar yn ei yrfa trwy olrhain yr hyn oedd gan rai o brif ddiwinyddion Rwsia i'w ddweud am yr Ysbryd. Yma mae'n 'meddwl meddyliau Lossky' ar ei ôl, ac yn cyffwrdd â chyfraniadau Florensky, Bulgakov ac Evdokimov. Dyma rai o'r ffynonellau sy'n ei gynorthwyo i anadlu ei anadl ei hun i athrawiaeth y Drindod. Yn y dyddiau hynny, ac yntau'n fyfyriwr ymchwil ifanc, mae ganddo'i ddaliadau pendant ynglŷn â'r Ysbryd. Wedi ymwrthod â llawer dehongliad a fu'n ffasiynol, cawn ganddo'i ddiffiniad ei hun o'r Ysbryd Glân. Presenoldeb dwyfol ydyw, yma yn y byd i hyrwyddo dyfodiad Teyrnas Dduw, ac i gynnal gobaith pobl Dduw.

Rhydd y Beibl le i'r Ysbryd Glân yn y bennod gyntaf yn Llyfr Genesis, a rhan yn stori'r Creu. Uwchlaw'r anhrefn yn y cyntefigrwydd bygythiol, mae'n gyfrannog yn y broses o ddwyn trefn a bywyd i'r byd. Ambell dro, anadl Duw ydyw'r grym creadigol hwn ac adroddir bod Duw, ar ôl iddo greu dyn o lwch y tir, wedi anadlu ynddo'i anadl – 'a daeth y dyn yn greadur byw' (Genesis 2:7). Bywhau, adfer a chyfarwyddo yw priod waith yr Ysbryd yn yr Hen Destament.

Yn gynnil iawn, mae Ioan yn y bedwaredd Efengyl yn galw i gof yr anadl hon wrth ddisgrifio profiad yr un ar ddeg 'gyda'r nos' ddydd yr atgyfodiad. Yn niogelwch tawel yr oruwchystafell, lle yr addawyd i'r apostolion y Diddanydd, maent yn ymwybodol o bresenoldeb y Crist byw. Â'i anadl mae'n eu hadfywio, ac yn eu cysuro â'i faddeuant ac â'i dangnefedd (pen. 20).

Mae stori Luc yn cyflwyno darlun llawer mwy cynhyrfus. Ar ddydd y Pentecost 'yn sydyn fe ddaeth o'r nef sŵn fel gwynt grymus' (Act. 2:2) i ddeffro a chyffroi'r apostolion i'w tasg genhadol. Arnynt eisteddodd tafodau o dân yn ernes o'r nerth i wynebu tyrfaoedd Jerwsalem. Bu'r ddinas yn ormod iddynt ers tro, ond yn Llyfr yr Actau darlunnir yr Ysbryd Glân fel yr ysgogydd a'r arweinydd fyddai'n eu blaenori ar eu teithiau cenhadol.

Beirniadol iawn yw'r Archesgob o'r diwinyddion hynny sydd wedi gadael yr Ysbryd ar y cyrion, yn llipa yng nghysgodion y Tad a'r Mab. Weithiau, fel yn ei ysgrif 'Word and Spirit' (pen. 8) yn *On Christian Theology*, mae'n datgan ei siom bod eglwysi Ewrop wedi ymwrthod â Thrindodaeth gan ddewis 'Deufodaeth' yn ei lle. Mae'n edliw i'r enwau mawr ymysg diwinyddion ail hanner yr ugeinfed ganrif iddynt esgeuluso'r Ysbryd Glân. Bu'n well ganddynt ddadlau ynglŷn â natur Iesu a'i waith achubol. Yn ddarlun o Dduw, ac yn ymwelydd â ni, mae mwy o 'afael' yn Iesu a Christoleg i'r diwinyddion hyn. Mae'n haws dirnad Duw mewn cnawd mewn dyddiau sy'n cau allan pob dirgelwch. Yn ein bydolrwydd, a ninnau wedi ymddieithrio oddi wrtho, un i alw arno pan mae'n gyfleus yw'r Ysbryd Glân. Yna fe ddaw i lanw'r bylchau yn ein bywydau. Am nad oes iddo wyneb, na llun na chorff, aeth yn bwnc 'sych a haniaethol' ac anodd i'w arddel. I drwch y boblogaeth, carthen gyfleus ydyw i'n cynhesu'n emosiynol pan fydd galw am hynny. Yn aml, bydd pobl yn gofyn am resymau dros gadw dau gyfryngwr. Onid yw Duw'r Gair yn ddigon? Dirprwywr yw'r Ysbryd i'r llaweroedd sydd wedi gadael yr 'eglwys yn weddw' – cynorthwywr wrth gefn i'n hysbrydoli o dro i dro.

I Rowan Williams, mae'r Ysbryd Glân wedi'i roi i ni i 'gwblhau gwaith Crist', ac mae gwneud yr Ysbryd yn eilradd yn peri tristwch iddo. Mae'n troi'n ôl at yr Efengylau er mwyn dangos i ni heddiw mor ganolog ydoedd ym mywyd yr Eglwys gynnar. I Luc, ymestyn gyrfa a dilyn cwys Iesu a wna'r Ysbryd Glân, a hynny ar 'linell unionsyth'. Luc a'i gwelodd fel un sy'n llanw'r gwacter a adawyd yn y gymuned Gristnogol, yr Un a all ei chyfarwyddo a'i chynorthwyo i gyfathrebu. Fe ddaw oddi wrth y Tad a'r Mab a mynd *allan* ar ei union i blith pobloedd y ddaear. Yn y bedwaredd Efengyl, mae'r darlun yn un cwbl wahanol. Fe wêl Ioan yr ysbryd yn gweithredu'n gwbl groes i'r hyn a welodd Luc; fe'i gwêl yn troi pobl o'r byd ac yn eu *gwthio* at y Tad a'r Mab.

Yn yr Efengylau, mae Iesu yn paratoi lle i'r Ysbryd Glân ym mywyd yr Eglwys, ac yn rhoi iddo ei gyfle i ennill ymddiriedaeth yr Eglwys Fore a'i arweiniad. Cyn ei farw, fe ddywed wrth ei ganlynwyr: 'y mae'n fuddiol i chwi fy mod i'n mynd ymaith. Oherwydd os nad af, ni ddaw'r Eiriolwr atoch chwi' (Ioan 16:7). Mae hunaniaeth a gwaith yr Ysbryd yn ddiogel. Yn wir, erbyn i'r Epistolau ymddangos, a chofier bod 'llythyrau' Paul wedi'u hysgrifennu cyn yr Efengylau, roedd yr Ysbryd Glân yn berson annibynnol, wedi 'asio'n soniarus' y Tad a'r Mab, ac yn parhau eu gwaith. Yn awr, a dyfynnu emyn Elfed, swyddogaeth y 'Sanctaidd Ddiddanydd' yw 'dwyn Iesu'n fwy agos'. Neu, yng ngeiriau'r Archesgob yn yr ysgrif 'Word and Spirit': 'Yr Ysbryd sy'n pwyso arnom i'n dwyn i mewn i berthynas Crist a'r Tad' (*On Christian Theology*, tud. 124). Nid yw'n medru derbyn heb feirniadaeth y modelau a ddefnyddir yn y Testament Newydd i ddehongli'r Ysbryd yn ei berthynas â'r Tad ac â'r Mab. Bydd yn manteisio ar bob cyfle a ddaw iddo i ddatgan mai prif orchwyl yr Ysbryd bellach yw sicrhau bod bywyd y Mab yn cael ei amlygu i'r ddynoliaeth. Yn ddiamau, y frawddeg sy'n allwedd i ddrws ei ddysgeidiaeth am drydydd Person y Drindod yw '*Gwaith yr Ysbryd Glân yw creu bywydau Crist-debyg yn y byd*'. Pan fydd yr Ysbryd yn gosod pobl ar lwybr gweddi a myfyrdod, fe'u gosodir y tu mewn i'r berthynas glòs ac atyniadol sydd rhwng y Tad a'r Mab. Dyma'r ffordd sy'n arwain at sancteiddrwydd.

Heb y Drindod, nid oes trefn ar ein gweddïau, na chyfeiriad iddynt. Deillio o'r Tad mae'n ffydd, y Mab sy'n eiriol trosom a'r Ysbryd Glân sy'n rhoi nerth i ni fyw y bywyd sanctaidd. Yng nghymdeithas y Tri yn Un cawn gyfranogi o fywyd y Drindod, bywyd o gydbwysedd a harmoni. Pan fyddwn yn troi at Dduw, datgelir i ni y bywyd cariadus sydd o fewn y Drindod, a chawn wahoddiad i'w ganol. Ar lwybr gweddi ac yn y weddi fyfyriol, teimlwn rin y ddiwinyddiaeth amlochrog a chyfoethog a gyflwynir i ni gan yr Archesgob. Â 'gramadeg ysbrydoledd', un o'i hoff ymadroddion, mae dechrau dehongli lle yr Ysbryd ym mywyd y Drindod ac yn ein bywydau ni. Yn y ddwy ysgrif o'i eiddo y cyfeiriwyd atynt uchod, mae'n dewis dehongli lle Crist a'r Ysbryd yn ein bywydau yng nghyddestun y dioddefaint yng Ngethsemane ac ar Galfaria. Yn yr Ysbryd yr ydym yn llefain, 'Abba Dad!' medd yr Apostol Paul (Rhuf. 8:16). Ochenaid gweddi yw'r waedd hon, ac mae'n dwyn i'r cof y weddi yng Ngethsemane a'r profiad enbyd a gafodd Iesu ar y groes o fod yn 'amddifad o Dduw' (*Godforsakenness*).

Arwydd o wendid ac anallu Duw mewn byd llygredig a chreulon yw'r croeshoeliad, ond mae mabolaeth Iesu a thadolaeth Duw yn parhau. Mae arwyddocâd arbennig i'r gair 'mabwysiad' yn Rhufeiniaid (8:15) i'r meddwl ymchwilgar. I'r Archesgob mae yma baradocs rhyfeddol. Perthynas agos Iesu â'r ewyllys ddwyfol, ei agosatrwydd at y Tad sy'n ei yrru i'w brofiad enbyd o golli Duw ar Galfaria. I Iesu roedd ei fabolaeth a'r gwrthdaro a'r dioddef ar y groes yn anwahanadwy. Nid yw'r Tad a'r Mab yn colli'i gilydd ar Galfaria. Mae'r ddau yn un yn eu gwendid a'u tosturi, ac wedi dewis analluogrwydd mewn byd o greulondeb a thrais. Fe ddylai hyn greu ymateb i'r math o gariad a welir yn y Tri yn Un, ac arwain pawb i fywyd ystyriol a gweddigar.

Mae'r wythfed bennod yn yr Epistol at y Rhufeiniaid yn cysylltu gwaith yr Ysbryd Glân â gwaith Crist yn marw ar y groes. Yng ngwewyr Gethsemane a Chalfaria, mae'r Tad, y Mab a'r Ysbryd Glân yn agor drws rhyddid i 'feibion Duw', ac mae gweddi'r Ysbryd a'r Mab, sef 'Abba! Dad!', yn esgor ar obaith a chariad (Rhuf. 8:24,35). Cyfeiliorni a wna'r Eglwys os yw am barhau i feddwl am yr Ysbryd Glân yn cyfathrebu'n unig, ac yntau, fel y Mab yng nghanol gwaith y Tad, 'yn cymodi'r byd ag ef ei hun' (2 Cor. 5:19). I'r Archesgob, a fu'n ddiwyd o blaid gweinidogaeth y Cymod, annhegwch â'r Ysbryd yw meddwl amdano fel pont ledrithiol rhwng Duw a'i fyd, rhwng yr Anweledig draw a'n breuddwydion haniaethol yma. Yn nioddefaint Crist, datgelwyd grymusterau'r anallu sy'n ein rhyddhau i realiti'n sefyllfa yn y byd, ac i ryddid gwirioneddol.

Wrth i mi ddarllen ei ysgrif 'Word and Spirit' yn *On Christian Theology*, ni allwn lai na chofio rhai o'r nodau proffwydol hynny yn *Ac Onide*, cyfrol o bregethau ac ysgrifau a gasglwyd gan y diweddar Athro J.R. Jones cyn ei farw cynnar yn Abertawe. Cyflwynodd ef yr hyn a eilw'n 'athrawiaethau'r Absenoldeb a'r Anallu', i'n rhybuddio rhag lladd yr Ysbryd mewn crefyddusrwydd afreal a'n cymell i ystyried *'purdeb absolwt* y cariad a'i gwacaodd ei hun o lawnder ei anfeidroldeb a dewis absenoldeb ac anallu fel yr enillem ni fodolaeth ac annibyniaeth' (tud. 77). Ym 1970, blwyddyn cyhoeddi *Ac Onide*, myfyriwr ar ei ail flwyddyn yng Nghaer-grawnt oedd Rowan Williams ond, maes o law, byddai'n cyflwyno rhai o argyhoeddiadau mawr yr athronydd, ond o fewn ei fodel diwinyddol ei hun. Mae'r dimensiwn beirniadol yn amlwg wrth iddo ymdrin â'r hen syniadau am yr Ysbryd. Ond, mae her yn ei bwyslais y gall yr Ysbryd Glân ein gwacáu, gwneud lle o'n mewn i'r gri yn y galon, sef 'Abba! Dad!', a'n dwyn i ryddid ac i gymdeithas y Drindod.

Rhaid troi'r cloc yn ôl unwaith yn rhagor a dwyn i gof y drafodaeth hir a gafwyd yn Nicea ar berthynas y Personau o fewn y Drindod. Yng ngoleuni'r Beibl a phrofiad yr Eglwys gynnar, ceisiwyd datrys yno yr anghydfodau a gododd ynglŷn â'r athrawiaeth er mwyn diogelu lle a gwaith y Tri yn Un. O gyfnod Nicea a Chalcedon ymlaen cynhwyswyd cymal yn y Credo i bwysleisio bod yr Ysbryd Glân yn deillio 'o'r Tad'.

Roedd Tadau'r Dwyrain yn fodlon ar hyn, ond o dipyn i beth ychwanegodd Eglwys y Gorllewin 'a'r Mab' *(filioque)*. Roedd teimlad yn y Gorllewin bod gadael yr Ysbryd Glân yng ngofal y Tad yn israddoli'r Mab. Dros y blynyddoedd treiglodd yr ychwanegiad ar draws ffiniau Gorllewin Ewrop ac i Rufain. Erbyn diweddglo'r mileniwm cyntaf, heb ymgynghori â'r Eglwys yn y Dwyrain, roedd y Babaeth, gyda chymorth rhai esgobion o Sbaen, wedi setlo bod tarddiad yr Ysbryd Glân o'r Tad a'r *Mab*. A dyma ddyfnhau'r rhwyg rhwng y Dwyrain a'r Gorllewin, rhwyg sy'n parhau hyd heddiw. Mae Archesgob presennol Caer-gaint yn gynrychiolydd gwerthfawr ar banel sy'n ceisio cau'r bwlch rhwng y ddau draddodiad. Fe ymddengys ei fod yn teimlo y dylai'r Gorllewin ildio, ond dro arall, mae o'r farn y dylid diwygio'r geiriad. A phan ddaw'r adroddiad, mae'n bur debyg y bydd meistrolaeth y Cymro ar gystrawen ac iaith y Ffydd a'i ddylanwad yn y Dwyrain, wedi dwyn ffrwyth.

Mae'r ensyniad bod yr Ysbryd Glân yn cychwyn allan o'r Tad, neu o'r Tad a'r Mab, yn awgrymu bod elfen symudol gref o fewn y Duwdod. Perthynas gariadus a geir o fewn i gymdeithas y Tri yn Un, a pheth byw a deinamig yw cariad. Mae'r llenyddiaeth Ioanaidd yn y Testament Newydd yn diffinio Duw fel cariad, a tharddiad di-dor y cariad grymus hwn yw'r ffrydlif y tu ôl i'r ddiwinyddiaeth honno sy'n medru trawsnewid popeth i Rowan Williams. Mae'r gair 'ffrydlif' yn cyfleu'r egni hwnnw a ddisgrifiwyd gan Sant Ioan y Groes yn ei *Romanzas,* ei fyfyrdodau mewn mydr. Mae ei weledigaeth ef o'r gorlifiad hwnnw o gariad yn llifo allan o'r Drindod, yn dwyn i gof y weledigaeth a gafodd Eseciel o'r afon honno a lifodd allan o'r deml yn Jerwsalem (Esec. 47).

Yn dilyn Cyngor Nicea, gwelwyd bod lle a safle Personau'r Drindod yn ddiogel. Ond beth oedd natur perthynas y Tad a'r Mab a'r Ysbryd Glân? Ac yn bwysicach na'r berthynas, beth oedd yn mynd i ddeillio o'r berthynas hon? Ac yntau wedi cydnabod ei ddyled droeon i Sant Ioan y Groes, ac yn un o brif ddehonglwyr ei gyfraniad gwreiddiol, mae'r Archesgob yn ateb y cwestiynau hyn gyda chymorth y *Romanzas*. Yn ffodus, mae'n adrodd sut y llwyddodd i ddefnyddio'r naw cerdd yma yn ei ysgrif 'The deflection of desire' a gyhoeddwyd yn *Silence and the Word* ac a olygwyd gan Oliver Davies a Denys Turner. Â'i wreiddioldeb, ei awen a'i ddychymyg byw, mae'n rhoi hwb ymlaen ar drothwy canrif go newydd i Athrawiaeth y Drindod er mwyn ei hadfywio a'i chodi o'i hen rigolau. Ac mae is-deitl ei ysgrif – 'Negative theology in trinitarian disclosure' yn dystiolaeth ei fod am fentro defnyddio'r ddiwinyddiaeth apoffatig i gyflawni'i fwriad. Dyma a wnaeth Sant Ioan o'i flaen, stilio, archwilio, holi a negyddu a hynny mewn ysbryd gweddigar. Yn nhyb Rowan Williams gall yr 'adroddiadau apoffatig am y Personau sydd yn Drindod a'u perthynas â'i gilydd' gyfleu annherfynoldeb y berthynas drindodaidd. Ar lefel synfyfyriol, fe godir y cyfrinydd, Sant Ioan y Groes, i fyd sy'n cyfuno'r delweddau a etifeddodd a'r seicoleg a luniodd cyn bod seicoleg ffurfiol yn bodoli.

O ddyddiau Sant Gregori o Nyssa yn y bedwaredd ganrif, a greodd eirfa i roi ffurf ar athrawiaeth y Drindod, bu rhai o'r meddylwyr mwyaf ymhlith y cyfrinwyr trwy'r canrifoedd yn synhwyro elfen o danbeidrwydd yn ymwneud Personau'r Drindod â'i gilydd. I gyfleu'r awyddfryd am gyfathrach glòs, mae rhai awduron yn benthyca o eirfa Caniad Solomon, ynghyd â rhai delweddau erotig o'r bywyd priodasol. Mae rhai o'n hemynwyr mawr wedi'u hefelychu yn hyn o beth, gan sôn am Grist yn dod yn llawn o'r awyddfryd yma. Ac ar ein siwrnai tuag at Dduw, mae'n arwydd sicr o dwf a chynnydd ysbrydol. Lle mae Crist yn bresennol, mae ei gariad yn clwyfo, a'r credadun yn cael ei lanw â llawenydd. O wybod am ei absenoldeb, llethir yr Ysbryd gan dristwch, ond mae'r profiad hwn o dywyllwch, tebyg i'r profiad a gafodd Iesu ar y groes, yn agor ein calonnau i dderbyn cariad y Tri yn Un.

Beth yw perthynas y greadigaeth â'r Tri yn Un? Ym merw bywyd y Drindod, rhaid gollwng y gormodedd cariad allan o gylch eu hymwneud â'i gilydd. Y Mab sy'n agor y llifddorau, a dyma'r esboniad ar yr ymgnawdoliad. Daeth Duw yn ddyn er mwyn rhyddhau a rhannu'i gariad ymhlith ei blant. Mae'r Mab yn ddrych o gariad Duw, ond prin fyddai dylanwad y Drindod petai'r Tad yn fodlon ar un yn adlewyrchu'r cariad hwn yn ôl iddo. Ni ellid gobeithio am ddim mwy na 'deufodaeth' petai Duw wedi cyfnewid drws agored am ddrych i'w weld ei hun ynddo. Oni bai i'r Tad a'r Mab ymwrthod â bod yn ddrychau i'w gilydd, llun llonydd fyddai gennym o Dduw. Trwy ryddhau'r gorlif o gariad ehangwyd aelwyd y Drindod, a chyfoethogwyd bywyd y Tad a'r Mab pan anadlodd y Tad yr Ysbryd Glân i fod yn ddrws i'r bywyd Trindodaidd. Mae'r gofod yn narlun Rublev yn cyfleu'r ehangder newydd, a'r croeso sydd ar aelwyd y Tri yn Un i'r hil ddynol.

Ym mywyd Iesu yn yr efengylau, gwelir yr hyn a alwodd y diweddar Athro J.R. Jones yn *Ac Onide* – 'yn garu ar gomin y byd' (tud. 79). Ar ei deithiau o le i le ymysg pobl o wahanol ddosbarthiadau ac mewn amrywiol amgylchiadau, mae Iesu yn derbyn ac yn tosturio, yn iacháu ac yn maddau, yn rhannu ac yn taenu cariad Duw ar led. Ni allai lai na chyflawni'r gwaith a ymddiriedwyd iddo gan y Tad, sef byw cariad y Drindod. Meddai Mike Higton yn ei ddisgrifiad o ddiwinyddiaeth Rowan Williams: 'Ni fedr Cristnogion siarad am Iesu heb siarad am Dduw . . .' Ac mae'r gwrthwyneb yn wir hefyd. Ni all Cristnogion 'siarad am Dduw heb siarad am Iesu' (*Difficult Gospel*, tud. 28). Byw, meithrin a lledaenu'r cariad a ddatguddiwyd ym mywyd Iesu sy'n gwneud yr efengyl yn anodd, ac i Higton dyma yw cenadwri Rowan Williams yn ei lyfrau a'i lefaru – bod dilyn Iesu yn hawlio'n bywyd a'r cyfan sydd gennym ac ynom. Dyma bris efengyl y trawsnewid.

Bywyd o dderbyn ac o roddi yw bywyd y Drindod, ac er

mwyn derbyn, rhaid i'r sawl sydd am ddilyn Iesu ymwacáu. Oni fedr yr unigolyn symud yr 'hunan' o'i fywyd, ni fydd yno le i'r cariad cynhyrchiol a chreadigol hwnnw sydd yn Nuw ac a ddatguddiwyd ym mywyd a marwolaeth Iesu. Gall y cariad hwn ein galluogi i weld ein hunain yn bobl wahanol iawn, a'n rhyddhau o afael ysbryd hunanol, treisgar ac ymladdgar. Bellach, gyda dychymyg creadigol Iesu yn fy mywyd, gallaf garu'r rhai y tu allan i'r cylch cymrodorol, fel cylch fy nheulu a'm cymdogaeth agos. Ond nid oes camp na rhagoriaeth mewn bod yn hynaws ymhlith y rhai sy'n wirioneddol yn fy ngharu i. Y gamp fawr yw caru gelyn, ac mae heddychiaeth Rowan Williams yn deillio o'r cariad hwn sy'n gorlifo allan o fywyd y Drindod. Yr un cariad ydyw â'r cariad a welwyd ar y groes. Yno, ar 'y comin', medrodd Iesu ofyn i'w Dad faddau i'w elynion.

Y cariad hwn sy'n ffrydio allan o'r Tri yn Un sy'n cynnal pob cymuned gariadus. Cyfrinach y cymunedau hyn yw cyfrinach y Drindod, sef derbyn a rhoddi. Yn hytrach na dal y drych, a gwironi ar y ddelwedd ohonom ni ein hunain a'n cymuned, rhaid edrych ar y Tad yn caru'r Mab, ymateb y Mab i'w gariad, cynnydd cronfa'r cariad rhyngddynt, a'r Ysbryd yn cludo'r bywyd trindodaidd allan i'r byd. Yno, sylweddolir yr annisgwyl, bod y mwyaf annhebygol yn gallu ymateb i'r gorlifiad hwn o gariad, ac y gellir troi'r gorlifiad hwn yn allu deinamig i roi cariad Duw ar waith mewn byd ac eglwys.

Yn y cyswllt hwn mae'n hoffi dyfynnu Awstin Sant, a'i alwad, yn enw cariad Duw, am gyfiawnder. 'Cyfiawnder yw fy nghariad dychmygus yn ymestyn allan i fywydau eraill trwy gariad Duw.' Y cariad llawn dychymyg hwn, sy'n gweld ymhell, ac yn cymell trwy'r Ysbryd y rhai Crist-debyg i feithrin amodau'r Deyrnas. Y rhai Crist-debyg yw'r saint, a'u hwynebau hwy (i ddyfynnu Lossky) yw 'wyneb yr Ysbryd Glân'.

Y gymuned amrywiol hon, 'y dorf ardderchog' i Gwenallt,

ac i Rowan y dorf 'o wynebau Crist-debyg', yw grym y gymuned Gristnogol ym mhob oes. Mae eu bywydau yn dystiolaeth y gall yr Ysbryd Glân newid strwythur yr eglwys, ac fe ddigwyddodd hyn drwy'r canrifoedd. Y wynebau hyn, hen ac ieuainc, sy'n troi ac yn denu pobl yn ôl at Iesu a'i ddilynwyr. Yn eu plith, cyfyd rhai ym mhob cenhedlaeth i bregethu'r Gair ac i weinyddu'r Sacramentau.

Ni fydd Archesgob presennol Caer-gaint yn colli'r un cyfle i gyfeirio at arfer yr Eglwys Uniongred i 'alw i lawr yr Ysbryd Glân' ar y sawl sy'n cael ei fedyddio, ac ar y bara a'r gwin cyn cymuno. Mae unrhyw un a fu yng ngwasanaethau'r Eglwys Uniongred yn gwybod am ddefodau'r eglwys honno, a'i hargyhoeddiad bod nef a daear, amser a thragwyddoldeb yn cyfarfod yn yr Ewcharist. Yn union ar ôl i'r offeiriad alw i lawr yr Ysbryd, cenir cloch, agorir y sgrîn, ac ar ei hyd ar lawr bydd yr offeiriad (weithiau nifer ohonynt), ym mhresenoldeb Crist. A bydd y bara a'r gwin yn fwyd ac yn fywyd i'r holl fyd. Ac yng ngeiriau Archesgob Caer-gaint, a gafodd y fath gynhaliaeth ysbrydol a meddyliol, gan yr Eglwys Uniongred: 'Yn y Cymun Sanctaidd, yr ydym yn diwinydda'n Drindodaidd'.

PENNOD 7

ANAWSTERAU LU

Un a fu'n gefnogol i Rowan Williams trwy gydol y blynyddoedd yw Esgob Rhydychen, Richard Harries. Petai dipyn yn iau, fe allai ei enw ef fod ar y rhestr fer gyda'r Archesgob Rowan pan gyhoeddwyd bod yr Archesgob Carey yn bwriadu ymddeol ddiwedd mis Hydref 2002. Mae'n ŵr hynod o alluog, yn awdur toreithiog, yn ddarlledwr effeithiol ac yn bersonoliaeth gref – ond wedi'i eni cyn yr Ail Ryfel Byd, ac felly, o fewn dim i ymddeol. Roedd ei dad yn frigadydd yn y rhyfel hwnnw, ac fe fu ei fab yn un a ddadleuodd yn gyson o blaid 'rhyfel cyfiawn' am fod cyfiawnder yn fynegiant o gariad. Fodd bynnag, mae'r brwydro ffyrnig a fu'n ddiweddar yn erbyn terfysgaeth wedi cynhesu'i galon tuag at y rhai fu'n dadlau dros heddwch. Ni allai gefnogi ymgyrch George Bush a Tony Blair yn Irac, na derbyn bod dim daioni na lles wedi deillio o ryfel mor waedlyd sy'n parhau i fod yn ddifaol ac a fydd yn fater dadleuol am flynyddoedd. Cefnogodd ei Archesgob ar ôl Medi'r 11eg 2001, ac mae lle i gredu bod a wnelo safiad a rhybudd cyn-Archesgob Cymru y pryd hwnnw â'i dröedigaeth.

Pâr o Gei Newydd oedd rhieni'i dad-cu, sef William a Jane James, ac un o'u merched hwy, Margaret, a briododd Arthur

Harries o Ben-y-banc, Llandeilo. Haearnwerthwr yn Rhydaman oedd mab fferm Glanyddyfi, Pen-y-banc, tad y brigadydd a thad-cu'r Esgob Richard Harries.

Ym 1983, ac yntau ar y pryd yn Ddeon Coleg y Brenin yn Llundain, fe'i gwahoddais i Drefeca, cartref Howell Harris, i arwain encil. Un o Langadog yn Nyffryn Tywi oedd tad y diwygiwr, a bu brawd Howell Harris, Joseph Harris, yn byw yn y Tŵr yn Llundain fel prif brofwr y Bathdy. Roeddwn yn sôn am hyn, ac am Harris yn sefydlu catrawd o filwyr o blith 'Teulu Trefeca', ar ein ffordd i gopa Mynydd Troed uwchben Talgarth, a'r gŵr gwadd yn llawn diddordeb. Ar y grib uchel, roedd darn helaeth o Ddyfed yn amlwg yn y pellter, a cheisiais gyfeirio sylw'r Deon at ei wreiddiau yn y Gorllewin. Roeddwn yn disgwyl iddo roi mynegiant i'w deimladau, os oedd rhai! Ond, cwestiwn annisgwyl ac anodd a ddaeth o'i enau: 'Am ba hyd y bydd byw Eglwys Bresbyteraidd Cymru eto?' Dewisais fod yn optimistaidd ar y pryd ac atebais yn swil: 'Rhyw ugain i ddeugain mlynedd dybiwn i'. A thewais, a'i dywys yn ôl i gartref yr hen ddiwygiwr a'r Anglicanwr na allai'r 'hen fam' ei ordeinio.

Ein gŵr gwadd ym 1986 oedd yr Esgob Stephen Verney, awdur *Water into Wine*, cyfrol ar Efengyl Ioan. Dros baned o de yn Nhrefeca, soniais wrtho am gwestiwn Esgob Rhydychen ar ben Mynydd Troed. Cofiaf ei ateb hyd y dydd hwn: 'Fe ddylech fod wedi taflu'r cwestiwn yn ôl ato a gofyn iddo beth yn ei dyb ef oedd mesur oes Eglwys Loegr? Llai efallai!'

Ni fyddwn wedi meiddio gofyn y fath gwestiwn. Roeddwn wedi arfer credu bod y sefydliad hwnnw fel daear Duw i barhau am byth! Ond bellach, ar ôl dilyn yr hyn a ddywed y wasg am y llu trafferthion a ddaeth i boenydio Archesgob Caer-gaint, a hynny cyn iddo ffeindio'i lwybrau o gwmpas Palas Lambeth, ni fyddai'n ormod o hyfdra erbyn hyn i weinidog Anghydffurfiol dderbyn cyfarwyddyd yr Esgob Verney a chyflwyno'i gwestiwn ei hun i Esgob Rhydychen. Ac ef, yn fuan iawn wedi i Rowan Williams adael Cymru, a enwebodd y Dr Jeffrey John, Cymro Cymraeg o fro Tonyrefail, i Esgobaeth Reading. Agorodd y penodiad hwnnw y llifddorau i gyd, a daeth y llanw mwyaf o drafferthion i fygwth unoliaeth a dyfodol eglwys a fu'n sefydliad cadarn am ganrifoedd. Bu'n haws gwyntyllu'r problemau a ddilynodd cyhoeddi *Honest to God* gan yr Esgob J.A.T. Robinson yn chwe degau cynnar y ganrif ddiwethaf na chynnal trafodaeth onest ac agored ar fater cyfunrywiaeth. Nid yw'n rhyfedd bod cynifer yn beirniadu'r Anglicaniaid am osod rhyw ar ben eu hagenda, lle bu Duw cyhyd. Nid yw'n syndod chwaith bod yr hanesydd, Edward Norman, sylwebydd cyson ar effaith secwlariaeth a materoliaeth ar yr eglwys, wedi edliw i'r Eglwys Wladol iddi ganiatáu i'r byd droi ei hagenda wyneb i waered (*Anglican Difficulties: A New Syllabus of Errors,* Morehouse, 2004).

YN GYTÛN YN EIN TRAFFERTHION

Yn ei Ragymadrodd i'w lyfr ar ddiwinyddiaeth Rowan Williams (*Difficult Gospel*), mae'r awdur, Mike Higton, o'r farn mai bwriad yr Archesgob fel diwinydd ac fel olynydd y canfed Archesgob a fu yng Nghaer-gaint, A.M. Ramsey, yw galw am 'ymgyflwyniadau anghyfnewidiadwy' i'r weledigaeth bitw sydd gennym o gariad Duw ar waith yn y byd 'ac ym mywyd, marwolaeth ac atgyfodiad Iesu o Nasareth'. Hon yw'r ffordd ymlaen, a rhaid ei dilyn yng nghanol y trafferthion mwyaf. Wynebu'r trafferthion yw'r prawf bod adnoddau ar gael yn y weledigaeth hon o gariad gweithredol Duw. Dilyn y cariad hwn i ganol a thrwy'r cymhlethdodau sydd yn ein bywydau sy'n cynnal y dedwyddwch hwnnw sy'n cyfannu bywyd y diwinydd, ac yn peri iddo ddathlu, diolch a chanmol y weledigaeth sy'n uno'r eglwys ac yn meithrin ynddi amodau cymod. Cariad sy'n 'cymell' yw hwn i'r Apostol Paul.

177

Gwyddai ef y gall crefydd (deddf oedd ei air ef), yn aml ddwysáu gofidiau a chwyddo'r trafferthion sy'n brigo yn ein cymdeithas. Daeth anghydfod ar ôl anghydfod i lesteirio gweledigaeth danbaid yr Archesgob wedi iddo adael ei famwlad, a hynny ar adeg (yn ei eiriau ef), 'pan oedd ysbrydoledd yn llwyddo i'n cael yn un teulu'. Ond mae'r ddau fater o godi merched yn esgobion ac o ordeinio'r rhai sy'n hoyw yn mynd i aros yn ddrain go bigog ar y ffrynt lle mae rhyw a Duw yn anghymharus yn y Beibl poced, gyda'r adnodau coch a du. Ac ni wêl y rhai sy'n troi tudalennau'r Beibl i brofi'u hachos eu bod yn ddinistriol fel yr hunan-fomwyr sy'n perswadio'i gilydd eu bod yn adeiladol.

Wrth ymateb i gwestiwn yr Esgob Richard Harries yn ddi-flewyn-ar-dafod, rhag-weld a wnâi'r Esgob Verney y rhwygiadau anorfod a allai chwalu Eglwys Loegr mewn un genhedlaeth. Ac yn fuan iawn daeth anghydfod ar ôl anghydfod i wanychu'r 'hen fam' a fu'n gartref ysbrydol i'r Saeson am yn agos i bum canrif. Pan ddaw gwendid i fygwth hen sefydliad, mae ymbleidio'n rhwym o ddigwydd. Cyn i Rowan Williams newid ei esgobaeth, a chyn iddo gael ei gyfle i ennill ei blwyf, corff drylliedig oedd yr Eglwys Anglicanaidd. Does dim dwywaith i Archesgob Cymru adael ei bobl ei hun yn anterth ei boblogrwydd a symud i bencadlys Anglicaniaeth mewn dyddiau cythryblus ac argyfyngus. Adeg ei ddewis yn Archesgob Caer-gaint, fe addefodd wrth bobl y wasg ei fod yn 'cychwyn ar waith amhosibl'. Ac yntau'n fedrus ym mhob rhyw fodd, cyflwynwyd iddo'r dasg a'r cyfrifoldeb o arwain yr hyn a alwodd yn 'gorff anarweiniadwy' trwy borth yr unfed ganrif ar hugain. Er ei fod yn cario'i ffon fugail draddodiadol, gwyddai ddydd ei orseddu na châi arwain ei braidd niferus at y 'dyfroedd tawel'. Yn fuan iawn, byddai'n tywys ei ddiadell wasgaredig heibio'r cornentydd a'r rhaeadrau berw sy'n tarddu yng ngheseiliau'r tir secwlar ac yn llifo trwy ddolydd porfa fras materoliaeth.

Ar droad y ganrif, roedd poblogaeth Cymru o gwmpas y tair miliwn, a phoblogaeth Lloegr bymthengwaith hynny. Ond, o'r 45 miliwn sy'n byw yn Lloegr, bernir bod llai na miliwn yn mynychu'r llannau ar y Sul erbyn hyn. Ffarweliodd miloedd o gymunwyr â'r llannau mewn gwlad a thref yn ystod ail hanner yr ugeinfed ganrif, ac ni ddenwyd hwy'n ôl trwy'r pyrth i'r seddau gweigion. Er cryfhau'r peirianwaith gweinyddol, dwysáu'r gofal bugeiliol, diwygio'r Llyfr Gweddi fwy nag unwaith, a chyhoeddi cyfieithiadau newydd o'r Beibl, gwrthgilio a wnaeth teuluoedd ac unigolion lawer. Daeth proffwydoliaeth Iesu yn wir ym Mhrydain ac yn y Gorllewin – 'bydd cariad llawer iawn yn oeri' (Mathew 24:12). Yn ddi-os, roedd nifer o offeiriaid da a diwyd, duwiolfrydig a dysgedig yn paratoi ar gyfer y pulpud ac yn gweinyddu'r sacramentau. Ond wrth weld y rhai a fedyddiwyd ac a gonffyrmiwyd yn troi cefn ac yn esgymuno'u hunain, diffygiodd llawer o'r rhai a ordeiniwyd, a dilyn y gwrthgilwyr i brofi braster bydolrwydd. A daeth nifer llai i geisio urddau. Gwelwyd bod mwy o urddas yn y swyddi bras erbyn hyn.

Ar y Sul, ac ar y gwyliau mawr, agorwyd drysau'r arch-farchnadoedd a'r siopau llai. Yn lle addoli, fe aeth pawb i brynu a gwerthu, i weithio neu i deithio. Sul, gŵyl a gwaith, tyllwyd yr osôn fwyfwy, ac aeth llai a llai i dywyllu drws lle o addoliad. Gynt, byddai'n arfer ar y Sul i ddathlu a breuddwydio; ond gyda'r hysbysebu hunllefus, a'r hur-brynu ffasiynol, 'nef newydd a daear newydd' yw cael cysgu a phwrcasu mwy.

Mae Edward Norman, awdur nifer o lyfrau ar gymdeithaseg a hanes yr Eglwys, yn beirniadu'r Eglwys Anglicanaidd yn llym iawn am iddi gyfaddawdu'n rhy aml o lawer, ac ildio i fateroliaeth. Yr Eglwys Wladol, ei eglwys ef, a ganiataodd i'r hiwmanistiaid a fu'n hir loetran wrth ei phyrth gyhoeddi marwolaeth Duw, a chynnig arwyddair newydd y dyneiddwyr a'r gwrthgilwyr iddi. Yn y Gymraeg, gellir gosod arwyddair y dydd yn ôl Edward Norman yn gofiadwy – 'dyn ar ei ben ei hun piau hi o hyn ymlaen'.

Ond ni ddylid bod yn orfeirniadol, fel Norman, o ddiwinyddion fel Harvey Cox (a'i ddehongliad o secwlariaeth), Don Cupitt (*The Sea of Faith*), yr Esgobion J.A.T. Robinson a David Jenkins. Ymroi a wnaeth y diwinyddion hyn, a llawer o rai eraill yn ystod ail hanner yr ugeinfed ganrif, i geisio deall y dieithrio a'r exodus o'r eglwysi, i ddiogelu'r gwerthoedd hynny a fu'n ganolog ym mywyd y gymdeithas Gristnogol, ac i ddehongli'r athrawiaethau mawr er mwyn dyfnhau'r bywyd ysbrydol trwy roi lle i'r realiti o Dduw yn y galon ddynol.

DAGRAU'R YSTADEGAU

Yn y chwe degau, pum plentyn o bob deg a fedyddiwyd yn yr Eglwys Anglicanaidd. Yr oedd lle i ofni bod teuluoedd lawer yn colli'u diddordeb ym mywyd yr Eglwys sefydledig. Yn ystod y saith degau collwyd 800,000 o eneidiau o'r cynteddau. Gellir dychmygu gwewyr y ddau Archesgob a fu'n arwain rhwng 1969 a 1984, Coggan a Runcie, y naill yn efengylaidd ei ysbryd, a'r llall yn rhyddfrydol ei anian. Yn ystod y pymtheng mlynedd y bu'r ddau yn Lambeth ymadawodd ymhell dros filiwn o'r aelodau â'r esgobaethau yn Lloegr. O'r diwrnod yr ymunodd Rowan â'r gynulleidfa yn Eglwys yr Holl Saint yn Ystumllwynarth hyd ddydd ei orseddu'n Archesgob Caergaint, crebachodd yr Eglwys Anglicaniadd yn Lloegr i hanner yr hyn ydoedd yn nechrau'r chwe degau.

Ym 1975, nid yw'n rhyfedd bod Donald Coggan yn barod i roi 'Galwad i'r Genedl'. Ei fwriad oedd nodi'i ofidiau a chodi'r problemau oedd yn ddryswch i bobl chwarter olaf y ganrif, a'u gwyntyllu yng ngoleuni athrawiaeth a moeseg yr Eglwys Gristnogol. Sylweddolodd fod priodas, fel sefydliad, yn gwegian a theuluoedd yn chwalu gyda'r cynnydd mewn ysgaru. Gyda threigl y degawdau, dewisodd cannoedd o barau gyd-fyw, ac ymwrthod â phriodas eglwysig. Weithiau, galwyd ar y person plwyf i ddweud pader mewn gwesty neu mewn gardd. Ond yn aml, dewis y pâr neu'r partneriaid yw gadael yr offeiriad yn ei blwyf, a theithio miloedd o filltiroedd i gael seremoni secwlar ar ynys bellennig neu ar draethell unig. Lluniau, lluniaeth a llymaid yw'r hanfodion.

Ergydiwyd Eglwys Loegr yn drwm o bob cyfeiriad pan ddewisodd miloedd o'r rhai a fedyddiwyd ac a fagwyd ynddi ei gadael i ddilyn mamon a mwynhau'r moethusrwydd a orlifodd dros ynysoedd Prydain. I Edward Norman, un o'i sylwebyddion craffaf ac un o'i beirniaid ffyrnicaf ar adegau, secwlariaeth a materoliaeth fu'r gelynion creulon o'r tu allan iddi. Yn *Anglican Difficulties* (Morehouse, 2004) mae'n dychwelyd at yr elfennau bygythiol hyn, ac yn awgrymu bod y fateroliaeth o'r tu allan a'r difaterwch o'i mewn yn ei llindagu'n araf. Swm a sylwedd y gyfrol yw dal bod yr Eglwys Wladol mor secwlar â'n cymdeithas, ac mor fydol â'r byd. Yn lle glynu wrth ei hathrawiaethau mae wedi llyncu arferion a delfrydau'r byd sydd ohoni a choleddu syniadau slic yr ideoleg sy'n gafael heddiw ond a wrthodir yfory. Yn nodweddiadol o'r awdur hwn, mae o'r farn i'r cyhoedd wrthod Eglwys Loegr am iddi ffoli ar fod yn ffasiynol gan ddewis delwau'r dydd. Aeth dan gwmwl am iddi gyfaddawdu cyhyd.

Myn Norman fod Eglwys Loegr o'r cychwyn cyntaf wedi plygu i deyrn a bonedd. Anifail llywaeth ydyw. O ddydd ei geni cyfleus yn yr unfed ganrif ar bymtheg, bu'n rhaid iddi wadu ac ymryddhau o'i gorffennol, ac amddifadu'i hun a'i phobl o'r awdurdod hwnnw a ddiogelwyd gan Eglwys Rufain sy'n rhoi arweiniad hyderus. Ni chadwodd ei hawl i arwain ac i ddysgu, a'r rhyfeddod mwyaf yw iddi gyflawni cymaint yn ei ffordd dawel a bod yn ddarostyngedig i frenhiniaeth a llywodraeth, a goroesi. Ac fe'i condemnir gan Edward

Norman am iddi fethu â chynnig y ddysgeidiaeth a roddwyd iddi, yr athrawiaethau mawr. Ni all bwyntio bys a chyhuddo'r Cymro cyntaf ym Mhalas Lambeth o fod yn ddiffygiol yn hyn o beth. Yn wir, fe ddylai weld yn Rowan Williams y dyn a ddewisai ef i gadw'r eglwys yn uniongred ac yn un yng Nghrist. Os yw Norman am gredu mai corff wedi'i rewi yw Eglwys Wladol Lloegr, yn dadfeilio yn hinsawdd y diwylliant sydd wedi'n hamgylchu heddiw, mae'n credu hefyd y gall yr argyfyngau sy'n ei chwmpasu yn awr ei deffro a'i hadfywio.

Dilynwyd Donald Coggan gan Archesgob gwahanol iawn iddo, sef Robert Runcie, a cheir portread difyr a darllenadwy ohono gan Humphrey Carpenter, y cofiannydd medrus. Mae teitl Carpenter yn un awgrymog: *Robert Runcie: the Reluctant Archbishop* (Hodder and Stoughton, 1996). Rwy'n cofio'n dda y llawenydd ymysg yr Ucheleglwyswyr pan ddewiswyd ef, a'u gobaith y byddai'r diwinydd rhyddfrydol hwn, a addysgwyd yn Rhydychen, yn diwygio'r Eglwys Wladol. Roedd ei acen a'i osgo'n bradychu'i gefndir academaidd a'i Anglicaniaeth. Gyda'i ysgolheictod a'i ymlyniad wrth y syniad o eglwys eang ei gorwelion, roedd ganddo'r adnoddau i herio culni ysgol ddiwinyddol ei ragflaenydd, a thrwy hynny roi taw ar 'ddirmygwyr' crefydd a chynnig iddynt ddiwylliant crefyddol, gwahanol i'r un di-dduw a di-ddim a fyddai'n cydio yn nychymyg trwch y boblogaeth cyn diwedd y ganrif. Achub y dychymyg hwn yw bwriad Rowan Williams, ond mae'i wreiddiau'n ddwfn iawn erbyn hyn, ac yn yr oes ôl-fodern hon mae wedi blaguro a ffrwytho. Petai'r Archesgob Runcie wedi bod yn llai cyndyn o gynnig ei weledigaeth mewn pryd, fe allai Eglwys Loegr fod wedi osgoi'r hirlwm a welodd, a chroesawu Rowan Williams i Lambeth â llai o drafferthion yno i'w ddisgwyl.

Pan ddatgelwyd yn y wasg bod yr Archesgob Runcie yn cadw moch, awgrymwyd y gallai fod ynddo y math o feiddgarwch a fedrai godi Anglicaniaeth ar ei thraed, a'i gosod i gerdded eto! Ond dewis eistedd ar ben llidiart a wnaeth ac ymddangos fel petai 'heb wybod beth i'w wneud'. Weithiau caed argoelion ei fod am fentro datgysylltu Eglwys Loegr oddi wrth y Wladwriaeth. Yn ei ddarlith 'Window onto God' (1983), mae'n simsanu wrth drin y mater hwn sy'n parhau'n ben tost i'r Anglicaniaid.

RHWNG RUNCIE A ROWAN

Mrs Margaret Thatcher oedd yn teyrnasu ym Mhalas Westminster pan ddaeth tymor yr Archesgob Robert Runcie ym Mhalas Lambeth i ben. Ni allai'r wraig gyntaf i fod yn Brif Weinidog Prydain ddygymod â phobl fyddai'n cloffi rhwng dau feddwl. Troedio llwybr unionsyth fel llwybr tarw oedd ei pholisi hi, heb ystyried cam yn ôl na chydnabod cam gwag. Honnai na fedrai deimlo'n edifar na chymryd tro ar lun pedol.

Ar ddechrau'r naw degau daeth i'w rhan y fraint o ddewis olynydd i Robert Runcie a rhagflaenydd i Rowan Douglas Williams, a chyflwyno'i enw i'r frenhines. Ar y pryd roedd o'r farn bod gormod o bobl lipa a di-asgwrn-cefn mewn swyddi allweddol ym Mhrydain. Yn y senedd a'r eglwys, mewn llysoedd barn a'r canolfannau diwydiannol, gwelai wlanenni gwlyb, ac ni allai eu goddef. Lle roedd arweinwyr dof, gwelid llwfrdra a llanast. Fe'i siomwyd gan yr Archesgob Runcie, ac roedd ei 'wlyptra' yn y cyfarfod a drefnwyd i ddathlu buddugoliaeth lluoedd arfog Prydain yn y Falklands wedi'i chlwyfo. Yn lle canu clodydd ei gyd-wladwyr a fu'n brwydro, offrymodd weddïau dros y rhai a archollwyd ac eiriol dros y rhai oedd yn galaru ym Mhrydain ac yn yr Ariannin. Meiddiodd gynnwys y gelynion ym mhen draw'r byd yn ei baderau!

Erbyn degawd olaf yr ugeinfed ganrif roedd mwy o Babyddion yn Lloegr nag o Anglicaniaid, a'r Eglwys Sefydledig a fu'n cynnal delfrydau, safonau a gwerthoedd Prydeindod yn colli ei thir a chefnogaeth ei phobl. Meddai

Peter Clarke yn ei gyfrol *Hope and Glory: Britain 1900-1990* (Penguin, 1997): 'Nid yw'n ormod i ddweud bod Prydain Fawr, yn ystod yr ugeinfed ganrif, wedi colli'i hunaniaeth hanesyddol fel cenedl Brotestannaidd' (tud. 161).

Rhag i'r argyfwng waethygu a rhag i'r Eglwys Wladol golli'i grym gwarcheidiol, roedd yn rhaid dewis Archesgob ceidwadol ei ysbryd, gŵr cadarn ei farn, a'i weledigaeth yn gwbl glir. Fel merch i Mr Roberts y groser, mynnodd 'siopa o gwmpas', a chwilio am ŵr parchedig â'i dueddfryd yn geidwadol. Gallai fod yn Ucheleglwyswr neu'n Efengylwr.

Roedd y Mudiad Efengylaidd ar gynnydd ers blynyddoedd, ac ymweliadau achlysurol y Dr Billy Graham, yr efengylydd a ddylanwadodd yn drwm ar fywyd crefyddol yr Unol Daleithiau, wedi gadael eu hôl yma. Magwyd y Prif Weinidog ar aelwyd Fethodistaidd, enwad a anwyd mewn twymyn efengylaidd â'i bwyslais ar genhadu allgyrchol ac ar ddiogelu'r athrawiaethau traddodiadol. Yn yr wyth degau clywodd Mrs Thatcher am lwyddiant offeiriad a lanwai ei eglwys fyw i'w hymylon, sef Sant Nicolas yn Durham. Roedd yn cydoesi â'r Parchedig David Watson yn ninas Efrog, ac fel y gŵr hwnnw, roedd gan y Parchedig George Carey y ddawn i herio'r gymdeithas oddefol a phenrydd â'i genadwri efengylaidd. Fe'i gwobrwywyd trwy ei ddewis yn Esgob Caerfaddon a Wells, a thra bu yno, fe'i gwahoddwyd i gyhoeddi ei gyffes ffydd (gydag eraill) mewn cyfrol, *I Believe* (SCM, 1990). Hwyrach nad oedd wedi rhag-weld ei ddyrchafiad buan ar y pryd, mwy na neb arall, ond rhoddodd fraslun o'i faniffesto a galw am dorchi llewys buan:

> Yr ydym yn byw mewn cymdeithas secwlar sydd â chysylltiadau bregus â'r ffydd Gristnogol a fyddai gynt yn cynnal ei deddfau, ei harferion a'i moesau. Ein priod le ni, felly, yn bendant ddigon, yw'r cenhadol, ac mae rôl y weinidogaeth wedi symud oddi wrth y gofalon bugeiliol i ymgyrchu allan a chenhadu (tud. 175).

George Carey oedd dewis Mrs Thatcher i'r arswydus swydd. O'r diwedd gwawriodd awr fawr yr Efengylwyr, a'u cyfle i fynd â'r maen i'r wal. Ef fyddai Archesgob olaf Caer-gaint yn yr ugeinfed ganrif ond, yn anffortunus iddo ef a'i blaid, bu'n gyfnod hesb a thrafferthus, yn adeg o gythrwfl a gofid yn hanes Eglwys Loegr. Bygythid urddas yr unigolyn, diogelwch cymdeithas a pharhad yr hil ddynol. Ni allodd traddodiadaeth a ystyrid yn un chwyldroadol ymdopi â'r holl gyfnewidiadau sydyn a oresgynnodd y byd. Cymaint fu'r gwae a oddiweddodd byd ac eglwys, fel y credai trwch y boblogaeth y byddai'n fendith cael cloi drws yr hen ganrif ac agor drws y trydydd mileniwm yn y gobaith o weld 'nef newydd a daear newydd'.

Ond, yn fuan wedi'r Calan hir-ddisgwyliedig, gwelwyd bod yr hen fwganod yn dal yn fyw ac, yn fuan, yn bwrw'u cysgodion ar draws tir yr addewid a'r dyfodol. Mae cyfandir yr Affrig yn dal 'yn gornwyd gwenwynllyd' a'i newyn a'i afiechydon blin yn ysgogi tosturi, ond mae hunanoldeb y bras eu byd yn eu llyffetheirio. Mae'r diwylliant militaraidd wedi costio'n ddrud, ac yn parhau'n faich economaidd fel y mae pob rhyfel. Ac er y rhybuddion cyson ein bod yn difa tanwydd ac ynni ein plant, yn llygru'r amgylchedd iddynt ac yn peryglu'r osôn a'r tywydd yfory a thrannoeth, yr un rhai ydym o hyd, a'r un yw'n beiau. Mae ystyried pa etifeddiaeth a adawn i'n plant yn codi arswyd ynom.

Yn ei blasty yn ne-orllewin Lloegr, cafodd Carey ei holi gan Russell Twisk, newyddiadurwr i'r *Reader's Digest* y pryd hynny. Roedd ei gwestiwn cyntaf yn un go bryfoclyd! 'Petai Eglwys Loegr yn berson, sut y byddech yn ei disgrifio!' Cofnodir ei ateb yn yr *Oxford Book of Quotations* – yr unig sylw i'w gynnwys dan y pennawd 'Eglwys Loegr'. Dyma'i ddisgrifiad: 'Fe'i gwelaf fel hen wreigan sy'n mwmian mewn cornel wrthi'i hun, ac a anwybyddir y rhan fwyaf o'r amser'. Fe gynhyrfodd ei eiriau'r dyfroedd! Ar yr un achlysur, fe ddywedodd un peth arall a gyffyrddodd â'i edmygwyr a'i feirniaid, sef nad cedd heresi mwy difrifol na'r 'syniad mai gwryw yn unig a fedrai gynrychioli Crist wrth yr allor'. Dyma frigyn arall i ferwi'r crochan Anglicanaidd.

Yn ystod ei dymor fel Archesgob, credodd llawer fel yntau fod yr ystwytho a welwyd yn Eglwys Loegr yn arwydd o ystwyrian. Yn ddiamheuol bu arbrofi yng nghlo'r hen ganrif. Gwelwyd pobl garismataidd, fel Moses gynt, yn codi'u breichiau a'u dwylo wrth weddïo. Unwaith eto, bu llefaru â thafodau yn ffasiynol, cofleidio, dawnsio a chusanu o flaen yr allor. Cydiodd 'profiad Toronto' yn nychymyg a chalon rhai, ac fe'u gwelwyd yn rowlio chwerthin ar lwybrau'r cysegr. Taflodd rhai offeiriaid eu gwenwisgoedd ac arwain oedfa yn llewys eu crysau. Torchodd eraill eu llewys i gynnal y Cwrs Alffa lle roedd syched am ddeall y Beibl a'i genadwri. A lle gynt bu'r corau bach cynnil eu cân, wele, gerllaw'r organ, gitâr neu ddwy, a grwpiau'n bloeddio canu ac yn addoli'n fwy hwyliog na'r capelwyr mwyaf tanbaid ac anffurfiol i lawr y stryd. Ac nid oedd yn anarferol i eglwyswyr drefnu neu hawlio 'crwsadau' tebyg i rai'r Dr Billy Graham. Cafwyd un ar ôl y llall yn y dinasoedd mawr.

Mae'r darlledwr profiadol, David Winter, a golygydd *Crusade* (newyddiadur oedd mewn bri yn y pum degau pan gynhaliwyd crwsâd fawr Harringay), yn sôn yn ei gofiant *Winter's Tale* am helyntion y Mudiad Efengylaidd yn Lloegr, ac fel y bu i'r garfan Anghydffurfiol a'r un Anglicanaidd groesi cleddyfau a hynny ar yr adeg y bu iddynt ystyried creu enwad a dod allan o'u heglwysi. Bu Winter yn faciwî yn Narowen ym Maldwyn, ac ar aelwyd ei fam-gu, cododd ei hacen Gymreig. Wedi iddo ddychwelyd i'r ysgol ddyddiol yn Llundain, ni fu'r plant yn hir cyn ei gyfarch fel Dai Winter!

Er bod ynddo waed Cymreig, mae'n feirniadol iawn o'r Dr Martyn Lloyd Jones am geisio'i orau i dynnu Anglicaniaid Lloegr allan o'r Eglwys Wladol. Petai gweinidog huawdl

Capel Westminster wedi cael ei ffordd, efallai y byddai olynydd yr Archesgob Carey yn fwy esmwyth ei fyd!

Roedd y Canon David Winter yn bresennol yn y cyfarfod hwnnw i ystyried Cynghrair Efengylaidd i eneidiau â dyheadau tebyg, ac mae'n disgrifio'r noson fel 'gwrthdrawiad efengylaidd mwyaf y ganrif'. Nid oedd gan y Doctor, fel y'i gelwid ymysg ei ganlynwyr pybyr, fawr o ddiddordeb yn nhactegau'r 'crwsadwyr'. Cofiaf na allai ddioddef curo dwylo a chodi breichiau na'r un stranc carismatig mewn oedfa. Ond ni all awdur *Winter's Tale* roi gair o blaid yr hyn a ddisgrifir ganddo fel y 'naws anffaeledigrwydd' oedd yn cwmpasu 'y Doctor' ac a fyddai'n denu cynifer i fabwysiadu 'haerllugrwydd athrawiaethol anatyniadol' efengylwyr y capeli. Ond, mae'r haerllugrwydd hwn, fel y dengys y papurau dyddiol, bellach yn codi'i ben ymysg 'efengylwyr newydd' y gorlan Anglicanaidd.

PAPURO DROS Y CRACIAU

Yn y gwrthdrawiad cofiadwy hwnnw, cymerodd y Doctor, gweinidog y capel lle bu'r drafodaeth, yn agos i awr i gymell yr undeb. Apeliodd yn daer ar bawb oedd yn cyd-fynd â'i safbwynt i gamu allan o'u heglwysi a'u capeli gan iddynt gael eu llygru yno gan ryddfrydiaeth. O bulpud eglwys efengylaidd gref, byddai Gair Duw yn cael ei gyhoeddi'n glir fel sain yr utgorn, a holl gyngor Duw yno i gyfoethogi bywydau'r bobl.

Ond rhagwelai'r Parchedig John Stott, y llywydd y noson honno, y problemau fyddai'n rhwym o godi, ac, o synhwyro bod rhyw ymdeimlad o is-raddoldeb yn poeni'r Anghydffurfwyr hyn a'u bod yn ofni bod yr Ucheleglwyswyr a'r Rhyddfrydwyr yn eu bychanu, dadleuodd na ddylid cymryd y camre a argymhellwyd gan y Dr Martyn Lloyd Jones. Mewn pum munud llwyddodd i gael yr Anglicaniaid efengylaidd i fwrw'u pleidlais o blaid y rhai a gredai fel yntau y gellid ymddiried y gwaith o bregethu'r efengyl yn ei chyflawnder i offeiriaid o fewn yr esgobaethau. Ni allai dderbyn cred amlwg y Calfiniaid pybyr, pobl y Doctor, capelwyr yn bennaf, a gredai mai diwinyddion eilradd oedd pregethwyr yr Eglwys Wladol. Ac fe lwyddodd Stott i brofi'i hun yn efengylydd, yn bregethwr ac yn awdur gwir effeithiol trwy gydol ei dymor maith fel Rheithor All Souls, Langham Place, yng nghanol Llundain. Fe'i gwahoddwyd i bob rhan o'r byd a bu arddeliad mawr ar ei weinidogaeth genhadol.

Erbyn y saith degau, roedd yr Anglicaniaid hyn wedi ymrwymo i wasanaethu'u heglwys hynafol eu hunain ac, ym marn David Winter, wedi gweld yn fuan bod yr efengylyddiaeth oedd yn esblygu yn eu mysg â'i gorwelion yn llawer ehangach na'r un a wrthodwyd ganddynt. Roeddent wedi ymdynghedu i ymwrthod â'r agwedd drahaus a'r ysbryd cynhennus a rhaniadol sy'n rhwystro gwaith y deyrnas. O ganlyniad, cododd ton ar ôl ton o gefnogaeth i'r Mudiad Efengylaidd a oedd o fewn yr Eglwys Wladol, a gyda'r ymchwydd hwn daeth mwy ymlaen a chynnig eu hunain i waith yr offeiriadaeth. Erbyn tymor George Carey ym Mhalas Lambeth, roedd llawer ohonynt mewn plwyfi, a nifer yn esgobion. Ond cyn diwedd y ganrif, a chyn ymddeoliad Carey, dychwelodd yr hen ysbryd cynhennus a rhaniadol a wrthodwyd gan yr Anglicaniaid a ddaeth ynghyd i gapel Westminster ddegawdau ynghynt. Cyn i Rowan Williams gyrraedd Caer-gaint, roedd hadau annioddefgarwch a chasineb wedi blaguro a dwyn ffrwyth yn y sefydliad a oedd yn enwog am ei oddefgarwch heddychlon.

Ar gychwyn ei dymor yn Lambeth estynnwyd croeso brwd i'r Archesgob Carey gan yr efengylwyr oedd o fewn i'r eglwys Anglicanaidd, a chredodd yntau y byddai'u cefnogaeth yn gwarantu llwyddiant i'r Degawd Efengylu. Rhagdybiwyd y byddai Eglwys Loegr yn cefnu ar y niwtraliaeth honno a'i nodweddai, ac yn mentro allan, fel Griffith Jones Llanddowror a'i bobl yn y ddeunawfed ganrif, i ennill eneidiau i Grist. Y nod oedd cynhesu'r cysegr a chalonnau'r addolwyr, ac anffurfioli'r gwasanaethau sefydlog a digyffro. Y gobaith oedd tynnu'r teuluoedd ifanc i'r llannau, a chynnig iddynt, gyda'r efengyl lawn, y croeso cynulleidfaol hwnnw a drodd y capeli ar adegau yn aelwydydd i'r Ysbryd Glân, yn gymunedau o gariad.

Y Prif Weinidog, James Callaghan, Arweinydd Llafur, Anghydffurfiwr ac Aelod Seneddol De Caerdydd am flynyddoedd lawer, a roddodd i Eglwys Lloegr ei Synod Gyffredinol. Cymerodd y Synod le'r 'Church Assembly' a ffurfiwyd yn union ar ôl y Rhyfel Byd Cyntaf, corff a gynhwysai esgobion, offeiriaid a lleygwyr. Fel y Cynulliad, pwrpas y Synod oedd rhoi mesur o fiwrocratiaeth i'r Eglwys Anglicanaidd ac, yn ôl Edward Norman, y fiwrocratiaeth yma sydd wedi llesteirio gwaith Eglwys Loegr oddi ar i'r Synod gychwyn gweithredu yn y saith degau cynnar.

Corff llywodraethol gyda'r un dibenion â'r hen Gynulliad yw'r Synod, ac fe gyfarfu am y tro cyntaf ym 1970. Ffrwyth Adroddiad Chadwick ydoedd, a'i nod oedd rhoi i'r Eglwys Wladol fesur o hunanlywodraeth. Yn awr, gallai siarad a thrafod materion llosg, a symud o un i un y maglau a'r cyffion a fu'n ei chaethiwo cyhyd wrth y meddylfryd ceidwadol a'r defodau traddodiadol. Ym 1974, pleidleisiodd y Synod i dderbyn cyfarwyddyd Chadwick, a chymryd y cyfrifoldeb am ddewis esgobion, a'r gofal am addoliad ac athrawiaeth yr eglwys, oddi wrth y llywodraeth yn Llundain. Ildiodd y senedd a chytunwyd i godi Comisiwn Apwyntiadau'r Goron i ddewis dau enw pan fyddai angen penodi esgobion.

Mae Edward Norman yn llawdrwm iawn ar yr ymdrech hon i fiwrocrateiddio Eglwys Loegr, ac er nad yw'n enwi yr un Archesgob, mae'n amlwg yn rhoi rhybudd yn niweddglo'r hen ganrif y byddai lleng o drafferthion yn cyfarfod yr un a fyddai wrth y llyw yn Lambeth ar gychwyn y mileniwm newydd. I Norman, nid yw'n dilyn y byddai'r Archesgob galluocaf a'r sancteiddiaf yn gallu perswadio'r peirianwaith gweinyddol hwn i newid ei gyfeiriad na dirnad oblygiadau'r sioc ddiwylliannol sydd wedi goddiweddyd eglwys a chymdeithas ac yn wir, wareiddiad y Gorllewin yn ei grynswth. Mae'n demtasiwn i osgoi'r problemau sy'n cyniwair yn ein plith, ac os bydd amser i drafod, gohirio dod i benderfyniad yw'r ffordd i'w datrys. Hwylustod cyfleus yw trosglwyddo'n beichiau a'n gofidiau i is-bwyllgor, neu guddio y tu cefn i ryw banel neu fwrdd. Mae prinder pobl alluog a gostyngedig i ddelio â'r materion sy'n llesteirio'n cenhadaeth, ac i osgoi ymryson a drwgdeimlad; felly bu tuedd i ddewis distawrwydd yn lle gonestrwydd. Gwell gan grefyddwyr y tu hwnt i Glawdd Offa, fel yma yng Nghymru, ddewis bod yn saff, ac aberthu egwyddor a chydwybod rhag gorfod newid a mentro ymlaen.

ENWI CYMRO WEDI'R CANRIFOEDD MAITH

Ym 1998, a sibrydion yn y gwynt bod yr Archesgob George Carey yn ystyried ymddeol cyn troad y ganrif, penderfynodd Synod Eglwys Loegr y dylid archwilio ac adolygu dulliau Comisiwn Apwyntiadau'r Goron o ddewis esgobion. Y cam cyntaf fu codi grŵp, dan lywyddiaeth y Farwnes Perry, a chyhoeddwyd ei argymhellion mewn adroddiad dan y pennawd 'Gweithio gyda'r Ysbryd' ym mis Mai 2001. Rhyw ddeufis yn ddiweddarach fe'i derbyniwyd gan y Synod, a'i gymeradwyo i'r esgobaethau. Roedd yn hanfodol bwysig i gael arweinwyr duwiol, doeth a dawnus o fewn yr Eglwys Wladol gan ei bod yn wynebu dyddiau enbyd o anodd a dyrys. Ac fe fyddai arni angen Archesgobion ac Esgobion medrus i'w harwain trwy anawsterau tebyg i'r rhai a ddaeth i'r amlwg yn ddiweddar.

Yn y ganrif gyntaf yn hanes y Ffydd Gristnogol, cofnodir yr hyn a ddisgwyliai'r eglwys gynnar gan ei hesgobion. Dyma a ddywed yr Apostol Paul:

Oherwydd rhaid i arolygydd (esgob) fod yn ddi-fai, ac yntau yn oruchwyliwr yng ngwasanaeth Duw. Rhaid iddo beidio â bod yn drahaus, nac yn fyr ei dymer, nac yn rhy hoff o win, nac yn rhy barod i daro, nac yn un sy'n chwennych elw anonest, ond yn lletygar, ac yn caru daioni, yn ddisgybledig, yn gyfiawn, yn sanctaidd, yn feistr arno'i hun. Dylai ddal ei afael yn dynn yn y gair sydd i'w gredu ac sy'n gyson â'r hyn a ddysgir, er mwyn iddo fedru annog eraill â'i athrawiaeth iach, a gwrthbrofi cyfeiliornad ei wrthwynebwyr (Titus 1:7-9).

Ac adlais agos o'r Siars a draddodir yn y gwasanaeth Ordeinio yn Lloegr yw'r un a roddir o fewn i'r Eglwys yng Nghymru adeg cysegru Esgob.

Gelwir ar esgob i fod yn ben bugail a gweinidog. Yr wyt i fod yn ganolbwynt undod, yn addysgwr y Ffydd, a cheidwad disgyblaeth yn yr Eglwys. Yr wyt i warchod y bobl a ymddiriedwyd i'th ofal ac, o ddilyn esiampl y Pen Bugail, i adnabod y praidd a bod yn wybyddus iddynt. Yr wyt i arwain a chyfarwyddo'r offeiriaid a'r diaconiaid yn dy ofal, a bod yn ffyddlon i ordeinio ac anfon allan weinidogion newydd. Yr wyt i gyhoeddi efengyl ein Harglwydd Iesu Grist, ac i fod yn brif weinidog sacramentau'r Cyfamod Newydd. Yr wyt i gonffyrmio'r bedyddiedig, a thywys pobl Dduw yn ffordd y bywyd tragwyddol.

Mor llethol y gall y disgwyliadau hyn fod ar feidrolyn o esgob! A chymaint mwy yw'r galwadau ar Archesgob Caer-gaint y dwthwn anodd hwn. Un peth yw meithrin breuddwydion a rhestru'r delfrydau dirifedi, ond peth arall yw gweld eu gwireddu yn y llannau lle mae cymaint o lwydni a llwydrew ysbrydol. Mae'n haws o lawer argymell gweddi a defosiwn, ac annog pobl i fyw mewn gobaith na byw yn realiti'r sefyllfa. Rhaid wrth wyleidd-dra, a'r hyn a alwodd yr emynydd yn 'hyder gostyngedig' i ddal ati. Ac ym mhersonoliaeth Rowan Williams, fe welwyd y doniau hyn, doniau a all ennill iddo ymddiriedaeth y byd a'r betws.

Etholwyd Rowan Douglas Williams yn esgob Mynwy ar 5 Rhagfyr 1991. Yn fuan, byddai'n cyfnewid ei Gadair mewn Diwinyddiaeth yn Rhydychen am Gadair Gwynllyw yng Ngwent. Milwr oedd Gwynllyw (Gwynllwg yn wreiddiol), a mab i'r brenin Glywys a'i wraig, Guaul, merch Ceredig ap Cunedda. Felly, i wlad y milwr glew, i'r fro ddiwydiannol rhwng y Wysg a Rhymni, y dychwelodd yr heddychwr a'r ysgolhaig, gyda'i feddwl miniog, ei bìn ysgrifennu a'i ffon fugail. Priod Gwynllyw oedd Gwladys, merch Brychan Brycheiniog, a mab iddynt oedd Cadog, un o saint amlycaf cenedl y Cymry. Cefnodd y teulu hwn ar y bywyd bras a etifeddwyd ganddynt, a dewis dilyn bywyd syml ac asgetig. Fe fyddai'r Archesgob Rowan yn dweud i Dduw eu defnyddio i fod yn 'wynebau i'r Ysbryd Glân'.

Wedi'i gysegru'n Esgob yn Eglwys Gadeiriol Llanelwy ar Galan Mai 1992, a'i dderbyn yn un o esgobion ei famwlad, fe'i gorseddwyd yn Eglwys Gwynllyw ar y 14eg o Fai. Roeddwn yn Ysgrifennydd Cymdeithasfa'r De ar y pryd, a threfnodd Esgob Mynwy fod gwahoddiad i mi i'r gadeirlan a sedd i mi yn nes at yr allor na'r un Anglican y noson honno! Daeth i'm meddwl ar y pryd, ei fod, efallai, am gydnabod yn dawel y dylanwadau cynnar ar ei fywyd, ac yn enwedig cymwynas Wncwl Sydney o gapel y Crwys yn ei osod ar ben y ffordd trwy roi gwersi Lladin iddo pan oedd yn fachgen bach yn yr ysgol gynradd. Yn ei sgwrs â Melvyn Bragg ar y teledu, mae'n cydnabod bod Eglwys Bresbyteraidd Cymru yn rym yn y wlad y dyddiau hynny, 'yn fwy o eglwys sefydliadol' nag Eglwys Loegr.

Daeth cyfle ar ôl cyfle wedi'r gorseddu i ni weld ei wyneb cyfeillgar yn y brifddinas. Daeth i ddarlithfa enfawr a gorlawn yn Ysbyty Prifysgol Cymru i roi darlith ar y modd y gall celfyddyd gynnal ffydd. Fe gofia rhai ohonom iddo ddod â'i ddarlith a rhai sleidiau dethol i blith elît Caerdydd yn un o fagiau plastig Tesco! Portread Rembrandt o'i fam oedd man cychwyn y darlithydd. Tafluniwyd y darlun enwog ar sgrîn fawr, ac meddai'r darlithydd – 'dyma wyneb a rhywun yn byw ynddo'. Mae yng Nghaerdydd, a phob man arall, dai 'sy'n amlwg â phobl yn byw ynddynt'. Allan o'r bag plastig, daeth cadwyn o gwestiynau gwreiddiol a phryfoclyd i ddwysbigo dinasyddion glannau'r Taf. Ac fe welsom ninnau y noson honno wyneb â rhywun yn byw ynddo.

Y DYN ANGENRHEIDIOL

I bobl ei esgobaeth ym Mynwy a Morgannwg, roedd ei ddau lygad glas treiddgar sy'n gwibio'n ôl a blaen y tu cefn i'r sbectol a gaiff ei chynnal gan ei farf 'uniongred', yn addurno wyneb a oedd yn llawn i'r ymylon o fywyd. Yn fuan iawn daeth i 'adnabod y praidd a bod yn wybyddus iddynt', a chlywyd pobl o bob enwad yng Nghymru yn dymuno y byddai'n dilyn ei gyfaill yr Archesgob Alwyn fel Archesgob Cymru. Tyfodd yn naturiol i fod yn 'esgob eneidiau' cenedl gyfan gan roi ei arweiniad ar lwyfan, mewn pulpud ac ar bapur. Yn hoffus a gostyngedig, roedd wedi ennill ei blwyf ym mro Islwyn ac yn annerch pob math o gynulleidfaoedd i'r gorllewin ac i'r gogledd o Gasnewydd, ac yn croesi'r Hafren i Fryste a thu hwnt. Petai'n medru gyrru modur, fe fyddai rhywun yn sicr o ddweud bod rhagluniaeth wedi trefnu ail bont iddo mewn iawn bryd! Ymwelodd yn rheolaidd â'r ysgolion, mawr a bach, tra bu yng Ngwent, ac eistedd gyda'r plant. Mae'n sôn yn un o'i anerchiadau am ferch fach yn mynd adre o'i hysgol ac yn dweud wrth ei mam bod yr 'optegydd' wedi ymweld â nhw! Ffoniodd y fam y prifathro, ac esboniodd pennaeth yr ysgol mai'r esgob fu ar ymweliad! Gwelodd Rowan Williams eglureb yn y digwyddiad. Dyma yw swydd esgob ac offeiriad, yn wir pob aelod eglwysig: cadw'r cydbwysedd angenrheidiol rhwng y tywyllwch a'r goleuni. Mae perygl mewn bod yn besimist rhonc neu'n optimist penchwiban. Rhaid wrth bwyso a mesur gofalus yn y byd a'r bywyd hwn.

Yn ystod ei dymor yng Ngwent, bu'n ddyfal iawn fel awdur. Cyhoeddodd lyfrau, erthyglau a nifer o gerddi. Bu'n arweinydd doeth mewn llawer cylch, ac yn barod â'i gyngor mewn lliaws o bwyllgorau. Cefnogodd gynllun i gael esgob ecwmenaidd yn ne-ddwyrain Cymru, ac ennill llawer o gydymdeimlad o fewn yr enwadau Anghydffurfiol ar y pryd. Bu galw mawr arno tra bu'n byw yng Nghasnewydd i ddarlithio mewn cymdeithasau o bob math, i draethu i fudiadau, colegau ac enciliadau ar lu o faterion. Un o uchaf-bwyntiau Cymdeithas Cristnogion ac Iddewon Caerdydd oedd gwrando arno'n annerch ar faterion a oedd yn ein cysylltu, a'n hannog wrth ddod ynghyd i ddysgu oddi wrth ein gilydd. Manteisiodd Coleg Sant Mihangel yn Llandaf ar ehangder gwybodaeth un a fu'n Athro yn Rhydychen, a chyn hynny, yn ddarlithydd yng ngholeg Mirfield ac yn Westcott House, Caer-grawnt. Yn y naw degau, galwodd y BBC heibio iddo'n aml i holi'i farn ar bynciau llosg y dydd, a'i wahodd i ddarlledu ac arwain myfyrdod a gwasanaeth ar y radio a'r teledu. Amlygwyd yn hyn i gyd ei aeddfedrwydd i'w waith presennol, ac roedd yn amlwg bod yna awelon cryfion yn bygwth ei gario tua'r dwyrain. Adeg ei ymadawiad, cyflwynodd Prifysgol Cymru iddo radd Doethur mewn Diwinyddiaeth a chydnabod felly ei lafur trwy gydol y degawd prysur hwn fel Esgob Mynwy ac Archesgob Cymru.

Yn ystod y cyfnod hwn, aeth ati o ddifri i ailddysgu'r Gymraeg, a hynny er gwaethaf yr holl heyrn oedd ganddo yn y tân. O ganlyniad, gwelwyd mwy o barodrwydd a hyder ganddo i fentro defnyddio'r Gymraeg i sgwrsio ac i gyflwyno'i genadwri. Ond tra oedd yn ystwytho'r iaith sy'n cynnal a chadw'r trysorau hynny sy'n ddwfn iawn yn ei galon a'i ysbryd, fe'i gwahoddwyd i Balas Lambeth.

Yn ei ragair i argraffiad 2003 o *The Sky is Red*, cyfrol ei gyfaill, Kenneth Leech, mae'r Archesgob yn agor gyda geiriau sy'n dystiolaeth bod ei Gymreictod yn gadarn a chwbl ddiogel. Rhag eu gwanychu, dyma ymatal rhag ceisio cyfieithu'r geiriau:

> About thirty years ago I read an essay on Saunders Lewis, the Welsh Nationalist poet, critic and activist, written with a mixture of bafflement and admiration. It described Lewis as a 'necessary figure'. You might or might not like everything he said, but culturally, and politically, you needed him around, because there were things he said that no one else seemed to want to say, things that were essential to the honest life of the soul.

Â rhagddo i ddweud mai dyn tebyg yw Kenneth Leech, er ei fod yn annhebyg iawn i Saunders Lewis yn boliticaidd! Ond mae'n ffigwr amlwg ac, fel Rowan Williams, yn ddyn 'angenrheidiol' yn y dyddiau apocalyptaidd hyn. Cyfeillion ydynt yn darllen arwyddion yr amserau ac yn gobeithio y bydd eu gweinidogaeth yn foddion i drawsnewid y byd. Trafferthion y byd presennol sydd ar agenda Leech a'r Archesgob, a'r ddau gyda'i gilydd yn Llundain, lle mae galw am broffwydi a fedr rybuddio a chyfarwyddo gwleidyddion a gweinyddwyr.

FFARWELIO CYNNES

Enwebwyd Rowan Douglas Williams yn Archesgob Cair-gaint ar 23 Gorffennaf 2002, ei ethol gan Goleg y Canoniaid ar 8 Tachwedd yr un flwyddyn, a chadarnhawyd ei etholiad mewn seremoni gyfreithiol ei naws yng Nghadeirlan Sant Paul yn Llundain ar 2 Rhagfyr. Y flwyddyn ganlynol, ar 27 Chwefror, fe'i gorseddwyd yn Archesgob Caer-gaint. 'Dyma ddiwrnod pwysig yn hanes Cymru', meddwn i wrth y Parchedig Ddr A.M. Allchin. Cofio yr oeddwn mai Rowan Williams oedd y Cymro cyntaf i'w orseddu yn Esgob Caergaint. Fe'm cywirwyd yn gwrtais gyda brawddeg na allaf ei hanghofio: 'Diwrnod pwysicach o lawer yn hanes Lloegr'. Gyda Rowan Williams ym Mhalas Lambeth, ni ellir disgwyl i bobl weld pethau yn yr un ffordd!

Bu chwithdod a hiraeth mawr ym Mynwy, ac mae'n dal yno. Daeth yr esgobaeth ynghyd i ffarwelio ag Archesgob Cymru, i ddiolch am ddegawd o wasanaeth clodwiw ac i ddathlu'i gyfraniad yng Ngwent a Chymru. Rhyw fis ynghynt, roedd Esgobion Anglicanaidd Iwerddon, yr Alban a Chymru, yn eu cyfarfod yn Llandudno, wedi anfon eu dymuniadau da a gweddigar 'i'n cyd-weithiwr a'n cyfaill, yr Archesgob Rowan Williams ar ei ffordd i Gaer-gaint'. Ac ychwanegwyd y geiriau hyn:

> Yn yr eglwys Geltaidd, yr ydym wedi gwerthfawrogi ei ysbrydoledd, ei integriti, ei arweiniad, ei ysgolheictod a'i ostyngeiddrwydd.

Dyma ffarwél olaf Archddiacon Casnewydd, Kenneth Sharpe, i Rowan, Jane, Rhiannon a Pip ar ran cynhadledd yr esgobaeth. Mae'n haeddu'i chofnodi am ei bod yn crynhoi teimladau esgobaeth sydd ar y ffin â Lloegr, a balchder cenedl fechan yn un o'i meibion galluog a gwylaidd:

> Bydd eich gwyleidd-dra diledryw yn peri i chwi ymgilio rhag pobl fel fi sy'n diolch i chwi am yr hyn a olygwch i ni, ac am yr hyn a wnaethoch trosom fel teulu yn yr esgobaeth yn ystod y blynyddoedd y buoch yn arweinydd, athro a bugail i ni. Diolchwn i Dduw amdanoch, am y rhodd fawr a roddwyd i ni gan Dduw yn ystod y deng

mlynedd a hanner trwy eich galw i fod yn esgob i ni. Yr ydych wedi cyffwrdd â bywydau cynifer ohonom a'n teuluoedd â chynhesrwydd cariad Duw. Ac yn awr, mae wedi eich galw eto, y tro hwn i fod yn Archesgob Caergaint. Rydym yn cydnabod eich bod yn cyfuno y doniau o weledigaeth, deallusrwydd, sancteiddrwydd a thosturi mewn dull Crist-debyg, a dyma'r math o arweiniad sy'n angenrheidiol i'r Cymundeb Anglicanaidd a'r eglwys ledled y byd. A chwithau'n parhau i rodio'n agos gyda Duw, ac yntau gyda chwithau, boed i'w ras Ef fod yn ddigonol i chwi bob amser.

Archesgob Rowan, yr ydych wedi ennill gwir hoffter pawb yn yr esgobaeth hon trwy eich ymweliadau ag ysgolion, lle y bu i chwi eistedd yn hapus ochr yn ochr â disgyblion ifanc, lle y'ch darluniwyd gan gywion o gartwnwyr, a lle mae un o ysgolion yr Eglwys yng Nghymru yn falch o gael ei henwi ar eich ôl; trwy gyfranogi yn y dathliadau arbennig yn y plwyfi, trwy sefydlu perigloriaid, ac ysbrydoli eich clerigion a'r cynulleidfaoedd gydag anerchiadau fyddai'n dwyn gair Duw i'n bywyd gyda chyffyrddiad dynol a phersonol; a thrwy eich gofal cyson a'ch consýrn am y clerigion a'u teuluoedd.

Mae eich gallu i gyfathrebu â phobl o bob oed, diwylliannau a deallusrwydd, ac i gofio eu henwau a'u hamgylchiadau, wedi eich anwylo i'r bobl. Fel yr ydych yn byw'r efengyl yn ogystal â'i phregethu, yn arwain yr esgobaeth ar bererindod, fel y bu i chwi weinyddu'r Offeren ganol nos un Nadolig yn Rhymni pan nad oedd yno offeiriad, a rhannu Gwylnos y Pasg gyda ieuenctid Llandeilo Pertholau, fel y croesawyd gennych y dieithryn ac y bu i chwi uniaethu'ch hun â'r tlawd a'r rhai oedd ar y cyrion, yr ydym wedi cael cipolwg ar wyneb Crist trwy'n bugail.

Yn ystod y degawd diwethaf, rhoesoch i ni weledigaeth trwy eich anerchiadau Llywyddol yn y Cynadleddau hyn; fe'n dysgwyd gennych i fentro mwy er mwyn tyfiant teyrnas Dduw; cychwynnwyd gennych ffurfiau newydd o weinidogaeth yn yr esgobaeth hon, heriwyd ni gennych a lledwyd ein gorwelion, bu i chwi gefnogi, plannu a gosod eglwysi a chydweithredu, rhoddwyd gennych y rhyddid hwnnw i blwyfi i fod yn greadigol ac i ddatblygu litwrgi, a bu i chwi gyfarfod ag arweinwyr eglwysi eraill, gan feithrin partneriaethau ecwmenaidd. Dysgasoch i ni ufudd-dod i Iesu a chariad tuag at ein gilydd, i edrych ar yr eglwys a'r byd o gyfeiriad Duw, ac nid o'n persbectif ni ein hunain, ac i weld Duw ar waith yn ein mysg. Yr ydym wedi symud ymlaen dan eich arweiniad tyner, hwyrach ymhellach nag y tybiasom, ac ymlaen y mae'n rhaid i ni fynd yng ngrym yr Ysbryd Glân.

Ar 5 Awst 2002, roedd Archesgob Cymru, y Dr Rowan Williams, ym mro Waldo, ac yn cael ei urddo yn dderwydd gwyn yn Eisteddfod Genedlaethol Cymru. Fe'i derbyniwyd ef yn aelod o Orsedd y Beirdd er anrhydedd. Bu sibrydion ers rhai misoedd mai ef fyddai'n dilyn y Dr George Carey fel Archesgob Caer-gaint, ac yn ystod mis Gorffennaf, gollyng-wyd y gyfrinach gan y wasg Seisnig mai ef oedd dewis y Prif Weinidog. Daeth y wasg honno â thorfeydd i'w chanlyn i weld yr Archdderwydd Robyn Léwis yn derbyn 'ap Neirin' ar y tir uchel uwchben Tyddewi. Yng nghylchgrawn Ysgol Dinefwr, mae gan Rowan ysgrif am ein nawddsant, ac mor briodol fu ei dderbyn yng ngolwg Glyn Rhosyn, lle y llafuriodd Dewi.

Wrth y fynedfa i'r Maes, ymysg meini'r Orsedd, gwelwyd mwy nag arfer o gamerâu teledu a goleuadau'n fflachio dan niwl a tharth y bore. Yno roedd mab y diweddar Aneurin a Delphine Williams, wedi cyfnewid ei wisg ddu arferol am wenwisg y derwydd. O'i flaen, roedd blwyddyn o wisgo a dadwisgo, a gwisgo drachefn. Mae Mr Tegwyn Jones, mewn cartŵn a ymddangosodd yn *Barn*, â'i dafod yn ei foch wrth awgrymu y byddai Archesgob Cymru yn hoffi bod yno yng ngwisg ysblennydd ei swydd! Fe wyddai ef cystal â neb nad dyn yn hoffi rhwysg a rhysedd yw Rowan Williams, ond gŵr gwylaidd sy'n hoffi byw ym mrethyn du arferol yr offeiriadaeth. Byddai'i dad-cu, tad Mr Aneurin Williams, gŵr a garai bennill ac englyn, wrth ei fodd yn gweld ei ŵyr yng nghanol y beirdd, ac yn cael ei gyfarch a'i groesawu.

Pobl Cymru a'i dilladodd ar gyfer y gorseddu yng Nghaergaint fis Chwefror 2003. Gwnaed y fantell a'r clogyn yng Nghymru gan grefftwyr yn ei famwlad, dynion a merched a gynrychiolai'r De, y Gorllewin y Gogledd a'r Dwyrain. Talwyd am y wisg gan Gymro hael o'n plith a ddymunai fod yn ddienw, ac fe nyddwyd y defnydd ym Mynwy, o fewn ei esgobaeth gyntaf. Pan ddaw dydd ei ymddeoliad, fe ddaw'r wisg hon yn ôl i Amgueddfa Genedlaethol Bywyd Cymru, a'i harddangos yno i atgoffa plant y dyfodol o'r bennod hon yn hanes ein cenedl.

Rhiannon, sy'n enwog am ei gemwaith a merch y diweddar Athro Jac L. Williams, Cymro i'r carn ac Eglwyswr pybyr, a greodd y clasp sy'n dal y gwisgoedd ynghyd. Trwy osod draig wen y Saeson a draig goch y Cymry i wynebu'i gilydd yn heddychlon wrth groes Caer-gaint, awgrymir bod yr Archesgob o Gymru yn mynd i arwain y ddwy wlad, wedi canrifoedd o wrthdaro, i gymod a heddwch.

HEDDWCH BREGUS

Cydnabod ei holl wasanaeth i Gymru a wnâi'r Orsedd, yn ôl yr Archdderwydd Robyn Léwis yn *Enfys*, a chyfeiriodd at uchel swydd Ap Neirin, 'ei ysgolheictod a'i gynnyrch llenyddol sylweddol'. Roedd y Cymry'n gofidio'n fawr eu bod yn gorfod ei ollwng, meddai'r Archdderwydd: 'Mae'n haeddu hyn, ond fe deimlwn ni bod ei angen yma'.

Ond, fe ddefnyddiodd y wasg Seisnig yr achlysur dedwydd hwn i'w genedl i fwrw sen ar y seremoni, ac i fychanu ymdrech ei bobl ei hun i gydnabod ei athrylith a'i wasanaeth i'w genedl oedd ar fin ei roi ar fenthyg i fod yn fugail miliynau o bobl Crist ar draws y byd. Fe'i cyhuddwyd o eistedd ac o sefyll gyda phaganiaid! Ac roedd yr Efengylwyr yn uwch eu cloch na'r beirniaid oll.

Llywydd 'Reform', nythaid o Efengylwyr selog yn ne-ddwyrain Lloegr a brotestiodd y tro hwn, sef y Parchedig Angus MacLeay, enw sy'n awgrymu'i fod yn Albanwr o ran tras. Byddid yn disgwyl iddo wybod mwy am ddefodau a breuddwydion y Celtiaid, ond dyma a ddywedodd: 'Hyd yn oed os gwêl y Cymry Cymraeg eu hiaith hyn oll fel peth diwylliedig fe ymddengys yn beth paganaidd iawn. Gwelwn yma bobl sy'n eu galw'u hunain yn dderwyddon, wedi'u gwisgo mewn gwyn, yn mynd i mewn i gylch o gerrig, yn adrodd gweddïau heb ynddynt gyfeiriad at Iesu'. O'r un gwersyll daeth cyngor i'r Archesgob oddi wrth offeiriad arall, gan ei annog i 'ganolbwyntio ar ddathlu a hybu'r ffydd Gristnogol'.

'A oes heddwch?' Mi oedd, o gwmpas y Maen Llog. Ond, roedd arwyddion amlwg fisoedd cyn ei orseddu yng Nghaer-gaint na châi'r Archesgob, boed mewn du neu wyn, y derbyniad a deilyngai gan garfan gref o Anglicaniaid ceidwadol.

Atebwyd yr Albanwr o dras gan y Cymro a urddwyd. Yn ddi-flewyn-ar-dafod fe ddywed mai un o'r anrhydeddau mwyaf y gallai Cymru ei chynnig i un o'i dinasyddion oedd hon. Ac un peth da a ddaeth o'r urddo hwn yn Nyfed, oedd fod llifeiriant o gwestiynau wedi'u codi gan bobl oedd yn byw y tu hwnt i Glawdd Offa nad oeddent yn gwybod dim am arferion yr Orsedd, ei tharddiad a'i phwrpas. Ac fe roddwyd i Archesgob Cymru ei gyfle i wneud ei safiad ac i ddatgan ei siom bod y fath anwybodaeth ymysg pobl a ddylai wybod mwy am y Cymry a'u harferion.

Teimlai fod ymateb y wasg Brydeinig wedi bod yn wrthun a sarhaus. 'Fe'm tristawyd bod lefel mor isel o ddealltwriaeth yn mynnu loetran, gan amharu ar un o ddigwyddiadau diwylliannol Cymru. Fe'm brifwyd gan eu honiad bod yr Orsedd a minnau'n baganaidd'. Ni allai un sydd â chanfyddiad eang o werth ac ystyr gair, darlun a delwedd ddygymod â chulni pobl sy'n fodlon ar un ffenestr hirgul yn eu bywydau. Yna rhoddodd wers fach geryddgar i'r newyddiadurwyr a'u cefnogwyr: 'Defnyddir y gair derwydd oherwydd bod gan Iolo Morganwg ym 1792, pan sefydlwyd Gorsedd y Beirdd, ffantasi bod Prydain hynafol cyn dyddiau'r Rhufeiniaid, y Sacsoniaid a'r Saeson yn wlad lle roedd gan y derwyddon uchafiaeth, nid yn yr ystyr grefyddol, ond fel arweinwyr eu cymunedau'.

Am ysbaid, bu gosteg! Roedd llais y Cymro a fyddai'n eistedd ym mhrif gadair Lloegr ac wedi sefyll dros hawliau a hen arferion ei famwlad wedi cerdded ymhell.

Y prynhawn hwnnw, cefais y fraint o eistedd wrth ei ymyl ar lwyfan y Pafiliwn yn ystod Seremoni Coroni'r bardd. Llanwodd ei lygaid a'i galon o lawenydd pan welodd 'un o'n bechgyn disglair ni', y Prifardd Aled Jones Williams, yn codi ar alwad y Corn Gwlad. Yn ôl yr arfer, gwag oedd y Corn Hirlas, ond roedd ffiol y derwydd newydd yn llawn!

Cyn iddo adael yr Eisteddfod, rhoddwyd iddo gyfle unwaith yn rhagor i bregethu yn yr Eglwys Gadeiriol gyfagos yn Nhyddewi. Dewisodd 'Weddi'r Orsedd' fel testun, fel petai am gynnig cenadwri i'r rhai fu'n ei gystwyo. Os oedd yr Efengylwyr Ceidwadol o'r tu hwnt i Glawdd Offa, pobl fel Angus MaCleay na allai guddio'u teimladau gwrthwynebus tuag ato cyn iddo hyd yn oed adael Cymru, yn tybio na allai dim daioni fod rhwng meini'r Orsedd, roedd Crist y Goleuni yn bresennol rhwng muriau'r hen Gadeirlan. Yn ei chyffiniau y dewisodd ein nawddsant Dewi gyflawni'r 'pethau bychain', a chadw'r ffydd. Ac ymhen rhai misoedd, byddai Archesgob Cymru yn Archesgob Caer-gaint, ac yn cyflawni'r un goruchwylion mewn maes tipyn ehangach.

RHYWIOLDEB FYDD Y BWMERANG

Â'i wreiddiau yng Nghymru, roedd yn amlwg fod Esgob Rhydychen, Richard Harries, yn awyddus iawn ers rhai blynyddoedd i weld Archesgob Cymru yng Nghaer-gaint. Ef a ddywedodd y byddai'n rhaid apwyntio 'cawr deallusol' i gymryd at y cyfrifoldeb o dywys yr Eglwys Anglicanaidd i mewn i'r ganrif a'r mileniwm newydd. Ym marn golygydd y *Church Times*, papur yr Anglicaniaid, angen ei eglwys oedd gŵr a allai arwain Eglwys Loegr i amlygrwydd unwaith eto, un a roddai iddi awdurdod a gofod ymysg ei phobl. Archesgob Cymru oedd ffefryn yr aelodau hynny o fewn y Blaid Lafur, ac iddynt hwy, ef oedd y dyn i ddatgan ei farn ar faterion fel addysg a chyfiawnder i'r tlawd. Apeliai ei ddiwinyddiaeth, ei ddeallusrwydd a'i ddoniau amlwg at y Prif Weinidog, Mr Tony Blair, a gwelai ef yn ŵr diogel i arwain ei gyd-esgobion, y doethaf i fod y blaenaf ymysg ei gydradd.

Fel y gwelwyd, roedd Rowan Williams wedi ennill ei blwyf a'i dalaith fel Esgob Mynwy ac Archesgob Cymru. Ym 1996, cytunwyd i ordeinio merched yn offeiriaid yng Nghymru, a buan y gwelwyd mor ddeheuig oedd yr arweiniad a roddwyd gan Esgob Mynwy. Ym 1998, cymerodd ran flaenllaw eto yng Nghynhadledd Lambeth, a llwyddo i gynnal trafodaeth ddoeth ar fater rhywioldeb, testun llawer ysgarmes a fyddai'n dychwelyd fel bwmerang i'w boeni ym mlynyddoedd cynnar y mileniwm newydd. Gwnaeth ei anerchiad ar y modd i wneud penderfyniadau moesol argraff fawr. Mewn cadair yn llywyddu ac ar ei draed yn llefaru, amlygodd ddeunydd dyn a allai arwain eglwys hynafol dros drothwy canrif newydd.

Sylwodd golygydd y *Spectator* ar ei feistrolaeth ar iaith, ac ar ehangder a dyfnder ei ddealltwriaeth o Gristnogaeth a chyfoeth ei chenadwri i ni mewn dyddiau o ddiflastod. Meddai'r golygydd:

Daw'r Dr Williams o gefndir anghydffurfiol Cymreig, ac yn rhai o'i sylwadau ceir ambell awgrym o ddiffyg amynedd y Celt gyda hierarchaeth a chyda phobl sy'n tybied eu bod yn bwysig oherwydd eu bod yn dal safle o bwys. Nid yw'n ymddangos bod unrhyw berygl ar hyn o bryd i'r Archesgob ei hun syrthio i'r fath fagl.

Y Cymro hwn oedd y cyntaf a ddewiswyd o'r tu allan i Loegr i arwain yr Eglwys Anglicanaidd. Fe'i dewiswyd er gwaethaf y ffaith ei fod yn Gymro. Roedd ei allu a'i ysbrydoledd, ei boblogrwydd a'i ostyngeiddrwydd yn huawdl o'i blaid. Ni allai'r un clic diwinyddol ei wrthod oherwydd ehangder ei weledigaeth a gwyleidd-dra amlwg y bersonoliaeth dangnefeddus ac enillgar.

Roedd yn amlwg ar y pryd nad ef oedd dewis George Carey i'w ddilyn yng Nghaer-gaint. Bu'r hanesyn amdano yn ei rwystro i gael esgobaeth Southwark ym 1998 yn destun aml sgwrs yn y wasg a'r Eglwys Wladol. Pan ddeallodd yr Archesgob Carey mai'r Dr Rowan Williams, a arddelwyd gan wersyll y diwinyddion Rhyddfrydol, oedd dewis cyntaf Comisiwn Apwyntiadau'r Goron, fel olynydd iddo, penderfynodd ei rwystro. Fel Archesgob Caer-gaint ar y pryd, roedd ganddo fys yn y brywes. Yn ôl Damian Thompson yn y *Spectator* (25 Hydref 2003), roedd y Dr George Carey yn poeri cynddaredd pan argymhellwyd apwyntio'r Cymro. Ei ffefryn ef oedd Esgob Rochester, Michael Nazir-Ali, gŵr croenddu, sef ceidwadwr o'r gwersyll efengylaidd, ac o esgobaeth lle mae 'Reform', mudiad ceidwadol ac efengylaidd, yn gryf.

Trwy gydol y canrifoedd cododd pleidiau o fewn i'r Eglwys Gristnogol, ac mae'r sawl sy'n gyfarwydd â'r efengylau ac â'r epistolau, yn cofio na allai Iddewon a chenedl-ddynion gytuno â'i gilydd yn nyddiau Iesu a'r apostolion. Mae gan Iddewon ddywediad hyd y dydd hwn: 'Rhowch ddau Iddew ynghyd, fe gewch farn y ddau ar fater, ond byth gytundeb ar ddim!' Ac er gwaethaf ymdrechion Cyngor Jerwsalem (Actau 15), ac apêl arweinwyr gorau'r eglwys yn y ganrif gyntaf, ymbleidio a wnâi Corff Crist. Ond yng nghanol y tyndra a fodolai rhwng Iddewon a chenedl-ddynion, fe ddigwyddodd gwyrth: gwreiddiodd ac eginodd Cristnogaeth yn ddwfn ac ymledu trwy'r byd.

Yn ei lythyr cyntaf at y Corinthiaid, mae Paul yn cyfeirio at hyn ac yn enwi'r sectau oedd yn yr eglwys yno (I Cor. 3:1-10). Mae'n apelio atynt i gymodi a byw'n gytûn fel y dylai aelodau o gorff Crist. Fel aelodau o fudiad diwygiadol o fewn i Iddewiaeth, ceisiai Paul ddangos iddynt ffordd Iesu o fyw – 'ffordd ragorach fyth' (I Cor. 12:31b). Yna daw'r bennod fawr (pen. 13) sy'n diffinio mewn clasur o emyn y cariad sy'n cyfannu, o'i ddilyn. Ac meddai'r apostol, 'Dilynwch gariad yn daer . . .' (14:1).

Yn y cyswllt hwn, mae astudiaethau Gerd Theissen yn arbennig o werthfawr a'i gyfrol, *Social Reality and the Early Christians* (T. & T. Clark), yn taflu llawer o olau ar ddysgeidiaeth yr Archesgob Rowan ar seicoleg y gymuned Gristnogol a'i dyletswyddau cymdeithasegol a gwleidyddol yn y byd sydd ohoni. Ymchwiliodd y ddau yn ddyfal i batrymau bywyd yr eglwys a'i dysgeidiaeth yn y ganrif gyntaf ac yn y canrifoedd cynnar. Gwelwyd yn y cyfnod hwnnw y gallai'r eglwys gefnu ar y byd, a thra'n disgwyl yr ailddyfodiad, ei anghofio. Ond, wedi i Gystennin Fawr dderbyn y ffydd Gristnogol a'i gwneud yn grefydd yr Ymerodraeth, fe orfodwyd yr eglwys i ddychwelyd i'r byd a Christnogion i fod yn furum ac yn halen yn y gymdeithas.

Fel yn ein dyddiau ni, cymdeithas gymysg a chymysglyd oedd hon. Gellir dychmygu mor fawr oedd y gwrthdaro o fewn yr eglwys ei hun, man cyfarfod caethweision ac uchelwyr, crefftwyr a milwyr, cenhadon a masnachwyr. Roedd cyd-fyw mewn cymdeithas gosmopolitan ac aml-hiliol yn hanfodol yn yr hen fyd, ac mae'n angenrheidiol o hyd yn ein byd cyfoes. Mae'r Athro Theissen a'r Archesgob Rowan yn unfryd bod yn rhaid i'r eglwys fod yng nghanol pob gwrthdaro sydd o'n cwmpas, yn gweld ei chyfle ym mhob anghydfod ac argyfwng i liniaru'r dolur a'r gofid, ac i gynnig meddyginiaeth. Swyddogaeth bwysig eglwys greadigol a chariadus yw integreiddio, cywiro, atgyweirio a dangos ffordd ragorach y trawsnewid sy'n bosibl yng Nghrist. Gall y bywyd ysbrydol, gweddi, defosiwn a mawl ein cynorthwyo i gystwyo'n cymdeithas yn ysbryd cyfrol iachusol Rowan Williams, *Lost Icons*, cyfrol o fyfyrdodau ar y naw degau, sef ei ddegawd yng Nghasnewydd.

Ond mae rhybudd yng nghyfrol yr Athro Gerd Theissen y gall anghydfod yn aml fynd yn rhy ddwfn i'w godi i'r wyneb. Disgrifir anghydfodau o'r fath ganddo fel rhai 'wedi'u rhewi', anodd i'w dadlaith. Fel arfer hen anghydfodau ydynt wedi ymgaledu mewn sefyllfaoedd o wrthdaro a thyndra rhwng aelodau o blith y gwahanol ddosbarthiadau yn y gymdeithas. Cynnyrch hen frwydro hir am yr ychydig gyfleusterau sydd ar gael mewn bywyd i'r mwyafrif o blant dynion yw llawer anghydfod. Ac o fewn i system hierarchaidd Anglicaniaeth, a all fod yn fagwrfa i'r anghydfodau hyn, mae'n fwy anodd yn sicr i ddileu eiddigedd a malais.

Ac yntau'n Gymro, fe ŵyr y Dr Rowan Williams beth yw sectyddiaeth ac enwadaeth, ac am y methiant parhaus o fewn yr eglwysi yng Nghymru i fyw'n gytûn. Yn ystod ail hanner y ganrif ddiwethaf, gwelwyd cau cannoedd o gapeli yn ei famwlad, a gwanychodd Anghydffurfiaeth yn ddirfawr. Tra mae'r enwadau'n edwino, mae ysbryd ymrannu'n parhau, ac mae rhyw garfan gyfiawn yn rhywle o hyd yn barod i brynu'r adeilad diwethaf i ddod ar y farchnad.

Yn y blynyddoedd a fu, byddai arweinwyr yr Eglwysi Rhyddion yn edliw i aelodau'r capeli mor unol oedd yr Anglicaniaid. I'r enwadau, corff cynhwysfawr mewn ystafell helaeth oedd yr Eglwys Anglicanaidd, ac ynddi le a chyfle i'w haelodau anghytuno, a'r awyrgylch heddychlon hwnnw yn help i'r aelodau dyfu mewn deialog a dadl. O'i mewn byddai ffrindiau da yn rhannu'r ffydd, ac yn cytuno i anghydweld ac i gydaddoli. O'i mewn roedd gwir oddefgarwch, a'r brwd a'r llugoer, y selog a'r mympwyol yn cydweithio. Ond, erbyn hyn, mae anniddigrwydd ac ymbleidio yn Eglwys Loegr, ac fe gymerodd y Dr Rowan Williams at y cyfrifoldeb o arwain y miliynau Anglicaniaid ledled y byd yn y fath awyrgylch.

Oddi ar ei benodi i fod yn Archesgob Caer-gaint, bu nifer o raglenni, ar y radio a'r teledu, yn trafod safbwynt y gwahanol bleidiau, a'r rhai nad ydynt yn hyddysg mewn diwinyddiaeth yn ceisio dirnad i ba blaid y perthyn yr Archesgob. Yn ddiamheuol, mae ei wreiddiau fel Anglican yn y traddodiad hwnnw a welodd ac a brofodd yn Eglwys yr Holl Saint, Ystumllwynarth. Fe'i meddiannwyd yno gan Anglo-Gatholigiaeth, ac fel pob Ucheleglwyswr, mae'n dilyn ei fod yn bur geidwadol mewn llawer cyfeiriad.

Serch hyn, mae ei gyfeillion pan oedd yng Nghaer-grawnt a Rhydychen, llawer ohonynt yn ysgolheigion ac yn dysgu diwinyddiaeth, yn ei ystyried yn ŵr Rhyddfrydol ei feddwl a'i ysbryd. Ymwelodd â Jerwsalem yn ystod Gorffennaf 2002, ac yn ystod ei ymweliad â man y geni ym Methlehem, clywodd Paul Vallely, sy'n ysgrifennu yn *The Independent*, ei sylwadau defosiynol yn yr ogof. Câi Vallely hi'n anodd i gredu y gellid dweud yn sicr, 'dyma'r fan a'r lle'. Ond er ei amheuon ni allai lai na rhyfeddu at osgo weddigar y Cymro, na pheidio â gwrando'n astud arno. Meddai gŵr y wasg, 'But in the grotto I was awed . . . by the power of his intellect as he gently unpacked my reactions'. Ac mae'n ychwanegu, 'Fe allai ei fethodoleg fod yn rhyddfrydol berffaith, ond roedd y diweddglo yn un o uniongrededd cynnil'.

Mae sylw'r Dr Nicholas Lash, un a fu'n Athro Diwinyddiaeth yng Nghaer-grawnt am flynyddoedd, yn un cofiadwy yn y cyswllt yma o geisio rhoi label ar un a fu yn yr un Adran. A dyma sylw'r Athro: 'Nid oes dim ystyr i'r term "rhyddfrydol" o'i osod arno ef'. Ac yn dilyn hyn fe ddywed, 'Ef yw'r diwinydd gorau ym Mhrydain ac mae'n drwyadl uniongred. Ond fe ddi-gristioneiddiwyd cymdeithas mor gyflym, ychydig iawn o bobl sy'n gwybod beth yw Cristion uniongred. Gwell ganddynt gredu'r hyn a ddywed ychydig o Efengylwyr eithafol wrthynt'.

Y garfan efengylaidd yw'r unig un sydd ar gynnydd, ac mae'n bwerus. Amlygwyd ei grym adeg y brotest chwyrn yn erbyn enwebiad y Dr Jeffrey John i fod yn Esgob Reading. Ymhlith y selogion hyn mae llawer o bobl hael eu cyfraniadau, croesawgar a pharod eu cymwynasau. Bydd y sawl sy'n gyfarwydd â rhai o lyfrau'r Parchedig John Stott ac erthyglwyr cyson *The Third Way* yn gwybod am eu gwaith cymdeithasol ac am eu hawydd i fod yn effro i anghenion y Trydydd Byd.

Ond tuedd yr Efengylwyr ceidwadol yw bod yn or-awdurdodol, ac fe gwyd hyn o'u dehongliad hwy o'r Beibl, a'u pwyslais ar awdurdod y Gair. Os bydd lleisiau'n tynnu'n groes iddynt ac yn ymwrthod â'u safbwynt, maent yn bygwth atal eu cyfraniadau hael. A hyn a ddigwyddodd yn yr esgobaethau o gwmpas Reading. Prin bod angen dweud na ellir dychmygu'r Archesgob, sy'n uwch ei statws cymdeithasol na'r Prif Weinidog yn ôl yr haneswyr, yn awdurdodol a thrahaus. Bydd yn manteisio ar bob cyfle i gymell pobl i ddarllen y Beibl, a bydd yn ei ddefnyddio'n ddiarbed fel awdur, darlithydd a phregethwr. Cynseiliau cwbl feiblaidd sydd y tu cefn i'w weledigaeth ddiwinyddol fawr. Nid yw'n peidio â galw'n gyson ar bawb ohonom i droi at Dduw, yn edifeiriol am ein pechodau, ac i 'ddychwelyd a byw'. Fodd bynnag, mae'r Efengylwyr ceidwadol hynny a fu'n cyhoeddi pamffledi a llythyrau yn y wasg i wrthwynebu'i apwyntiad ar dir diwinyddol, yn amlwg heb weld mai'r un yw ei alwad am drawsnewid pob dim â'r alwad honno yn y Testament Newydd am fyd newydd ac am aileni neu adnewyddu pob enaid byw.

EGLWYS LOEGR A'R TRI CHYMRO

Gallai'r tri chyfenw Harries, John a Williams fod ar blac ar swyddfa cwmni o gyfreithwyr, neu ar fur meddygfa brysur yn Ne Cymru. Ond enwau tri gŵr Parchedig a gafodd amlygrwydd yn hanes diweddar yr Eglwys Anglicanaidd ydynt, cyfenwau tri Chymro a fydd yn aros yng nghofnodion Eglwys Loegr am flynyddoedd i ddod.

Do, bu ffrwgwd ffyrnig ac anghydfod hir wedi i Esgob Rhydychen, Richard Harries, enwebu'r Dr Jeffrey John yn esgob cynorthwyol iddo yn esgobaeth swffragan Reading. O fewn mis neu ddau i'w orseddu yn Archesgob Caer-gaint, tynnwyd y Dr Rowan Williams i ganol y ffrae, a chafodd amser anodd yn unioni'i aradr ac yn torri'i gwysi cynnar. Fe'i cyhuddwyd gan yr Efengylwyr ceidwadol o fod yn rhy barod i gydymffurfio â diwylliant a meddwl ei ddydd, ac o ildio i'r garfan ryddfrydol a fynnai ordeinio pobl hoyw. Fe'i beirniadwyd yn hallt am fethu â rhoi ei ddwy droed yn gadarn ar lawr, a rhoi pen ar y mwdwl cyn iddo dyfu'n das. Aeth yn gweryl ffiaidd, gan adael chwerwedd a chreithiau ar eglwys a fu'n enwog am ei goddefgarwch a'i boneddigeiddrwydd. Cyn iddo adael Casnewydd a Chymru, a'r corwynt hwnnw o werthfawrogiad yn ysbrydoliaeth iddo, roedd galwadau arno, yn y wasg ac yn y domen o lythyrau creulon a dderbyniodd, iddo newid ei feddwl a gwrthod y gwahoddiad i Gadair Caergaint. Rhai misoedd wedi iddo dderbyn y gwahoddiad, mae'n ysgrifennu yn y *Church Times* (29 Tachwedd 2002), 'Rwy'n credu fy mod wedi dysgu cryn dipyn na wyddwn amdano cyn hyn am yr eglwys. Mae 'na dipyn o waed ar fy wyneb'. Anglicaniaid oedd yn dehongli'r Beibl mewn ffordd wahanol iddo ef, Dr Jeffrey John, a'r Esgob Harries, oedd yn cario'r cyllyll hirion.

Erbyn hyn, fe ymddeolodd Richard Harries, a thalwyd teyrnged haeddiannol iddo gan yr Archesgob ar 15 Tachwedd 2005 yn y Synod yn Llundain. Cyflawnasai ddeunaw mlynedd o waith caled ac amrywiol yn Rhydychen, a thrwy gydol ei fywyd ysgrifennodd yn agos i ddeugain o lyfrau a darlledu'n rheolaidd. Yng ngoleuni'r helynt a gododd yn dilyn enwebu'r Dr Jeffrey John, mae diolch yr Archesgob iddo am un agwedd ar ei holl waith fel pwyllgorddyn yn arwyddocaol. Dyma ddywed y Dr Rowan Williams: 'Mae'n haeddu medal am gadeirio dros ddeg ar hugain o gyfarfodydd y grŵp ar Faterion Rhywioldeb Dynol, ac am y gwaith anferthol o greadigol a gyflawnodd yn y maes hwn'. O ystyried hyn oll, a'r ffaith ei fod wedi arwain y grŵp yma i drafod cyfunrywiaeth mewn dyfnder, gan wybod, fel yr Archesgob, bod y Dr Jeffrey John yn hoyw, a chan edmygu'i ysgolheictod a'i ddawn i esbonio a phregethu, rhaid ei fod yn gwybod yn sicr iddo ddewis y dyn iawn i'r swydd. Ni ellir derbyn ei fod wedi dewis esgob cynorthwyol i esgobaeth mor fawr a chanolog i brofi iddo'i hun, i'r grŵp ac i'r Anglicaniaid fod pobl hoyw'n dderbyniol yn Eglwys Loegr. Ffwlbri noeth oedd yr honiad hwn a ddaeth o wersyll yr Efengylwyr. Iddo ef, y Cymro oedd yn Ganon yn Southwark oedd y seren ddisglair ar y rhestr o bedwar, a'r union ddyn i fugeilio bro oedd yn ffino â'r M4. Hoffai'r Dr Rowan Williams ei ddewis, fel y gwnâi Esgob Southwark, ac addawodd yr Archesgob ei gysegru petai'n cael ei ddewis. Ond, nid oedd pawb ar y bwrdd apwyntio yn gwbl gysurus. Roedd si yn eu plith fod y Dr John o Donyrefail a'r Dr Rowan o Ystumllwynarth yn rhannu rhai syniadau na fyddai'r Efengylwyr ceidwadol yn medru eu derbyn. Roedd hyn yn dristwch o gofio bod parch mawr i'r Canon Jeffrey John ymysg yr Efengylwyr yn esgobaeth Tom Butler, yn Southwark. Ond roedd adlais o'r anerchiad a draddododd Jeffrey John yng Ngholeg Keble, Rhydychen, rai blynyddoedd ynghynt, wedi'i godi gan rai na fyddai'n bleidiol iddo. Ar droad y ganrif yn Keble, rhannodd ychydig friwsion o'i hanes yn nedwyddwch ei gyfeillgarwch gyda'r un partner ffyddlon am dros ugain mlynedd, a gresynu na allai'r eglwys ddygymod â'r ffaith bod pobl o'r un tueddfryd rhywiol yn medru cyfoethogi'u bywydau ynghyd.

DWY DDARLITH NAD AETH YN ANGOF!

Talodd Jeffrey John bris uchel am ei onestrwydd yn awgrymu bod llawer yn byw celwydd. Ond, roedd ef a'i bartner hyd y dydd hwn yn ddiwair, ac wedi gwneud llw i barhau'n anghydweddog. Roedd cael gafael ar yr anerchiad hwn gan rai newyddiadurwyr yn y garfan Efengylaidd yn fêl ar fysedd eu cyfeillion mwy ceidwadol, nifer ohonynt yn esgobion a fu'n disgwyl y dydd i gau'r llenni ar goelion pobl a feddiannwyd gan y diafol ei hun. Galwodd yr Efengylwyr pybyr ar y Dr Jeffrey John i edifarhau. Ond am beth? Onid oedd wedi egluro bod ei berthynas gyson a'i gyfeillgarwch diysgog â'i bartner yn ddiwair ac yn ddedwydd? Ond, roedd ei wrthwynebwyr yn hau hadau dial gan ddefnyddio'r rhyngrwyd a phob technoleg oedd yn bosibl i chwalu unwaith ac am byth yr hyn a welent hwy yn nyth o annuwioldeb. Ac erbyn hyn, roedd y tri Chymro yn derbyn llythyrau a negesau cas o bedwar ban y byd. Roedd esgobion o'r Affrig yn uchel eu cloch a'u protest, ac Akinola, Archesgob Nigeria, yn bygwth tân a brwmstan. Ni ddaeth i ystyriaeth yr archesgobion a'r esgobion o'r Affrig fod rhai o'u diadelloedd hwy yn caniatáu amlwreiciaeth. Yn hytrach, dal ati a wnaeth y rhain i fygwth hollt, a gadael yr 'hen fam' oni fyddai Archesgob Caer-gaint yn rhwystro'r anfadwaith oedd ar ddigwydd ym Mhrydain, ac a fyddai'n digwydd cyn pen ychydig fisoedd yn yr Unol Daleithiau.

Blwyddyn neu ddwy ynghynt, ym 1989, roedd y Dr Rowan Williams wedi cyflwyno darlith ar ryw, traethiad arall a fu'n destun siarad yng ngwersyll yr Efengylwyr, yn enwedig wedi'r helyntion ynglŷn â mater ordeinio hoywon i'r offeiriadaeth. Yn 2002, ychydig fisoedd cyn gorseddu'r Archesgob yng Nghaer-gaint, a chyn enwebu'r Canon Jeffrey John i fod yn Esgob Reading, roedd Mudiad Cristnogol y Lesbiaid a'r Hoywon, ar y cyd â'r Sefydliad i Astudio Cristionogaeth a Rhywioldeb, wedi cyhoeddi ail agraffiad o *The Body's Grace*, y ddarlith a fyddai'n cael ei hastudio gan bobl a fyddai'n rhoi'r argraff nad oedd rhyw yn bod. Tua'r adeg hon y dechreuwyd enwi'r Dr Williams fel olynydd i'r Dr George Carey, ac roedd y ddarlith yn her i'r gwrthwynebwyr i hela ysgyfarnogod. Adroddwyd yn y wasg bod Archesgob Cymru, cyn iddo dderbyn gwahoddiad i Loegr, wedi ordeinio gŵr hoyw i'r offeiriadaeth! Roedd y tanwydd yn barod ar gyfer y fflamau a gyneuwyd gydag enwebiad y Canon John i Reading. Wedi i'r Anglicaniaid yn yr Unol Daleithiau ddyrchafu'r Canon Gene Robinson yn Esgob New Hampshire, roedd y goelcerth yn barod. Gŵr a adawodd ei briod a'i ddwy ferch i fyw gyda'i bartner hoyw oedd Gene Robinson, ond fe'i gorseddwyd gan ei gefnogwyr er i Archesgob Caer-gaint a nifer o'i gyd-Archesgobion a alwyd ar frys i Lambeth ofyn i'r Americanwyr a'r Eglwys Anglicanaidd yng Nghanada am yr ufudd-dod arferol.

Nid yw'r llyfryn a gyhoeddwyd am yr ail dro yn 2002 yn faith, ond mae ei gynnwys yn rhy drwm i'w grynhoi yma. Ymgais a geir ynddo i gynnig moeseg rywiol mewn byd o gyfnewidiadau. Os yw'r byd i'w drawsnewid, rhaid i ni gyfnewid syniadau a thrin a thrafod oblygiadau byw mewn diwylliant cwbl wahanol i ddiwylliant ein teidiau a'n neiniau. Fe gofiwn i ni drafod ei syniadau am y Drindod, ac am y cariad sy'n bodoli o fewn i gymdeithas y Tri yn Un. Mae'r Tri yn ymddifyrru yn ei gilydd, ac yng nghymdeithas ei gilydd yn chwennych bod yn Un yn y cariad dwyfol. Yn yr Eglwys, Corff Crist, mae'r aelodau yn dyheu am gariad Duw, ac am Dduw yn ymestyn allan atom. Gras yw hyn, ac mae'r gair Saesneg 'grace' wedi awgrymu brawddeg yn y Saesneg sy'n diffinio gras fel y gwêl yr Archesgob ef, sef awyddfryd Duw i'n gwneud yn eiddo iddo'i hun – 'God reaching all creatures everywhere'. A dyma fan cychwyn y dehongliad gwreiddiol, ond anodd i'w ddilyn a'i grynhoi.

Rhaid bod yr Archesgob a urddwyd yn yr Eisteddfod ym Mhenfro wedi mynd, heb ei wisg wen, ar ei union i Uganda. Yno yn y Brifysgol ar 9 Awst 2002 cafodd glyweliad a gofynnwyd iddo gwestiwn amserol iawn gan Is-Ganghellor y coleg. 'Sut yr ydych chwi'n gweld cyfunrywiaeth?' oedd cwestiwn y Dr Stephen Noll. Mae'n amlwg nad oedd yn disgwyl y cwestiwn, ond gan ei fod yn gwestiwn sydd ar feddwl pobl, mae'n ateb yn ôl ei arfer yn gwrtais. A dyma a ddywedodd ym Mukono:

> Yr hyn a wynebwn yn y byd yn gyffredinol ar y foment hon yw diwylliant sydd wedi gwirioni ar ryw, o leiaf yn y Gorllewin, lle mae cwestiynau rhywiol wedi dod yn rhai o'r pethau pwysicaf a'r mwyaf diddorol ym mywydau pobl. Ac mae hyn yn drueni ar ryw ystyr. Mae yna bethau pwysicach a mwy diddorol i feddwl amdanynt. Ac oherwydd hyn, mae'r iaith a ddefnyddir gan bobl i siarad am rywioldeb yn gwahaniaethu mwyfwy. Cymerir yn llai a llai caniatâol yng nghymunedau'r byd o gwmpas Gogledd yr Atlantig y pethau a gymerir yn ganiatâol gan bobl yn y cymdeithasau traddodiadol. Mae siarad ar

212

draws yr agendor hwn yn anodd ac yn mynd yn anoddach. Yr ydym yn deall ein gilydd lai a llai. Yr ydych yn hollol gywir, mae goblygiad cenhadol yn hyn. Nid materion yw'r rhain sy'n digwydd bod ymhell i ffwrdd mewn gwledydd eraill. Mi wn fod y materion hyn wedi mynd yn eich gwlad chwi yn faterion ymarferol ac yn faterion brys. Ac mae a fynno hyn â'r ddeialog sydd rhwng y crefyddau, lle mae Moslem yn medru edliw: 'Wel, mae gennych chwi'r Cristnogion addysg sy'n llac ynglŷn ag ymddygiad', ac maent yn dweud hyn. Fel hyn rwyf fi'n gweld pethau. Yn gyntaf, ystyriaeth ddiwinyddol bersonol – rwy'n tanlinellu'r gair 'personol' – yw bod llawer o'r hyn a ddywedwyd trwy'r canrifoedd gan yr Eglwys am ymddygiad cyfunrywiol braidd yn annigonol i gyfarfod â'r hyn a ddeallwn ni yn awr. Dyna fy marn bersonol i. Nid dyma farn y Cymundeb Anglican-aidd, na'r mwyafrif o fewn y Cymundeb Anglicanaidd, na safbwynt y swm mwyaf o'r ddysgeidiaeth foesol ar hyd y canrifoedd. Rhaid i mi wahaniaethu'n gwbl glir rhwng y casgliadau y deuthum iddynt fel Athro diwinyddol a'r hyn a ddywedir yn ffurfiol gan yr Eglwys rwy'n perthyn iddi'n swyddogol. Ac rwy'n gobeithio'i bod yn bosibl o hyd i mi feddwl eto am y materion hyn a dweud: 'Wel, nid ydym yn gwybod yr holl atebion hyd yn hyn, nac yn cymryd arnom ar unwaith bod hwn yn un mater sy'n mynd i'n rhannu ni fel Cristnogion.' Dyma, mi wn, safbwynt go ddadleuol. Byddai'n dda gennyf petawn yn medru dweud o waelod calon fy mod yn medru derbyn pob agwedd ar y ddysgeidiaeth draddodiadol, a'm bod yn derbyn yn bersonol pob agwedd o'r hyn a gred pobl fy Eglwys. Ond ni allaf ddweud hyn o gydwybod. Byddai'n dda gennyf pe medrwn, ond ni allaf. Felly, fy ngobaith yw ymwrthod rhag gwasgu safbwynt o'r Amerig neu o Brydain na'r unlle arall ar unrhyw dalaith arall, ond canfod a allwn ni fynd rhagom gan siarad yn weddigar â'n gilydd, er mwyn gweld beth a ddysgwn.

Ni allai dwy garfan oedd mor wahanol yn eu daliadau, eu diwinyddiaeth ac, yn fwy na dim, yn eu dehongliad o'r Beibl, ganfod un arwydd o gytundeb. Yn ôl eu harfer, roedd yr Efengylwyr ceidwadol yn glynu wrth yr adnodau oedd yn condemnio pobl hoyw, sef Genesis 1:27 a 19:1-22, Lefiticus 18:22 a 20:13, Deuteronomium 23:17-18, Rhufeiniaid 1:26-27, 1 Corinthiaid 6:9-10. Mynnent ddiystyru unrhyw ymgais gan bobl eraill i esbonio'r hen destunau hyn yng ngoleuni'r cyfnod y'u cofnodwyd. Ac ni allent dderbyn bod seicoleg, geneteg a chymdeithaseg ein dyddiau ni yn rhoi unrhyw oleuni newydd ar gyfunrywiaeth. Ni allai 'pobl y Beibl', fel y'u galwant eu hunain, symud fodfedd dros ffiniau'r Ysgrythurau, ond â'u cribau mân buont yn chwilio am unrhyw wall yn esboniadaeth yr Archesgob. Ni ddaeth llwyddiant ar y llwybr hwn, er i'r rhai llymaf yn eu plith ddatgan ei fod 'in error', ac y dylai ymddiswyddo. Ei weld yn ddyn canol y ffordd yn wleidyddol a chymdeithasol a wnâi'r beirniad llai eithafol, ac anodd oedd tynnu'r Cymro, fel y gwnaed â'r cyn-Esgob David Jenkins, o'r gwersyll diwinyddol lle roedd yr uniongred a'r traddodiadol yn pabellu.

Mewn ateb i ymholiad Sue Lawley ar ei rhaglen am y modd y bwriadai ddatrys problem ei Eglwys gyda'r hoywon, roedd ateb yr Archesgob yn ategu'r farn gyffredinol mai mater o ddwy farn a mwy ar sut i ddehongli'r Beibl oedd yn megino'r ffrwgwd anffodus. Ar *Desert Island Discs* eglurodd nad oedd yn fwriad ganddo i roi'r mater ar ei raglen, heb sôn am ei wthio rhagblaen; byddai'n rhaid ei adael ar y bwrdd. Ychwanegodd, 'Bydd yn rhaid i ni feddwl amdano heb ormod o falais'. Fe'i gwêl yn fater o ystyried 'arwyddocâd y Beibl'. Gwell dyfynnu'i eiriau fel y'u clywyd ar y radio: 'And it is not for many people primarily about sex, it is about what you think of the authority of the Bible'.

JEFFREY JOHN A BEIRNIADAETH FEIBLAIDD

Ym 1991, mewn cyfrol o ysgrifau diwinyddol, cyhoeddodd y Canon Jeffrey John erthygl dan y pennawd 'Making Sense of Scripture'. Mae'n agor yn hunangofiannol, a thrwyddi mae'n ddifyr a diddorol. Mae'n rhwydd i'w darllen, ac yn allweddol i unrhyw un fyddai'n dymuno mynd yn ddyfnach i ddwy ochr y ddadl a gododd wedi iddo gael ei enwi i fod yn Esgob Reading. Ac fel aelod o'r grŵp fu'n gyfrifol, gyda'r Archesgob, am osod i lawr seiliau 'Affirming Catholicism', mudiad a'u cyplysodd yn ymenyddol ac yn ysbrydol, ac a barodd i rai amau doethineb Esgob Rhydychen yn enwebu'r Canon gan fod yr Archesgob Rowan ac yntau'n rhannu nifer o argyhoeddiadau diwinyddol tebyg fel Ucheleglwyswyr. Yn yr wyth degau bu'r ddau yn dadlau'n gryf o blaid ordeinio merched, a'r bennod ystormus honno oedd achlysur sefydlu 'Affirming Catholicism'. Diben y mudiad hwn oedd adnewyddu ac uno Eglwys Loegr a chael gwared ar y rhagfarn yn erbyn ordeinio merched a hoywon yn offeiriaid, ac i ddiogelu'r berthynas â Rhufain yr un pryd.

Ond yn ôl â ni at yr erthygl, a'r gwersi Ysgrythur yn Nhonyrefail. Mae'n onest a chlir yn ei gondemniad o'r dulliau o ddysgu'r Beibl mewn ysgolion uwchradd yng Nghymru. Cafodd ei ddysgu gan ddau o athrawon go wahanol. Mae'n cymryd stori porthi'r pum mil fel y wers oedd gan y ddau. Hen deip o flaenor ffwndamentalaidd oedd un, a phregethwr lleyg gyda'r Methodistiaid Calfinaidd. Fel y Dr Rowan Williams, magwyd y Dr Jeffrey John yn Fethodyn, ac erbyn iddo gyrraedd y pumed dosbarth, roedd y Beibl yn farw hoel iddo. Ond ni allod yr athrawes a gafodd yn yr un ysgol adfywio'r Beibl iddo. Ni fyddai hi'n ei ddysgu fel petai pob gair yn llythrennol wir. Cwtogi stori porthi'r pum mil a wnâi hi a thynnu ambell wers foesol ohoni. Roedd Iesu a'i ddisgyblion wedi gweld bod yn rhaid iddynt rannu'r bwyd oedd ganddynt rhwng y rhai oedd yn newynu. Nid hi oedd yr unig un fyddai'n defnyddio'r Beibl fel llyfr o storïau tylwyth teg i foesoli. Ac yntau'n un ar bymtheg, mae'n cefnu ar Ysgrythur fel pwnc, ac yn cefnu ar ei gapel a'i etifeddiaeth anghydffurfiol. Ymunodd â chynulleidfa Eingl-Gatholig gyfagos, a chael ei gonffyrmio.

Yn y Brifysgol, ac yntau'n ei baratoi ei hun am radd mewn diwinyddiaeth, daeth dan ddylanwad cyfareddol yr Athro Dennis Nineham a darllen ei esboniad ar Efengyl Marc a chael llawer mwy yn stori porthi'r pum mil. Profiad ffordd Damascus fu hyn iddo. Yn awr mae'n gweld mai creadigaeth lenyddol ac iddi bwrpas diwinyddol yw'r stori am borthi'r miloedd. Pwy yw Iesu o Nasareth, sydd newydd groesi Môr Galilea i roi bwyd i'r bobl? Moses ydyw a groesodd y Môr Coch i roi bwyd i'r Israeliaid yn y diffeithwch. Efallai bod Marc am i ni weld ei fod yn debyg i Elias, proffwyd yr anialdir. Yn Iesu, gwelir y Gyfraith a'r Proffwydi.

I'r Eingl-Gatholig, mae awgrym yn y stori mai'r gŵr o Nasareth oedd yr union un a ddisgwylid gan Iddewon i baratoi a rhoi iddynt y wledd dragwyddol, eschatolegol. Mae'r bobl yn eistedd ar borfa las, ac mae hyn yn awgrymu gwyrddlesni'r gwanwyn, a thymor y Pasg. Datgloir yn awr ddrysau newydd sy'n mynd â'r sawl sy'n astudio'r Beibl i ganol dirgelwch a chynnwrf ei fyd rhyfeddol. Mae'r cynnwrf yn un ysbrydol a deallusol, ac yn agor gorwelion fyrdd i un sy'n sychedig am fwy o wirionedd.

Fe roddodd beirniadaeth feiblaidd egni a bywyd yn ôl yn yr Ysgrythur i'r bachgen a fyddai'n cael ei gydnabod erbyn diwedd yr ugeinfed ganrif yn ysgolhaig o'r radd flaenaf yn y Testament Newydd. Bellach, byddai'n gweld mwy a mwy o gwestiynau'n codi o fewn cloriau'r Beibl a'r ysbryd ymchwilgar oedd ynddo yn galw arno i chwilio i ddyfnderoedd dyfnach y dirgelwch sydd yn y Gair. Roedd Jeffrey Philip Hywel John, y crwtyn a roddodd y Beibl o'r neilltu yn

Nhonyrefail wedi penderfynu, tra oedd yn Rhydychen, rhoi ei fywyd i'w ddarllen a chyflwyno eraill iddo. Yr un profiad a gafodd y bachgen o Ysgol Dinefwr yng Nghaer-grawnt, pan benderfynodd yntau adael iaith a llenyddiaeth Saesneg a dilyn Diwinyddiaeth. Roedd beirniadaeth feiblaidd ac ysgolheictod pobl fel Bultmann a Nineham, C.H. Dodd a W.D. Davies, yn rhoi arolwg newydd ac eang iddynt ar fywyd.

Hoffais yn fawr y cyfeiriad yn erthygl y Deon John at yr hanesyn hwnnw yn Numeri 15:32-36 am y creadur hwnnw o Iddew yn rhynnu yn yr anialwch ac yn mynd allan ar y Saboth i hel brigau i gynnau mymryn o dân i'w gynhesu. Fe'i gwelwyd gan rywrai, a'i roi yn y ddalfa. Yna, cyflwynwyd yr achos i Moses ac Aaron, a'i gondemnio i farwolaeth trwy daflu cerrig ato y tu allan i'r gwersyll. Ym 1991, mae'r offeiriad a godwyd yn Nhonyrefail yn medru chwerthin uwchben storïau fel yr un yn Llyfr Numeri, ac yn diolch bod y meddwl catholig eang yn caniatáu chwerthin iach! Dylid esbonio nad oes a fynno'r gair 'catholig' yma un dim â'r Eglwys Babyddol. Pobl sy'n credu mewn eangfrydedd ymchwilgar, ac wedi ym-wrthod â rhagfarn gibddall yw'r rhai sy'n perthyn i'r grŵp 'Affirming Catholicism'. Pobl ydynt sy'n tyfu i mewn i'r Beibl gan ddenu pobl i ystyried ei genadwri yn awr.

Dyma gyffes ffydd cefnogwyr 'Affirming Catholicism': 'Yr ydym yn dal nad rhywbeth sefydlog yw'r traddodiad Catholig ond peth byw, wedi'i wreiddio yn y datguddiad o Iesu Grist ac yn tyfu ym mhrofiad yr Eglwys'. Chwennych traddodiad sy'n esblygu ac yn ddeallus o fyw a wna aelodau'r grŵp hwn. Nid ydynt yn ewyllysio cau'r llenni unwaith ac am byth. Creu tywyllwch fyddai hynny ac, o dipyn i beth, argyfwng. Pan fydd yr Archesgob yn cyhoeddi bod Anglicaniaeth mewn argyfwng enbyd, gweld cysgodion ceidwadaeth yn cau amdano ef a'i bobl a wna ar adegau o'r fath. Mae awdur 'Making Sense of Scripture' yn dyfynnu un o hoff feirdd y Dr Rowan Williams, T.S. Eliot: 'Mae Cristnogaeth bob amser yn ei addasu'i hun i fod yn rhywbeth y gellir ei gredu'. Yn wir, ni all traddodiad ac yn sicr ni fedr yr Ysgrythur fod yn statig. Ar hyd y canrifoedd bu yna esblygiad, a rhaid i ni blygu i'r drefn honno. Degawd a mwy cyn yr helyntion a fu wedi'i enwebu yn Esgob Reading, mae'n ysgrifennu gan feirniadu'r esgobion ceidwadol a gyfarfu yn nechrau'r naw degau gan gwyno yn eu cyngres bod yna 'gefnu ar yr Ysgrythur' ar fater ordeinio merched ac ar faterion yn 'perthyn i faterion moeseg bersonol'. Ac fe ofynnwyd i'r Archesgob Carey gan Efengylwyr ceidwadol o'i garfan ei hun rai misoedd cyn ei orseddu, 'i gynnal awdurdod beiblaidd heb unrhyw anwadalwch'. Dadl y Dr John yw na ellir symud ymlaen yn y byd a'r bywyd hwn heb weld amwysedd ac anwadalwch, ac mae loetran gyda'r anawsterau yn agor y meddwl, yn codi cwestiynau ac yn gorfodi trafodaeth. A dyma yw barn yr Archesgob Rowan yntau.

Mae'r Dr Jeffrey John yn dyfynnu'i arwr mawr, yr Athro Raymond Brown, yn y cyswllt hwn, gŵr fel yntau a'r Dr Rowan Williams sy'n chwarae rhan y cyfryngwr rhwng yr Ysgrythur a thraddodiad. Proffwyd gofalus oedd yr ysgolhaig o Babydd yn 'symud yr Eglwys' ac yn 'symud pob Cristion i feddwl', gan hyrwyddo newid a datblygiad o fewn i *draddodiad* yr Eglwys trwy ei galw'n ôl at yr Ysgrythur, gan agor i'r Eglwys natur, ystyr a her yr Ysgrythur. Mae'r Tad Brown yn rhoi ei fys ar achos y bennod anffodus hon yn hanes yr Anglicaniaeth a etifeddodd Rowan Williams yn ddiweddar pan ddychwelodd i Loegr i fod yn Archesgob Caer-gaint. Dyma'i eiriau fel y'u gwelir yn erthygl y gŵr sydd bellach yn Ddeon St Albans: 'Nid yw tyndra yn gysylltiad amhriodol rhwng yr hyn a olygai'r Ysgrythur i'w hawduron a'r hyn a ddaeth i olygu yn yr Eglwys . . . Fe all y Beibl ar adegau pan fydd mewn tensiwn â'r Eglwys roi gwasanaeth fel cydwybod yr Eglwys, gan ei hatgoffa nad ydyw eto yr hyn a ddylai fod'. Pan osodir traddodiad a'r Ysgrythur mewn deialog â'i gilydd, mae pethau'n dechrau digwydd. Mae yna aflonyddwch a thwf.

Bydd pwysau diwylliant newydd yn gorfodi'r Eglwys i ymystwytho a'i chymhwyso'i hun i fod yn barod i wynebu cyfnewidiadau mawr ac i ymgodymu â gwirioneddau newydd. Adroddir am anghytundebau a chwerylon yn yr Ysgrythur, ac yng Nghynghorau'r Eglwys trwy'r canrifoedd. Ac mewn mileniwm newydd roedd yn anorfod y byddai llawer ysgarmes arall i'n tynnu allan o gragen ein ceidwadaeth.

BYDD Y TRI YN DAL YN Y FFWRN DÂN

Bu'n ysgarmes galed, ac nid yw'r frwydr trosodd. Yn sicr, mae'r tri Chymro wedi goroesi, ac wedi ennill edmygedd y rhai sy'n ei chael yn anodd i ddygymod â'r bwli o'r math gwaethaf, y crefyddol trahaus. Fel y nodwyd, talwyd gwrogaeth i'r Esgob Richard Harries ar drothwy'i ymddeoliad, a bydd yn rhaid i'r rhai sy'n ei feio am enwebu'r Canon John i Reading, mewn cyfnod o ymfyddino ymysg yr Efengylwyr ceidwadol, fod yn fwy na pharod i gydnabod ei safiad dewr. Ac yntau'n ŵr deallus iawn, yn brofiadol mewn dadl ac wedi arbenigo ym meysydd dyrys moeseg a chrefydd, bu'n gefn huawdl i'r Archesgob tra oedd Esgobion o'r un perswâd ag yntau yn fud yn yr ymrafael.

Bellach, mae'r Dr Jeffrey John wedi ymsefydlu yn y Gadeirlan hynafol a hardd yn St Albans, yn dilyn ei ddyletswyddau fel Deon yno, ac yn parhau ei waith fel addysgwr ac ymchwilydd. Bu'n arwain gwasanaeth radio o'i Gadeirlan, a chlywyd ef ar *Bwrw Golwg* yn fuan wedi iddo fod yn llygad y cyhoedd yn 2003, yn sgwrsio mewn Cymraeg glân â John Roberts. Mae'n debyg bod y Prif Weinidog a'r Archesgob Rowan wedi medru cydweithio i'w osod mewn lle a swydd a roddodd iddo safle uwch, a mwy o ddrysau agored nag oedd iddo yn Reading, a llai o ymyrraeth gan yr eglwys-wyr ceidwadol a dylanwadol yn esgobaeth Rhydychen.

Parhaodd y Dr Rowan Williams yn brysurach nag erioed, yn ysgrifennu ac yn pregethu, yn bugeilio, ac yn darlithio, yn pwyllgora ac efallai, yn llenydda! Cafodd flwyddyn erchyll, ond daliodd i wenu a chredu bod gweld eglwys yn llusgo'i thraed am gyfnod yn ganmil gwell na rhoi cyfle i'r rhai oedd yn chwennych grym ac awdurdod ei chloffi am byth. Gadawai iddynt weiddi am rwyg, ond fe ddaliai ef i gredu mewn pwyll ac amynedd, gweddi a chymod.

Daeth llythyrau dirifedi a negesau creulon i'w gartref, a lleisiau o ben draw'r byd yn ei annog i ymddiswyddo. Mynnai un o esgobion Nigeria fod yr holl Eglwys a arweiniai yn troi yn erbyn y datguddiad a geir yn y Beibl. Am iddo ddewis cydymdeimlo â Christnogion hoyw dyma fu'r cyhuddiad o gyfeiriad yr Efengylwyr ceidwadol.

'DWLI' – MEDDAI TUTU

Yn ystod chwarter olaf yr ugeinfed ganrif bu cyfnewidiadau cymdeithasol na fu eu tebyg o'r blaen. Daeth cyfleusterau i grwydro'r byd, a gwelwyd pobl yn mewnfudo ac yn cymysgu â phobl o wahanol ddiwylliannau ac yn efelychu arferion dieithr. Gwrthodwyd y gwerthoedd a fu'n ganllawiau am ganrifoedd, a benthyciwyd yr anghonfensiynol. Ar draws yr Iwerydd, yn don ar ôl ton, daeth canu poblogaidd yr Unol Daleithiau, diwylliant bro a byd y ffilmiau, a rhyngddynt y portread o ffordd yr Americanwyr o fyw, ac o gyd-fyw! Ac yn dilyn hyn a mwy, bu'n ffasiynol i arbrofi a dynwared pethau gwaelaf yr Ianc, ac wrth wneud hynny, ddigio'r bobl oedd yn dal eu gafael yn y 'pethe' ac yn eu Beiblau. Ac yn y dryswch hwn y daliwyd yr Eglwys Anglicanaidd a'i pharlysu yn nhir barn a rhagfarn.

Erbyn dechrau mis Gorffennaf 2003, a'r Archesgob yn

parhau i geisio cyfannu'i Gyfundeb rhag iddo hollti'n llwyr gan roi cyfle ar ôl cyfle i'r pell a'r agos ddweud eu dweud, daeth gwaedd chwyrn ato o Rydychen gyfagos yn gorchymyn iddo atal unrhyw baratoadau i gysegru'r Canon ddiwinydd o Southwark yn Esgob Reading. Trannoeth, ar 5 Gorffennaf, galwyd y Dr Jeffrey John i Lambeth, ac yn stydi'r Archesgob cyflwynwyd llythyr iddo yn dileu'r apwyntiad.

Rhaid bod y newydd o'r Amerig wedi tarfu ar Eglwyswyr blaenllaw a cheidwadol esgobaeth Rhydychen. Tair wythnos ynghynt, ym Minneapolis, cynhaliwyd Confensiwn fawr Anglicaniaid yr Unol Daleithiau, ac fe ddigwyddodd yr anocheladwy gerbron y miloedd oedd wedi crynhoi i'r ganolfan anferth sydd yno. Roedd Anglicaniaid yn holl daleithiau'r byd yn ofni y byddai'r Americanwyr, oedd eisoes yn cynnal gwasanaethau i fendithio parau hoyw, yn dewis offeiriad hoyw i fod yn Esgob New Hampshire. Pleidleisiodd y mwyafrif mawr o blaid penodi Gene Robinson, a bu ochenaid ac yna gwaedd a phrotest. Ceisiodd yr Archesgob berswadio Gene Robinson a'i garfan i bwyllo, ac ystyried eto Benderfyniad 1:10 a dderbyniwyd yng Nghynhadledd Lambeth, 1998. Yn ôl y Penderfyniad hwn, roedd y Gynhadledd yn Lambeth yn awyddus iawn i hoywon ddeall bod ymarfer cyfunrywiaeth yn anghyson â'r hyn a ddywedir yn yr Ysgrythurau, ond bod yr Eglwys yn cydnabod bod y dueddfryd yn bodoli, ac yn cymell ei phobl i 'weinidogaethu yn fugeiliol ac yn synhwyrol' i bob aelod, hoyw neu beidio, ond, ni allai gyfreithloni na bendithio priodasau dau o'r un rhyw, ac 'ni allai ordeinio rhai oedd mewn perthynas gyfunrywiol'.

Ledled y byd, mae deugain namyn dau o archesgobion yn gwasanaethu'r Eglwys Anglicanaidd, ac ar ôl y pleidleisio ym Minneapolis bu'n rhaid galw'r rhain i Lambeth. Buan y sylweddolodd y rhai a ddaeth o'r Trydydd Byd nad oedd y rhwyg yn cilio na'r tymheredd yn gostwng! Diau bod rhai'n cofio geiriau yr Archesgob Desmond Tutu yn yr union le ym 1998. Galwodd i gof ei frwydr ef a'i olynydd, yr Archesgob Ndungane a oedd yn Lambeth, yn erbyn apartheid. Delfryd ac awyddfryd y ddau yn eu brwydr chwerw oedd gweld pob person byw yn cael ei ryddid i fyw ei fywyd yn ôl ei ddymuniad. Ym marn y Dr Tutu roedd y frwydr hon ymysg yr Anglicaniaid a'r hoywon yn hynod o debyg yn ei hamcanion. Meddai Tutu ym 1998, 'Fe'm gorfodwyd i ddioddef am rywbeth na allem wneud dim ynglŷn ag ef. Ac mae'n debyg gyda chyfunrywiaeth, rhywbeth a roddir i un yw'r tueddfryd yma, nid mater o ddewis ydyw . . . Dweud mae ein Heglwys Anglicanaidd ni bod gogwydd a thueddfryd yn iawn, ond mae rhyw hoyw yn gamwedd. Mae hyn yn ddwli'.

Ym 1998, ni chytunwyd ar fawr ddim yn y fath annibendod, dim ond cytuno bod anghytundeb ar fater cyfunrywiaeth yn parhau! Yn niweddglo'r hen ganrif, roedd arwyddion amlwg bod stormydd blin yn y gwynt a fyddai'n peryglu undod yr Eglwys Anglicanaidd. Yn awr, roedd yr Eglwys Anglicanaidd yn yr Unol Daleithiau wedi 'datod clymau hoffter', ac roedd galwad ar i'r troseddwyr edifarhau.

Cytunwyd yn Lambeth y tro hwn bod yn rhaid codi Comisiwn dan arweiniad yr Archesgob Robin Eames o Iwerddon. Dewiswyd dau ar bymtheg i eistedd gyda'r Archesgob Eames, a ddisgrifir ar ôl ei wasanaeth hir yn ceisio cymod yng Ngogledd Iwerddon fel 'yr optimist dwyfol'. Yn ystod gwanwyn a haf 2004, byddai'r cwmni dethol yn cyfarfod deirgwaith, yng Ngogledd Carolina, yn Newry yng Ngogledd Iwerddon, ac yn Windsor y tu allan i Lundain.

Tasg y deunaw oedd cyfannu'r 'hen fam', creu amodau cymodi a bugeilio er mwyn iacháu'r clwyfau a adawyd yn ystod y deunaw mis o anghydweld dybryd. Roedd Comisiwn Lambeth yn credu'n gryf y gellid diogelu eto undeb yr Eglwys Anglicanaidd. O ddiogelu perthynas iach gellir gobeithio am gydweithio yn y dyfodol er llwyddiant yr Efengyl.

Cyfundeb yw'r Eglwys Anglicanaidd, ac er bod o'i mewn 44 o daleithiau, ac mae'r Eglwys yng Nghymru yn un ohonynt, anghymeradwyir y duedd o beidio â chydymffurfio o fewn i'r cyfangorff. Wrth weithredu'n annibynnol, fel y gwnaed yng Ngogledd America yn ddiweddar, mae eglwysi yn ymddieithrio oddi wrth y teulu, ac yn torri'r llinynnau sy'n dal yr eglwysi mewn perthynas â'i gilydd. Roedd y Comisiwn yn awyddus i bwysleisio bod unrhyw un a ordeinir i'r weinidogaeth o fewn i'r Eglwys Anglicanaidd wedi'i ordeinio i'r weinidogaeth apostolaidd o fewn i'r Un Eglwys Lân Gatholig. Felly, cyhuddir esgobaeth New Hampshire o dorri'r rheolau trwy ethol a chysegru Esgob oedd yn annerbyniol i'r Cymundeb Anglicanaidd. Ond sylweddolwyd nad oedd yn bosibl disgyblu na chosbi'r rhai sy'n troseddu gan nad oes gan y deugain a phedair Eglwys awdurdod canolog. Ac nid yw'n ymarferol, fel y dywed Adroddiad Windsor, i archesgobion o eglwysi eraill fusnesu trwy groesi ffiniau'r taleithiau. Mae'n amlwg bod cerydd yma i archesgobion y Trydydd Byd fu'n ymyrryd yn bur ffyrnig yn Reading ac yn New Hampshire yn ddiweddar, gan wneud mwy o ddrwg nag o les. Tra oedd y rhyddfrydwyr yn ceisio taflu dŵr ar y tân, roedd rhai arweinwyr o'r Affrig, ac ambell un o Ynysoedd y De ac Awstralia, yn taflu olew i'w ffyrnigo.

Cytunodd y deunaw ar y Comisiwn a godwyd gan yr Archesgob na ddylid cosbi y rhai a fu'n camymddwyn, ond eu hannog i garu'i gilydd fel Cristnogion aeddfed, a maddau i'w gilydd gan weithio ynghyd a byw yn y gwirionedd. 'Holed pawb ei hun' yw'r cymal a ddaw i'r cof wrth ddarllen Adroddiad Windsor. O wneud hyn, gallwn fyw ynghyd a mynd rhagom yn ymchwilgar, o dan iau disgyblaeth, i'r dyfodol.

Mae'r canllawiau i ddelio â'r math o broblemau sydd wedi llethu'r Eglwys yn ddiweddar i'w cael yng nghofnodion Cynadleddau Lambeth (1978, 1988 a 1998). Unwaith eto, nodir pwysigrwydd Penderfyniad 1:10, sydd megis 'adnod' yn y drafodaeth hirfaith hon. Mae'r Penderfyniad (1:10) yn hawlio gwrandawiad, craffter a llond gwlad o ewyllys da a chydymdeimlad. Yn sicr, byddai'r Archesgob yn cymeradwyo hyn. Arafu, ymatal, cydymdeimlo, gwrando a thrafod fu ei bolisi ef tra oedd yn esgob ac yn archesgob.

Dewiswyd un wrth fodd ei galon i lywyddu ac i gyflwyno Adroddiad Windsor, sef yr Archesgob Robin Eames, a fu'n ymdrechu trwy'r blynyddoedd i ddwyn cymod a heddwch i Ogledd Iwerddon. Meddai ef wrth gyflwyno'r Adroddiad, a gafodd ei dderbyn gyda brwdfrydedd ac unfrydedd: 'Fedrwch chi ddim gwthio cymod. Fe ddaw cymod pan fydd pobl yn dymuno iddo fod yn realiti'. Roedd yn siarad o brofiad.

Trwy gydol ei dymor dyrys yn Lambeth, hyn fu argyhoeddiad Archesgob presennol Caer-gaint. Yn ŵr gwylaidd a diffuant ni fyddai'n bosibl iddo arddangos rhyw ystyfnigrwydd awdurdodol. Ond dyma a welodd yn yr argyfwng mwyaf ffiaidd y bu'n rhaid i arweinydd crefyddol ei wynebu ers cyn cof neb sy'n fyw heddiw. Safodd yn yr adwy rhwng y rhai a gred fod Duw yn ffieiddio cyfunrywiaeth â chas perffaith a'r rhai, fel yr Archesgob Tutu, a gred hyd y dydd hwn na ddylid bychanu'r un dyn na'r un wraig na dilorni'r rhai sy'n wahanol i ni o ran llun, lliw a thueddfryd rhywiol.

Yn dilyn diflastod diddymu apwyntiad y Dr Jeffrey John i Reading a'r newyddion bod Gene Robinson wedi'i ethol i fod yn Esgob New Hampshire, roedd yn rhaid i'r Archesgob deithio i'r Synod Gyffredinol yn Efrog ac, fel y Llywydd, godi i'w hannerch ar 14 Gorffennaf 2003. Bu'r ffotograffwyr yn brysur yr wythnos flaenorol, a gwelwyd wyneb 'nad oedd neb wedi byw rhyw lawer ynddo' ers rhai wythnosau. Ond wedi iddo godi i annerch, goleuodd ei wyneb, a gafaelodd yr anerchiad a baratowyd ganddo ynddo ef ac, yn sicr, yn y cynrychiolwyr. Gwelwyd, medd rhai a oedd yno, helaeth-

Ar achlysur gorseddu Rowan yn Esgob Mynwy,
14 Mai 1992

Rowan, Esgob Mynwy, a'i gyd-Esgobion gydag Archesgob Cymru

Rowan yn
droednoeth ar ôl
pererindod
Esgobaeth Mynwy
yn Walsingham, 1997

Rowan yn dal y
ddraig pan oedd
ar fainc esgobion
Cymru. Y farf
ddu wedi britho
bellach

Rowan y cyfathrebwr

Jane a Rowan yn nyddiau Cymru

Jane, Rowan, Rhiannon Mary a Philip Paul (Pip).
Tynnwyd y llun 13 Gorffennaf 2002 adeg apwyntio Rowan
yn Archesgob Caergaint

Archesgob Cymru yn hen abaty Talyllychau, Mai 2002.
Oedfa Gymun ar ddydd Iau Dyrchafael

Rowan yng nghynhadledd dyngedfennol Lambeth, 1998

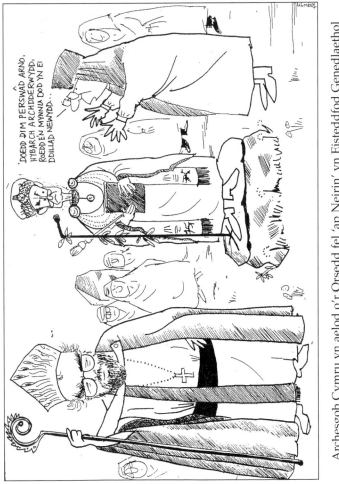

Archesgob Cymru yn aelod o'r Orsedd fel 'ap Neirin' yn Eisteddfod Genedlaethol Tyddewi 2002, ac yntau bellach ar ei ffordd am Gaergaint

Rowan yn barod ar gyfer seremoni'r coroni
(llun: Dr Gwyn Thomas, Dinbych)

Yr Archesgob newydd yng Nghaergaint. Gwên a difrifoldeb. Ar y dde i Rowan y mae cyn-Archesgob Efrog ac ar y chwith iddo fe saif Esgob Llundain. Richard Harries, cyn-Esgob Rhydychen yw'r ail o'r dde

Rowan, y pedwerydd wedi'r cant o Archesgobion Caergaint.
Fe'i gorseddwyd ar y seithfed ar hugain o Chwefror 2003

Rachel Grey o Frynmawr a fu'n canu yng ngwasanaeth y Gorseddu yng Nghaergaint gyda'r delynores, Bethan Walters, merch John ac Anne Walters o Bontarddulais. Mae Rachel yn ei chôt aeaf, ac fel Bethan yn ferch i offeiriad a'i briod, sef y Parchedig a Mrs. Richard Grey. Richard yw ficer Brynmawr yng Ngwent.

Yr Archesgob yn derbyn rhyddfraint Cyngor Cymuned Ystumllwynarth

Archesgob Caergaint yn ôl yn eglwys y plwyf Ystradgynlais gyda'r
Rheithor Islwyn Davies a'r diweddar John S. MacLaughlan,
gweinidog Sardis (A) a'r Tabernacl (P) cyn ei farwolaeth sydyn.

Rowan gyda nifer o ffyddloniaid yr Ystrad

Teulu Duw. Gwrando a chydymdeimlo a llawenhau

Bugeilio byd Duw. Y Cyfathrebwr

Rhannu haul a llawenydd

Rhannu'r anawsterau,
Jane a Rowan

Yr Archesgob Robin Eames,
Archesgob yr Anglicaniaid yn
Iwerddon yng nghwmni Archesgob
Caergaint. Ef, 'yr optimist dwyfol',
fel y'i gelwir, a fu'n llywyddu'r
Comisiwn a fu'n paratoi
Adroddiad Windsor, ac yn ei
gyflwyno i'w eglwys a'r wasg

Archesgob Caergaint y tu allan i Abaty Westminster gyda rhai o
arweinwyr crefydd gwledydd Prydain ar ôl cyflafan
7 Gorffennaf 2005 yn Llundain. Y gŵr tal ar y chwith yw'r
Cardinal Cormac Murphy-O'Connor, a rhyngddo ef a Rowan mae
Syr Jonathan Sacks, Prif Rabbi yr Iddewon. Ar y chwith i Rowan y
mae un o arweinwyr y Moslemiaid ym Mhrydain a dau o blith
arweinwyr yr Ymneilltuwyr

Yr Archesgob ar achlysur priodas y Tywysog Siarl a Camilla yn
Windsor. O boptu i Rowan Williams y mae maer a maeres Windsor.
Un o batriarchiaid yr Eglwys Uniongred sydd yn y wisg
ysblennydd, a Deon Windsor, David Conner yw'r offeiriad arall

Rowan gyda'i gyfeillion, 'tri gŵr doeth'
o eglwys Uniongred y Dwyrain

Yn y dwys ddistawrwydd

rwydd ei athrylith, aruthredd ei rethreg, ceinder ei frawddegau ac ystwythder ei ddychymyg. Cododd ysbrydoedd y rhai oedd wedi suddo'n isel, a chodi gyda hwy i dir uchel.

Agorodd gyda chwestiwn pryfoclyd, ond amserol gan ofyn, 'A oes yna Eglwys Loegr?' Trwy gydol ei gyfnod byr hyd yma yn Archesgob Caer-gaint, bu'n ei holi'i hun sawl math o Eglwys Loegr sydd mewn bod? Roedd yna sawl un, ac roedd hynny'n rhwystr i'r Eglwys a'i rhoddodd ef yn ei phrif gadair i dystio i 'allu trawsnewidiol Duw'. A pheth arall, ni ellid disgwyl i ganghennau sy'n methu cyfathrebu â'i gilydd genhadu.

Y gyntaf o'r canghennau hyn yw'r un sy'n credu nad yw'r Diwygiad Protestannaidd trosodd hyd yn hyn, a bod dyletswydd arnom i warchod yr egwyddorion ysgrythurol hynny a goleddwyd trwy'r blynyddoedd gan y rhai a fynnai eu galw'u hunain yn Efengylwyr.

Yr ail garfan yw'r un sy'n llythrennol yn 'cadw'r drws ar agor', ac yn gwarchod y cysegr fel man cyfarfod i'r rhai sy'n chwilota am y croeso cyfeillgar hwnnw mewn man lle y diogelir traddodiad a diwylliant. Mae pobl yn dal i ymateb i'r diwylliant creadigol hwnnw y gellir ei briodi â'r ysbrydoledd a ddiogelwyd gan Eglwys Loegr.

Fe welir cangen arall o'r 'hen fam' ar y teledu, weithiau ar y newyddion, dro arall mewn operâu sebon, fel EastEnders. Yn bur aml bydd priodas, bedydd neu angladd yn y sgript, ac fel arfer, mae'r offeiriad, boed wryw neu fenyw, yn baldorddi'r syniadau rhyfeddaf! Bydd yn rhaid cynnwys pobl ddiniwed mewn sefyllfaoedd afreal a bydd eu hymddygiad yn chwerthinllyd.

'Ac mae yna eto un Eglwys Loegr arall, anodd ei darlunio, ond mae'n bod o ddifrif', meddai llywydd y Synod. Rhydd hon gefndir ysbrydol i fywyd cenedlaethol Lloegr, a rhyw awgrym cwta o dragwyddoldeb. Daw i'r amlwg mewn argyfyngau cenedlaethol, ac mae deallusion a beirdd yn galw am gadw hon, er mwyn diogelu'r cefndir ysbrydol hwnnw a ddisgrifiwyd mor afaelgar yng ngherdd Philip Larkin, 'Church Going'.

Cymysgwyd digrifwch a difrifoldeb yn yr araith nodedig a threiddgar hon. Ac yn dilyn gwreiddioldeb yr agoriad, daw cwestiwn sy'n cario'r colyn, 'Pam nad yw'r Eglwys yn cario'r dydd?' A'r ateb a gawn, 'Nid oes Eglwys oni chafodd ei galw gan Iesu, a fu farw, ac a atgyfodwyd'. Yna mae'n ychwanegu, 'Eglwys yw'r hyn a ddigwydd pan glywir galwad Iesu mewn gwirionedd'.

Aeth rhai i Efrog yn ofni bod yr helbulon oedd o'i mewn yn mynd i ladd Eglwys Loegr. Ond arweiniwyd hwy gan eu Harchesgob i'r dimensiwn hwnnw sydd yn fwy real iddo ef na dim ar y ddaear. Aeth y cynrychiolwyr yn ôl i'w heglwysi yn awyddus i fyw ar ôl iddynt glywed galwad Iesu yn her yr Archesgob.

PENNOD 8

RHOI'R BYD YN EI LE

Un noson o wanwyn yn nechrau naw degau'r ganrif ddiwethaf, roeddwn yn ninas Jerwsalem gyda chriw o Gymru, ac yn hamddena yng nghanol yr hen ddinas ar derfyn dydd. Roedd Saboth yr Iddew yn dirwyn i ben, ac yn fuan, byddai'n fore Sul i'r Cristnogion oedd yn byw yno neu ar ymweliad. O'n cwmpas roedd adfeilion a dacluswyd er mwyn i bobl fel ni fedru dychmygu hen ysblander Dinas Dafydd, Solomon a Herod Fawr. Ac o'n blaen wele hen fur a adeiladwyd gan Heseceia, y gŵr a ddaeth â dŵr i'r ddinas ganrifoedd yn ôl.

Islaw i ni roedd Mur yr Wylofain, a nifer o'r *chasidim*, sef y dynion defosiynol eu diwyg, yn brysur wrthi'n codi'u gweddïau o'u hymysgaroedd cyn i'r haul suddo i Fôr y Canoldir draw yn y gorllewin, y tu cefn i ni. A thu cefn i'r hyn sy'n aros o Fur yr Wylofain, roedd y deml. Heddiw, er mawr ofid i'r Iddewon, dau fosg sydd ar y llecyn. Dyma un rheswm am y gynnen sy'n aros yn y ddinas sanctaidd. Mae'r Arab yn awyddus i esgyn i'r bryncyn hwn i ddweud ei bader. Daw rhai yno â dial yn eu calonnau, a bellach adeiladwyd mur uchel a di-chwaeth o goncrit i gadw'r terfysgwyr draw. Arwyddlun cyfoes yw hwn o'r 'canolfur' anweledig hwnnw fu rhwng Iddew ac Arab, ac un anodd ei ddymchwel ydyw. Ac ar risiau'r hen deml a chwalwyd, campwaith cadarn a fu'n hir dan y rwbel a gliriwyd erbyn hyn gan archaeolegwyr, y safodd Iesu yn dysgu'i bobl, dysgu'r ffordd i fywyd a byd gwell. Oddi ar y grisiau hyn sy'n lân ac ysblennydd unwaith eto, mae Mynydd yr Olewydd yn amlwg. Yma hefyd gellir gweld Bethania wrth ei ystlys, a llwybr Sul y Blodau yn ymdroelli heibio'r fan lle y dysgodd Iesu ei ddisgyblion i weddïo. Ac islaw i Eglwys y Deigryn, gardd Gethsemane, lle bu mwy o ddagrau, yn 'ddafnau cochion'. Yno, ar gwr dyffryn Gehenna, ar dir rhwystredigaethau'r Athro o Nasareth, adeiladwyd Eglwys yr Holl Genhedloedd. O'i mewn mae tywyllwch arwyddocaol. Ni cheir byd goleuach oni ellir cydio gweddi a gwleidyddiaeth.

O lecyn uwch, wrth fur Heseceia, hon oedd yr olygfa y Saboth hwnnw. Ychydig gamau i'r dde, roedd sgwâr bychan cysgodol, a rhai meinciau o'i gwmpas. Roedd Iddewon oedrannus wedi cymryd y seddau i gyd ac yn mwynhau gweld rhyw ugain o blant yn chwarae ac yn chwerthin wrth redeg o gwmpas.

Ac yn cadw llygad ar bawb a phopeth, roedd rhyw ugain o filwyr yn eu lifrai, pob un â'i wn, ond yn gwisgo gwên Sabothol yr ifanc secwlar. 'Sylwch ar ewinedd ein milwyr,' meddai'n tywysydd, 'maent wedi'u cnoi i'r byw.'

Roedd yn bryd i'r plant a'r henoed droi am eu gwelyau. Mor drist oedd gweld chwalu'r olygfa dangnefeddus. Ond, roedd yn bosibl agor y Beibl oedd yn fy mag a gweld yr un darlun mewn dwy adnod yn Llyfr Sechareia. Darllenais y ddwy adnod: 'Fel hyn y dywed ARGLWYDD y Lluoedd: "Bydd hen wŷr a gwragedd unwaith eto yn eistedd yn heolydd Jerwsalem, pob un â ffon yn ei law oherwydd ei henaint; bydd strydoedd y ddinas yn llawn o fechgyn a genethod yn chwarae ar hyd y stryd"' (8:4-5).

Go brin y ceir gwell darlun o'r hyn a eilw'r Iddew yn *shalôm* (tangnefedd). Cyflwynir i ni yn y Beibl yr amodau i dderbyn y bywyd hwn, a chawsom bortread cyflawn ohono ym mywyd Iesu, Gair Duw i ni yn ein holl rwystredigaethau. Trwy gydol ei dymor cynnar yn Lambeth, daeth rhwystredigaethau lu i boeni enaid yr Archesgob, ac yn ei anerchiad ysgubol fel y Llywydd yn Synod Efrog, ei neges gyntaf wedi cloi 'pennod Reading', cofio'i gystudd meddyliol a wnaeth ac yna herio'r dyrfa oedd ar gledr ei law i ystyried y gallai'r cyfan fod er budd a lles pawb. Meddai, 'Petai holl boen yr wythnosau diwethaf hyn mewn rhyw ffordd yn ein procio ni i weld yn gliriach beth a wnawn i'n gilydd, sut yr ydym yn bygwth ein gilydd fel hyn, fe fyddem yn tyfu rhyw ychydig, yn tyfu rhyw gymaint i mewn i'r gofod a wnaeth Duw i ni, sef y ffordd newydd, fywiol'. Yn y gofod hwn mae'r tangnefedd drud. Dilysrwydd bywyd Iesu yw'n cynhaliaeth, y 'Duw sydd gyda ni' yw ffynhonnell ein hedd a'n diogelwch. A gweld bywyd Iesu yn pefrio yn ei ddysgeidiaeth yw'r ffordd ymlaen i ddyfodol o fendithion ym mywyd yr Eglwys ac yn ei sacramentau. Wrth gofio dioddefaint y Gwaredwr a'i farwolaeth, mae'r Eglwys Fore yn dysgu nad bendithion tymhorol yn unig a gafodd aelodau ei Gorff ef, ond bendithion ysbrydol a rydd Duw i'w bobl yn eu gorthrymderau (Effesiaid 1:3). I'r Archesgob, mae'n cystuddiau yn rhan hanfodol o'n byw yn y byd, a hebddynt ni allwn dyfu ac aeddfedu.

Yn y corff hwn, Eglwys Crist, mae lle i bawb a impiwyd i mewn iddo gan yr Ysbryd Glân, ond nid yr un amlygrwydd. Mae'r Athro Eduard Schweizer wedi gwneud cyfraniad i'n canfyddiad o le a gwaith Crist ym mywyd y Cristnogion cynnar, a'u priod le hwy a ninnau ar eu hôl yn y Corff, yr Eglwys. Ar un achlysur mae'n gwneud defnydd o anatomi i ddanlinellu'r amrywiaeth o fewn i'r corff, ac fel mae'r llygaid, 'ffenestri'r enaid', yn amlwg ar flaen yr wyneb, mae'r glust ynghudd yn y gwallt, a'r tafod o'r golwg y tu ôl i lenni'r gwefusau! Ac fel Ucheleglwyswr a phregethwr go nodedig, mae'r Dr Rowan Williams yn hoff iawn o'r arwyddlun, ac o ddefnydd yr Apostol Paul o'r metaffor byw yma (cf. 1 Cor. 12:12-31). Yn y Corff, Eglwys Dduw, fe ddiogelir hunaniaeth pawb, ond fe ddaw cyfnodau pan fygythir unoliaeth y Corff a'i ddyfodol. Pan fydd annibyniaeth barn yn troi'n rhagfarn ac yn bygwth yr amrywiaeth sy'n hanfodol a deniadol yn y Corff, bydd yn dechrau datgymalu. Yn ystod 2003 a 2004, bu cymaint o ddarogan bod hollt yn anochel, fe barlyswyd y rhai oedd yn ofni'r gwaethaf. Hyd yn oed yn niwedd 2005 mewn araith arall i'r Synod Gyffredinol yn Llundain, mae'r Dr Rowan Williams yn dal i rybuddio'r byrbwyll ymysg y Ceidwadwyr a'r rhai sy'n gorymateb yng ngwersyll y Rhyddfrydwyr. Dyma a ddywed y tro hwn: 'Mae pawb yn gwybod am y bygythion a wynebwn, yn fewnol ac yn rhyngwladol, oherwydd y rhaniadau yn y Cymundeb. Rydym yn boenus o ymwybodol o'r cwerylon ynglŷn â rhywioldeb, ac am y tensiynau a'r cymhlethdodau ar sut i ddelio â chwestiwn ordeinio merched yn esgobion'. Ei awgrym yw bod pob aelod oedd yn y Synod yn cysylltu â rhywun nad oedd o'r un meddwl mewn talaith arall, ac yn ymresymu â'r person hwn. Fe wêl ei bod yn llawn bryd i aelodau o fewn y Cymundeb Anglicanaidd i geisio dylanwadu ar y rhai sy'n bygwth undeb yr Eglwys.

Tynnodd Mike Higton yn ei lyfr ar ddiwinyddiaeth yr Archesgob, *Difficult Gospel*, sylw'i ddarllenwyr at ddefnydd cyson y Dr Rowan Williams o gyfatebiaethau o'r byd cerddorol. Er ei fod yn hoffi distawrwydd ac unigedd, ond yn amlwg yn meddu ar lais i ganu a chlust gerddorol, mae'n naturiol bod y Dr Rowan Williams yn gweld tebygrwydd rhwng bywyd a gwaith yr eglwys a bywyd a chyfraniad côr neu gerddorfa. Mae'n gyfatebiaeth a ddefnyddia'n aml. Yn y gymuned Gristnogol rhaid wrth unigolion a fu'n eu disgyblu'u hunain i feithrin eu lleisiau a'u doniau personol. Pobl yw'r rhain sy'n fodlon encilio, a chau drws yr ystafell ddirgel. Mae aelodau'r côr a'r gerddorfa yn gorfod ymwahanu i ddysgu'r nodau a roddodd y cyfansoddwr ar bapur cyn dod ynghyd at yr arweinydd gyda'u hofferynnau a'u gwahanol leisiau i gydymarfer ac yna i berfformio'r cyfanwaith. Yn yr un modd, ymwahanu ac yna gyfuno er mwyn rhoi llawenydd i bawb o bobl y byd yw nod pobl Iesu. Meddai'r pregethwr yn ei bregeth delynegol, 'My Neighbour's Business', yn *Open to Judgement:* 'Un o baradocsau mawr bod yn ddynol yw'r ffaith y gallwn ddarganfod unigedd nid yn unig trwy fynd allan i'r anialwch, ond trwy fyw gydag eraill, byw yn y gymuned' (tud. 192).

Ac fel unigolion yn y gymuned, mae'n rhaid holi a thrafod a cheisio dod o hyd i'r tangnefedd mewnol hwnnw sy'n hanfodol cyn y gallwn sylweddoli heddwch gweladwy yn y byd. Mae Higton yn tynnu sylw at ddefnydd yr Archesgob o'r gyfatebiaeth hon yn ei gyfrol dwt, *The Truce of God*, llyfr a baratowyd ar wahoddiad yr Archesgob Robert Runcie ar gyfer y Garawys (1983). Fel y byddid yn disgwyl, nid yw'n llyfr sy'n dilyn y patrwm arferol. Mae'r heddychwr Rowan Williams a oedd yn ddarlithydd ar y pryd yng Nghaer-grawnt, yn agor ei drysorfa helaeth o wybodaeth lenyddol, gwleidyddol, athronyddol a diwinyddol i argyhoeddi'i ddarllenwyr bod ei freuddwyd, breuddwyd y Croeshoeliedig, yn amod parhad yr hil. Nid oes dim pwysicach yn y byd na chael trigolion y byd i weithio ar y cyd er mwyn i'r hollfyd brofi'r heddwch a gostiodd mor ddrud i'r Tri yn Un y tu allan i ddinas Jerwsalem y Pasg hwnnw sy'n gwbl unigryw i Gristnogion y canrifoedd.

Byd o leisiau gwahanol, byddarol ar adegau, yw'n byd presennol. Ond, mae Duw, yng Nghrist ac o fewn ei Gorff, gyda chymorth yr Ysbryd Glân, yn paratoi côr neu gerddorfa i drawsnewid y byd! Rhai blynyddoedd yn ôl, yn ei bregeth yng Ngŵyl y Tri Chôr, mae'n gafael yn y syniad hwn y gall miwsig ein dwyn yn nes at Dduw, ac wrth wrando ar leisiau mewn cynghanedd, sylweddoli'n dyletswyddau. Meddai ar achlysur yr ŵyl:

Mae gwrando o ddifrif ar gerddoriaeth, a'i pherfformio, ymhlith un o'r dulliau mwyaf grymus o ddysgu am yr hyn y mae'n ei olygu i fyw gerbron a gyda Duw, a dysgu am y gwasanaeth hwnnw sy'n "berffaith ryddid". Yn yr "ufudd-dod" hwn o wrando ac o ddilyn, cawn ein hymestyn a'n dyfnhau, ein herio'n gorfforol fel perfformwyr ac o ran ein dychymyg fel gwrandawyr. Fe adferir yr amser a ildiwyd ac a gollwyd yn ôl i ni fel amser a'n gwnaeth yn fwy dynol, yn fwy real – hyd yn oed pan fyddwn yn methu dweud beth a ddysgwyd gennym ar adegau, gan dderbyn ein bod wedi'n newid. Yn sicr, fe ddâl yr ymdrech hon o greu uned o leisiau melodaidd sy'n asio.

Cyhoeddi Crist a'i Efengyl yw tasg yr Eglwys ddoe, heddiw ac yfory yn ôl Rowan Williams, gan ddisgwyl y trobwynt tyngedfennol hwnnw, a eilw'r Archesgob, fel Karl Barth a'r Calfiniaid newydd, yn 'gyfarfyddiad'. Yn dilyn y cyfarfyddiad hwn, rhaid clustfeinio a gwrando ar gwestiynau Iesu. Hwyrach na fydd pawb am wrando, ac fe gofir am Iesu, ar ôl llefaru, yn aml yn gorfod ategu, 'Y sawl sydd â chlustiau ganddo i wrando, gwrandawed'. Ac i gymhlethu'r sefyllfa heddiw, mae cymaint o leisiau, enwadau a sectau ar y llwyfan.

Mae'r pwyslais hwn ar wrando yn y papur a draddododd yn Birmingham yng ngŵydd llu o Foslemiaid. Rhaid i bawb wrando! Bydd y rhai sy'n perthyn i grefyddau eraill ar eu hennill o wrando ar yr hyn sydd gan Iesu i'w ddweud. Oni fydd gwrando, ni ofynnir y cwestiynau y dylid eu gofyn. Ac mae cwestiynau'r Crist yn wahanol ac yn bellgyrhaeddol. Beunydd mae ef am wybod pa fath fyd y dymunem ei weld. O wrando'n astud fe glywn ei gyfarwyddyd ar sut i greu byd gwell, byd sy'n ymdebygu i'r symffoni.

O wrando ar gwestiynau'r Arglwydd Iesu, bydd trafodaethau'n sicr o ddilyn. Bydd mwy ohonom yn gwneud ein hymholiadau, a chwestiwn yn arwain at gwestiwn. Yn aml wrth ddarllen ei ysgrifau a'i bregethau, ei lyfrau a'i ddarlithiau, daw'r rhaglen *Any Questions* yn fyw i'r cof! Mae cwestiwn gan rywun ar bapur yn barod i'w ofyn, ac fe'i cyflwynir i'r panel er mwyn cael barn y panelwyr. Yna, daw'r gynulleidfa â'i chwestiynau, ac fe groesholir honno gan y rhai a gyffrowyd, gan gynnwys y cadeirydd ac aelodau'r panel.

Ar ôl gadael blynyddoedd 2003-04 o'i ôl, mae'r Archesgob yn dal i holi'i gwestiynau, a'r rheiny'n delio'n aml iawn â materion gwleidyddol a rhyng-genedlaethol. Fel y ceisiwn ddangos yn y bennod hon, mae'r Archesgob Rowan ar ei orau pan ddaw allan o'r 'pwll tro' plwyfol i edrych dros ei sbectol ar draws y byd helbulus. Ac fe borthir ac fe warchodir ei weledigaeth wleidyddol, sy'n cynnwys yr holl fyd, gan ei ddiwinyddiaeth hollgynhwysol.

SYLW I DOROTHEE SÖLLE

Personoliaeth amlwg a phur unigryw ar y llwyfan Cristnogol yn ystod ail hanner yr ugeinfed ganrif oedd Dorothee Sölle, gwraig y gwelaf gysgodion ei phersonoliaeth a naws ei diwinyddiaeth ar feddwl ac yng ngwaith yr Archesgob Rowan Williams. Bu'n effro iawn i'r boen a welodd yn y byd, a cheisiodd fyw, meddai hi, 'mewn cytgord â'r bydysawd'. Dyma un o'r llawer a agorodd lygaid y myfyriwr a'r ymchwilydd ieuanc i efengyl sy'n hawlio cymaint ar y rhai sy'n ei chymryd o ddifri calon.

Almaenes oedd Sölle, ac un a wybu beth oedd byw gyda chydwybod ddolurus ar ôl cyflafan yr Ail Ryfel Byd. Credodd fod eistedd ar balmant mewn protest yn fwy buddiol na threulio oriau lawer yn eistedd ar bwyllgorau. Iddi hi, nid mater o falchder yw rhyfel, ond o gywilydd, a dylid ymdrechu i setlo pob gwrthdaro sydd yn y byd heb ryfela. Roedd ei chadair mewn Diwinyddiaeth yn Efrog Newydd, ac yno bu dan ddylanwad Dorothy Day, yr heddychwraig a ddangosodd iddi werth gwrthsafiad. Yn Ne America, fel yng Ngogledd America, yn yr Almaen, a lle bynnag yr oedd ysbryd rhyfelgar yn cyniwair, byddai'n ei phresenoli'i hun pryd bynnag y byddai hynny'n bosibl.

Mae'n rhwydd canfod ei dylanwad ar fywyd a gwaith y Dr Rowan Williams. Rhaid ein bod ni'n dau yn darllen ei llyfrau tua'r un adeg, yn y saith degau a'r wyth degau cynnar. Yn rhifyn XXXVII o *Diwinyddiaeth* ceisiais ei chyflwyno i'r Cymry Cymraeg, a rhoi sylw go fanwl i'r gyfrol a adawodd ei hôl ar yr Archesgob, sef *Suffering*. Ynddi mae'n sôn am ddioddefaint corfforol, seicolegol a chymdeithasol. Gosododd Simone Weil, yr athronydd o Iddewes a fu'n byw yn Ffrainc adeg yr Ail Ryfel Byd, y tri math o ddioddefaint ynghyd, a dyna iddi hi yw cystudd. Rhan o waith y Cristion, yn ddiwinydd, yn fardd, yn ddramodydd neu'n llenor, yw dadlennu cystudd y ddynoliaeth er mwyn symud ein dioddefaint. Fe wnaeth y Dr Kate Roberts hyn yn Arfon, a darlunio'n fyw ddioddefaint y chwarelwr, a thlodi teuluoedd ei bro enedigol o gwmpas Rhosgadfan. Ac yn y De, yng Nghwm Tawe, gwnaeth un o'i disgyblion yn yr Ysgol Sirol yn Ystalyfera, y Prifardd D. Gwenallt Jones, yr un gymwynas yn ei farddoniaeth gynnar. Trwy ddarlunio caledi gweithwyr yn y Gogledd a'r De, roedd y ddau'n cyfeirio'u bysedd at anghyfiawnder, a'r angen am ddiwygio amodau byw y rhai oedd mewn diwydiant, ac yn cael eu gormesu gan gyfalafiaeth greulon.

Trwy gydol ei bywyd, ni allodd Dorothee Sölle ysgaru diwinyddiaeth a gwleidyddiaeth. Daliodd ati hyd ei marw ar 27 Ebrill 2003 i gydymdeimlo ag anffodusion y ddaear ac i frwydro dros y rhai sy'n gorfod byw yn ein byd mewn tlodi ac o dan ormes rhyfel, afiechyd a newyn. Cyhoeddwyd ei hunangofiant yn ei mamiaith, yn Almaeneg, ym 1995, ac ym 1999 ymddangosodd yn Saesneg dan y teitl *Against the Wind: Memoir of a Radical Christian*. Ac o'r wasg ychydig cyn ei marw, daeth *The Silent Cry*, ei *magnum opus*, lle mae'n olrhain y dylanwadau pwysig yn ei bywyd, ac yn ôl ei harfer yn gwrthod ysgaru gweddi a gwleidyddiaeth. Meddai Walter Brueggemann, gŵr a roddodd ei fywyd i astudio'r Hen Destament: '... presenoldeb prin ym myd cred [yw Sölle] gan ei bod yn ymgorffori diwinyddiaeth glasurol ar ei gorau, canfyddiad clir o hyd a lled ein hargyfwng cymdeithasol, mynegiant o ansawdd telynegol a phenderfyniad i gadw ffydd yn gysylltiedig â realiti gwleidyddol'.

Gellid defnyddio yr un geiriau i roi teyrnged i'r Dr Rowan Williams. Fel yntau bu hi'n darllen gweithiau'r Cyfrinwyr trwy gydol ei gyrfa. Ac fel mae'n tystio yn ei hunangofiant ac yn *The Silent Cry*, bu'n chwilio'n ddyfal am Dduw trwy'i bywyd, yn 'llefain hiraeth tawel' am ei bresenoldeb. Daeth o hyd i loches yn ei 'galar bydol' mewn Cyfriniaeth, ac mae hyn yn cael ei gyfleu yn yr is-deitl a roddodd i *The Silent Cry* – *Cyfriniaeth a Gwrthsafiad*. Mae'r is-deitl yn cyfleu natur ei gyrfa arwrol, ac yn datgelu'r hyn a symbylodd ei hawen. Fel yr Archesgob Rowan, hoffai lunio cerdd, a thywallt iddi'r hyn na fedrai rhyddiaith ei gyfleu.

O blith y Calfiniaid newydd, Karl Barth fu un o arwyr y Dr Rowan Williams, yn enwedig yn y saith degau a'r wyth degau. Ond, a hithau'n Almaenes, ac yn treulio llawer o'i hamser yn Efrog Newydd, dilyn Richard Niebuhr (1894-1962) a'i ddamcaniaeth bod Protestaniaeth i wrthsefyll yr hyn sy'n gwenwyno ac yn dinistrio diwylliant a bywyd gwâr a wnaeth Sölle. Methu â gwrthwynebu drwg amlwg y drydedd Reich a wnaeth yr Eglwys yn yr Amlaen, gan sefyll o'r neilltu yn ddiymadferth. Gwelodd Sölle ar ôl darllen *Christ and Culture* (Richard Niebuhr) fod yn rhaid iddi hi, yn wahanol i'r Ceidwadwyr uniongred, fentro i ganol y byd gwleidyddol gan nad yw Crist uwchlaw diwylliant, ond yng nghanol ein bywyd pob dydd, yn ceisio trawsnewid ein diwylliant a'i feirniadu pan fydd yn cyfeiliorni.

Wrth ddefnyddio'u gair 'uniongred' nid sôn y mae am yr

'uniongrededd' hwnnw a apeliodd at yr Archesgob pan ddechreuodd ddarllen diwinyddiaeth Eglwys Uniongred y Dwyrain, ond am y ddiwinyddiaeth honno sy'n ei chyfyngu'i hun i'r Ysgrythur ac yn dal mai yn y Beibl yn unig y ceir datguddiad o Dduw.

Yn *Thinking about God* mae Dorothee Sölle yn cymryd y pedair pennod gyntaf i drafod y grwpiau diwinyddol gwahanol sydd o fewn yr Eglwys y blynyddoedd hyn, ac i wyntyllu'r syniadau sy'n dcillio o'r gwahanol wersylloedd. Cyhoeddwyd y llyfr ym 1990, a'r pryd hwnnw, roedd tri grŵp amlwg yn ymrafael am glust yr Eglwys Gristnogol, sef y Ceidwadwyr uniongred, y Rhyddfrydwyr a'r Radicaliaid gwleidyddol. Yn ei barn hi, mae'r Ceidwadwyr, sef yr Efengylwyr pybyr â'u pwyslais ar adnod a phennod, yn arafu rhaglen waith yr Eglwys.

I Sölle, diffyg amlwg y Ceidwadwyr yw eu hanallu i fod yn feirniadol ohonynt eu hunain. Mae eu crefydd yn rhy debyg i'r ddelfrydiaeth honno sy'n gibddall yng nghanol byd sy'n newid mor gyflym. A dyma'r rheswm pam y trodd hi at Niebuhr, am iddo'i gosod hi ar y ffordd at y ddiwinyddiaeth Radicalaidd wleidyddol. Dyma'r ddiwinyddiaeth a fedr ddiogelu'r diwylliant Cristnogol a'i naws gyfriniol a phroffwydol.

Yn eu tro, meddai hi, gwasanaethodd y Ceidwadwyr, y Rhyddfrydwyr a'r Radicaliaid yr Eglwys, a chynnig fframwaith i ddiwinyddion a fyddai'n estyn arweiniad amserol a diogel mewn gwahanol gyfnodau yn ôl y galw. Cyfraniad arbennig y Rhyddfrydwyr diwinyddol oedd rhoi ei chyfle i wyddoniaeth holi'i chwestiynau, i haneswyr i olrhain twf a datblygiad y Ffydd Gristnogol, ei dogma a'i llenyddiaeth, ac i alluogi rhai fel yr Archesgob presennol i adfer perthynas iach rhwng crefydd a diwylliant, ac i rybuddio a beirniadu, fel y gwna ef yn *Lost Icons* pan wêl arwyddion amlwg bod cymdeithas ar gyfeiliorn.

Yn ystod ail hanner yr ugeinfed ganrif, gwelwyd y Rhyddfrydiaeth or-oddefol honno yn gwanychu'n raddol. Wedi iddi gribddeilio'r gorffennol a chlustnodi'r argyhoeddiadau a'r arferion hynny a fu'n cyfeirio cwrs hanes a thrafod cwestiynau dwys y ddynoliaeth, caniataodd i'r Wladwriaeth ei rhyddid i ddilyn ei llwybr ei hun. Rhoddodd yr un rhyddid i'r Eglwys i ddelio â'i materion ei hun, ac i beidio ymyrryd ym musnes y llywodraeth.

Ar ddiwedd y dydd, i Dorothee Sölle, bydwraig i oddefgarwch fu Rhyddfrydiaeth. Collodd yr Eglwys ei llais proffwydol ac ildiodd ei hawl i arwain yn y byd secwlar. Bu'n dawedog yn rhy hir ac felly saif militariaeth yn y tir, a thawelodd y fonllef dros heddwch, cyfiawnder a'r farchnad deg. Ymbarchusodd yr eglwys, a mynd i ddwylo'r dosbarth canol. Ym mlynyddoedd ei hanterth, nid oedd ganddi fawr o ffrindiau ar ôl ymysg aelodau'r Eglwys Efengylaidd yn yr Almaen. Onid oedd wedi meiddio dweud mai'r eglwysi ceidwadol hyn oedd beddrod Crist! Haerai hi fod y Rhyddfrydwyr diwinyddol wedi methu yn eu hymgais i gyfuno diwylliant a chrefydd, a bod unrhyw grefydd sy'n methu yn hyn o beth yn sicr o farw. Ar y groesffordd hon, cofleidiodd yr Almaenes y 'ddiwinyddiaeth boliticaidd'. Fe'i gwelodd ar waith yn Ne America, ac fe'i disgrifir yn fyw yn y Gymraeg gan yr Athro David Protheroe Davies yn ei glasur cryno – *Diwinyddiaeth ar Waith* (Cyhoeddiadau Modern Cymreig Cyf., 1984). Bu bri mawr ar Ddiwinyddiaeth Rhyddhad yn ystod chwarter olaf yr hen ganrif, ac yn lle'r 'uniongredu' a bwysleisiwyd cyhyd, daeth 'unionweithredu' Cristnogion tlawd a gwerinol yn America Ladin yn bopeth i gynifer o 'wneuthurwyr y Gair'. Ac mae Sölle a'r Archesgob yn enghreifftiau o ddiwinyddion a gychwynnodd eu gyrfaoedd yn y gwersyll rhyddfrydol ond a welodd rym trawsnewidiol yr hyn a ailgyneuodd fflam y Ffydd yn y Trydydd Byd, y ddiwinyddiaeth boliticaidd, chwedl y ddiweddar Dr Dorothee Sölle.

Ymrwymiad cymdeithasol y Radicaliaid ar ran yr Eglwys yw'r esboniad ar y pwyslais hwn, ac fe fydd yn amhosibl i ddarllenwyr llyfrau a phregethau'r Archesgob Rowan fethu â chanfod hyd, lled a dyfnder cariad Duw at yr unigolyn, a thrwyddo i'r gymuned. Cariad Duw at ei blant yw cychwyn a therfyn popeth i'r Cymro. Ond yn wahanol i Sölle, a deimlai ei bod yn ormod o brotestwraig i aros yn yr eglwys Brotestannaidd, mae cyn-Archesgob Cymru ac Archesgob presennol Caer-gaint yno fel y gŵr y disgwyl yr eglwys am arweiniad ganddo. Fe'i rhwymwyd wrth ei phyrth i'w rhyddhau o'i chaethglud. I'r pwrpas hwn y'i gwahoddwyd i Lambeth. Ac fel gŵr deallus a doeth, dewisodd barhau'n geidwadol mewn rhai pethau, yn rhyddfrydol ei feddylfryd o hyd, ac yn radicalaidd yn ei gonsýrn dyddiol am y byd yng nghanol ei holl helyntion.

CONSÝRN GWAELODOL

Yng nghylchgrawn Ysgol Dinefwr ym 1967 a 1968, mae R.D. Williams, bachgen un ar bymtheg oed, a Rowan D. Williams, bachgen dwy ar bymtheg oed (golygydd y cylchgrawn erbyn hyn), yn cyhoeddi dwy erthygl, y naill ar yr hyn a olyga'r Cenhedloedd Unedig iddo a'r llall ar Hawliau Dynol. Yn yr erthyglau, mae'n bosibl canfod hedyn pryder bachgen sensitif a deallus, un yn ei arddegau sy'n ystyried y fframwaith a adawyd ar ôl wedi dau Ryfel Byd i gynnal a chadw adeiladwaith a gobaith y dyfodol.

Cadw daear i hedyn y cariad Cristnogol a wna'r Cenhedloedd Unedig a'r Cynghorau sydd o dan ei adain. Ni chedwir y ddaear hon at wasanaeth y ddynoliaeth oni all y Cenhedloedd Unedig a'r is-gynghorau ei chadw rhag cael ei llosgi gan dân ysol rhyfeloedd blin. Yn arogl anniflanedig y tân a'r fflamau deifiol a losgodd Abertawe, roedd heddychwr yn codi. Ac yntau'n agored i dderbyn addysg ei hun, mynnai y dylai UNESCO daenu addysg lle nad oes cyfleusterau. Uwchben enw golygydd y cylchgrawn mae arfbais ei ysgol, a thani yr arwyddair 'Gorau Arf, Arf Dysg'. Ac fe ymddengys fod yr Archesgob, sy'n parhau i frwydro'n ddygn dros heddwch ac addysg, yn dal i gario'r arwyddair i'w bwyllgorau ym mhoced ei wasgod!

Ac mae'r consýrn hwnnw sydd yn ei lyfrau heddiw am asesu'r diwylliant cynhenid, am ddeall, gwerthfawrogi a chyfnewid cyfoeth y diwylliannau dieithr hyn, yn egino ym mryd y glaslanc. A da yw gweld ei gyfeiriad at 'Neges Ewyllys Da' plant Cymru i'r byd yng nghyd-destun ei waedd dros ddiogelu'n treftadaeth ddiwylliannol. Rhyfedd fel mae'r apêl hon gan fachgen ysgol yn y chwe degau am warchodaeth dros y mudiadau a ddylai gadw'r eiconau yn cael ei hadleisio yn *Lost Icons* bron ddeugain mlynedd yn ddiweddarach. Ac mae'r un gobaith ystyfnig yn parhau i gynnal ei weledigaeth.

Yn Ysgol Dinefwr, fe welodd Rowan Williams gwrs y byd, a gwisgo sbectol y gwleidydd i ddehongli'i gyflwr a'i gyfeiriad. Ac yn ôl ei gyfaill, y Parchedig John Walters, roedd pob cefnogaeth yn yr ysgol i edrych ar draws y cyfandiroedd, ac i wleidydda, fel y gwnaeth nifer o'r cyn-ddisgyblion. Byddai cynadleddau ym Mhrifysgol Abertawe, ac mor bell â Choleg Harlech, yn denu. Ond yn achos y darpar Archesgob fe'i daliwyd ef gan wŷs a glywodd yn Eglwys yr Holl Saint, dylanwad ei offeiriad a galwadau'r Deyrnas. Gwelodd ef anghenion y byd oddi ar lechweddau Ystumllwynarth tra edrychai y tu hwnt i fae Abertawe a heibio i arfordir a gleisiwyd gan ddiwydiannau myglyd.

Cyflwynodd ei bapur ar Hawliau Dynol yn Neuadd y Brangwyn mewn cynhadledd a gynhaliwyd dan nawdd y Cenhedloedd Unedig. Eisoes, roedd yn gwybod sut i gyflwyno'i safbwynt fel Cristion, a hynny trwy gydio mewn cyffelybiaeth o'r Ysgrythur. Fel petai'n pregethu, cyflwynodd adnod o'r Epistol at y Rhufeiniaid (12:5) i sylw'r cynrychiolwyr: 'Felly hefyd yr ydym ni, sy'n llawer, yn un corff yng Nghrist, ac yn aelodau bob un i'w gilydd'. Yn ddiamheuol, dyma ddelwedd oedd wedi cydio ynddo ac sydd wedi aros gydag ef hyd heddiw fel disgrifiad byw o natur y gymuned Gristnogol. Daw hyn yn eglur eto yn y darn arall hwnnw yn 1 Corinthiaid lle mae Paul yn sôn am yr Eglwys fel Corff Crist (12:12-26). Ni ellir ystyried yr hawliau heb gofio'r dyletswyddau, a lle y cyfunir gwasanaeth a chydweithio fe ellir cael Eglwys fyw a chytûn.

O'i gwmpas, gwelai ddeugain mlynedd yn ôl fel yr amddifadwyd cymaint o'r teulu dynol o'r hawliau a gymerwyd yn ganiataol gan drwch y boblogaeth. Yn sicr, fe ddylai datganiadau a anfarwolwyd fel 'Crëwyd pob un yn gyfartal' eu danfon allan i'r byd i wella amgylchiadau pob un sy'n byw mewn gwledydd na chafodd eu datblygu. Mae cyfrannu addysg, a rhoi mwy na bwyd a dillad yn rhan o'r genhadaeth hon. Y bywyd cyflawn yng Nghrist yw cenadwri'r bachgen ysgol a'r Archesgob. Mae'n haws mynnu'n hawliau'n hunain na brwydro dros hawliau eraill. Rydym wrth natur yn fodau hunanol. A dyma ddyfyniad o'r papur oedd ym mhoced Rowan Williams, disgybl yn y chweched dosbarth yn Ysgol Dinefwr, yn Neuadd y Brangwyn, traethiad sy'n adleisio toreth o anerchiadau a brintiwyd yn ystod ei dymor yn Archesgob Cymru ac yn awr fel Archesgob Caer-gaint.

Melltith fwyaf y byd gwareiddiedig heddiw yw'r hunanoldeb noeth, y prinder gofid i ymdrafferthu a'r ofn i ymrwymo a gwneud ein rhan; ac felly, rwy'n awgrymu, wrth gloi, y dylem ymdrechu yn ystod y Flwyddyn Hawliau Dynol sy'n agosáu, i hyrwyddo nid yn unig yr ymwybyddiaeth o'r hyn yw hawliau dynol, ond hefyd yr hyn a olygant, a sut mae'r holl syniad yn effeithio ar bob un ohonom, ac i greu consýrn gan ofalu ein bod yn deffro pawb i sylweddoli beth yw'n dyletswyddau: onid e ni ddaw y Datganiad o Hawliau Dynol byth yn realiti i'r byd yr ydym yn byw ynddo.

Ac yntau'n fachgen deunaw mlwydd oed yn Ysgol Dinefwr, â'i fryd ar fynd i Gaer-grawnt, roedd Rowan Williams ar ei draed ac ar bapur, wedi cychwyn ar ei dasg enfawr o roi'r byd yn ei le. Yn agos i ddeugain mlynedd yn ddiweddarach, ac yn parhau'n fwy effro na neb ohonom i'r cyfnewidiadau mawr sydd o'n cwmpas, mae'n dal ati i geisio trawsnewid y byd. Rhaid edmygu'r dygnwch hwn a'i argyhoeddiad y gellir cael gwell byd i fyw ynddo. Yn ei bregethau a'i anerchiadau, ac yn ei erthyglau a'i lyfrau, yr un yw'r rhybudd a'r un yw'r apêl ag eiddo proffwydi Israel gynt. Mewn byd sy'n siglo hyd at ei seiliau, rhaid dychwelyd at Dduw y Creawdwr, y Duw sy'n creu pobl newydd iddo'i hun ac yn rhoi ei Ysbryd o'u mewn. Oni welwn weddnewid dyn o'i fewn ni allwn obeithio newid y byd oddi allan. Trwy gydol y blynyddoedd, gwelwyd ynddo gyfuno'r ddiwinyddiaeth uniongred a'r un boliticaidd, a hynny yng ngwres y bywyd ysbrydol hwnnw sy'n codi allan o'i brofiad o Dduw, ei Achubydd. Dan ganopi eang ei ysbrydoledd, a luniwyd o ddeunydd ei ymchwil dwfn i ystyr a phwrpas bywyd yn y byd, a'r weddi daer sy'n ehangu'i iaith am Dduw ac am waith y Drindod, fe'i cynhaliwyd gan ei ddiwinyddiaeth fugeiliol a amlygir yn ei ofal am blant Duw, a'i bryder am y byd yng nghanol ei holl drybestod.

SEIADAU SANT PAUL

Yn ystod Medi 2004, trefnwyd pedwar cyfarfod yn Eglwys Gadeiriol Sant Paul yn Llundain, a gwahoddwyd yr Archesgob i bob un o'r cyfarfodydd. Roedd yn deyrnged amlwg iddo fel un a gydnabyddir yn sylwebydd craff ar faterion llosg y dwthwn cythryblus hwn. Bellach, fe'i hystyrir y mwyaf cymwys i gael y lle canolog mewn trafodaethau ymysg gwŷr a gwragedd hyddysg ac adnabyddus fel yr Athro

Philip Bobbitt, yr Arglwydd David Owen, Syr Mark Tully, y Farwnes Shirley Williams, y Dr Mary Midgley ac eraill. Codwyd y math o gwestiynau a garai'r ddiweddar Dorothee Sölle eu gosod gerbron pob cynulleidfa eglwysig. Daeth cynulleidfaoedd lluosog ynghyd i ymdrin â chwestiynau a godwyd ganddo droeon yn ystod ei dymor byr ym Mhalas Lambeth, cwestiynau sy'n dwyn ar gof y 'ddiwinyddiaeth boliticaidd' a argymhellwyd gan Sölle hyd ddydd ei marw, a hynny er mwyn trawsnewid y byd. Bellach fe geir y cwestiynau a'r trafodaethau rhwng cloriau cyfrol hylaw a ymddangosodd yn 2005, sef *The Worlds We Live In*. Mae'r is-deitl – 'Sgyrsiau gyda Rowan Williams am Economïau byd-eang a Gwleidyddiaeth' yn awgrymu mor bellgyrhaeddol oedd nod y seiadau hyn.

Gwelwyd yn barod fod pwnc y seiat gyntaf – 'Sut y dylid llywodraethu'r byd?' – wedi bod yn un a boenodd ysbryd y Dr Rowan Williams ers ei ddyddiau yn Ysgol Dinefwr. Mae'r materion sy'n codi o'r drafodaeth hon yn cael eu gwyntyllu yn y seiadau a ddilynodd, sef cyfalafiaeth fyd-eang, yr amgylchedd a'r ddynoliaeth, a goroesi yn y byd sydd ohoni. Ac mae rôl y Cenhedloedd Unedig, UNESCO, a'r Cyngor Diogelwch yn dal i lywio meddwl golygydd ifanc cylchgrawn Ysgol Dinefwr.

Un byd a ymddiriedwyd i'n gofal, ond mae ei broblemau'n lluosog. Mae'n gwbl amlwg fod yr Archesgob yn ŵr cymwys iawn i ddod â phobl feddylgar a galluog ynghyd i drafod y materion llosg a daflwyd yn gyson i'r gwynt gan awduron a newyddiadurwyr sy'n caru cynhyrfu'r dyfroedd. Yn y seiadau hyn, yn un o gadarnleoedd yr Eglwys Gristnogol, ac ym mhresenoldeb Archesgob a fedrodd asio'r ysbrydol a'r gwleidyddol, codwyd lefel y drafodaeth a hidlwyd llawer o ddoethineb i gronfa ystyriaethau'r llywiawdwyr hynny sy'n ceisio rhoi'r byd yn ei le. Erbyn hyn, mae'r Dr Rowan Williams wedi cael ei gyfle i gyfeillachu ag arweinwyr yr Eglwys

Gristnogol, a chael ei wahodd i gyfarfod ag arweinwyr prif grefyddau'r byd. Ynghanol yr helyntion a ddilynodd achosion o derfysgaeth angheuol, bu ei galon gynnes, ei feddwl gloyw a'i ddiwylliant eang yn foddion i ysgogi'r arweinwyr hyn i ddilyn ei bolisi ef gyda'i bobl, sef eu tywys i ddeialog ddoeth, heddychlon, i drafodaethau o fewn i'r bywyd cyhoeddus a all 'ddiogelu'r da cyffredinol'.

Yn *The Worlds We Live In* mae sawl cyfeiriad at y ffaith bod un o eglwysi enwocaf y byd wedi agor ei drysau i'r seiadau hyn, a bu ymateb brwd i'r arbrawf. Mae drysau enfawr Cadeirlan Sant Paul, yn agos i foth yr olwyn economaidd honno rhwng Banc Lloegr a Canary Wharf, a gerllaw mae Prifysgol Llundain, pencadlys aml bapur dyddiol a chanolfannau busnesau amlwg. Ym Medi 2004, aed â thrafferthion y byd a'i bobl i arffed gofod enfawr yr adeilad sy'n coffáu Apostol mawr y cenhedloedd, un a gredai, fel Rowan Williams ar ei ôl, fod yng Nghorff Crist foddion i iacháu'r byd o'i ddolur.

O dro i dro, bu trafod ar y pynciau a gododd yn y seiadau hyn ym mhalas Westminster, a bydd gofyn i'r Aelodau Seneddol eistedd yn hir eto ar eu meinciau cyn ystyried yn deg yr holl faterion a gynhwysir y tu mewn i gloriau *The Worlds We Live In.* Mae'r golygyddion Clare Foster ac Edmund Newell yn awyddus i ddarllenwyr y gyfrol gofio nad 'llwyfan yw'r llyfr hwn i'r Archesgob i ddatgan ei farn ar bob mater dan haul wrth fyd sy'n disgwyl oddi wrtho'. Yn hytrach, cyfrwng ydyw iddo dreiddio at wreiddiau'i ffydd a rhoi o ffrwyth ei brofiad ysbrydol i ni wrth drafod anghenion y byd cyfoes yn ei holl drybini. Ac mae yntau'n cydnabod i'r pedwar cyfarfyddiad fod yn adeiladol iddo wrth drafod mewn dyfnder y problemau poenus sy'n her i bawb, a hynny mewn cadeirlan 'tu hwnt i wleidyddiaeth gul, etholiadol'.

Codi cwestiynau moesol o'r pwys mwyaf a cheisio'u hateb wrth eu trafod oedd pwrpas y cyfarfyddiadau. Ar wahân i'r

243

Archesgob, roedd paneli gwahanol wedi'u gwahodd i roi eu barn ar yr amrywiol bynciau i'w hystyried, a phedwar o gadeiryddion gwahanol, ond adnabyddus, yn codi'r cwestiynau. Fe fydd y sawl sy'n gyfarwydd â darllen llyfrau ac erthyglau'r Dr Rowan Williams, ac o wrando ar ei ddarlithoedd a'i anerchiadau yn sylwi mai'r problemau gwleidyddol, moesol, diwylliannol, cymdeithasol a chrefyddol a drafodwyd ganddo fel Esgob ac Archesgob yw agenda'r eisteddiadau hyn. A phwy ohonom na fydd yn rhyfeddu at sbectrwm ei ddiddordebau a mesur ei amgyffrediad o'r amgylchiadau anodd sy'n ein goddiweddyd? Yn y trafodaethau, cymerwyd rhan gan ddyrnaid o'r llu deallusion a ddylanwadodd arno tra bu'n rhoi trefn ar ei feddyliau a ffurf ar ei safbwyntiau sylfaenol. Ond mae'r sgriptiau a gyhoeddir yma yn tystio bod ganddo'i farn aeddfed ei hun a'r ddawn gyfrin honno i weld cyfle'r Eglwys mewn oes sy'n ei gwrthod a'i dilorni.

Felly, 'sut y dylid llywodraethu'r byd?' Ceisiodd rhai o fawrion y ddaear o ddydd 'Gwladwriaeth' Platon hyd at ddameg George Orwell, *Animal Farm*, yn yr ugeinfed ganrif ateb y cwestiwn hwn. Ar drothwy canrif newydd a therfysglyd, byddai osgoi'r cwestiwn hwn yn ffolineb o'r mwyaf. Ceisio'i ateb yw gohirio difodiant. Mae'n gwbl amlwg fod y gŵr o Gymro o Gwm Tawe yn ei osod ar ben rhestr y cwestiynau dirfodol sy'n rhwym o'n poeni yn nyddiau'r cyfnewidiadau sydyn a syfrdanol. Ac yng nghyd-destun y cyfnewidiadau a welodd ef ers dyddiau Ysgol Dinefwr mae gwerthfawrogi'r apêl broffwydol sydd yn ei waith am drawsnewid buan, ynom ni y ddynoliaeth, ac oddi allan i ni ym myd Duw y Creawdwr a drefnodd ffordd i'n hail-greu.

Y FARCHNAD FAWR A'R FARCHNAD DEG

Gwahoddwyd Philip Bobbitt, Athro yn y Gyfraith ym Mhrifysgol Tecsas, i'r seiat agoriadol. Bu ef yn cynghori yn y Tŷ Gwyn am gyfnod fel dehonglwr breuddwydion a hunllefau oes y cyfnewidiadau mawr a welwyd o ddeutu'r Atlantig, ac ar diroedd y pum cyfandir. Pan ddaw cyfnodau tywyll a thymhestlog, a thrwch y ddynoliaeth yn llochesu rhag y gwyntoedd croesion, fe gwyd rhai fel yr Athro Bobbitt i ddehongli arwyddion yr amserau a'n harwain fel y bu i Arnold Toynbee, yr hanesydd, dywys ein rhieni i weld patrymau newydd o fyw tu hwnt i'r drysleoedd dyrys.

Cyn iddo lunio'i Ddarlith Dimbleby ar y testun 'Cenhedloedd, marchnadoedd a moesau', a'i thraddodi yn ystod 2003, mae'n gwbl glir bod prif ddaliadau'r Athro Bobbitt wedi hen afael yn yr Archesgob, ac wrth ragymadroddi, mae'n crynhoi rhai o brif argyhoeddiadau'r Americanwr hirben. Cyfeiriodd ato ym mis Tachwedd 2001 yn ei anerchiad i Gymdeithas Gristnogol Swyddogion Gweithredol Busnesau, ac yntau ar y pryd yn Archesgob Cymru ac yn pwyso a mesur effeithiau'r globaleiddio oedd yn rhwym o ddilyn llwybrau'r farchnad fyd-eang.

Lluniodd David Blunkett ysgrif werthfawrogol a beirniadol o'r Ddarlith Dimbleby, a'i chyhoeddi yn y *Spectator* yn ystod mis Hydref 2003. Mae'n cyhuddo'r Cymro o fagu obsesiwn ynglŷn â'r farchnad fyd-eang, ac o bori'n rhy eiddgar yn llenyddiaeth pobl fel Bobbitt. Eto, mae'r cyn-Weinidog Cartref yn canmol ei ddadansoddiad, ac yn cydnabod bod llawer o wirionedd yn yr hyn a ddywedodd yn ei ddarlith. Fe gofir bod Mr Tony Benn wedi clodfori'r ddarlith a'r darlithydd, ond mae ef, yn wahanol i'r Blairiaid, yn medru gweld yn glir wendidau Llafur Newydd. Fel yr Archesgob, mae'n fawr ei ofid bod democratiaeth mewn perygl lle gynt y'i coleddid.

Go brin bod angen i David Blunkett gynnig gwers i

hanesydd, sydd wedi cael ei gydnabod ers hydoedd fel un ar yr 'adain chwith' yn wleidyddol, ar y modd y datblygodd y Blaid Lafur! Ac yntau wedi'i fagu yng Nghwm Tawe a threulio degawd yn gweinidogaethu yng Nghasnewydd a chymoedd Mynwy, mae'r Dr Rowan Williams yn bur gyfarwydd â chryfderau a gwendidau'r Sosialaeth honno a gododd oddi isod. Yn y tir hwnnw mae gwreiddiau ei ddiwinyddiaeth wleidyddol. Ac yn enw'r ddiwinyddiaeth honno, nid dilorni llywodraeth Lafur ei ddydd a wna'r Archesgob, ond cynnig awgrymiadau ar sut i fentro ymlaen i'r dyfodol gyda'r economegwyr a'r gwladweinyddion. Mae'n gwbl ymwybodol y gall fod yna effeithiau niweidiol yn y farchnad fyd-eang, ond mae galwad arnom fel aelodau o'r Eglwys i werthfawrogi'r bendithion a'r haelioni a gafwyd a mynd rhagom i rannu'r deisen gyfalafol wrth i ni fynd i'r afael â'r lefiathan mwyaf eto, y wladwriaeth farchnad.

Annheg, a dweud y lleiaf, yw'r cyhuddiad a wna Blunkett yn 'Fy nghweryl â'r Archesgob' ei fod wedi esgeuluso hanes yn ei Ddarlith Dimbleby. Yn y lliaws cyhoeddiadau diweddar o'i eiddo bydd yn dynesu at broblemau heddiw a'r cyfnewidiadau a ragwelir ganddo ar ein taith i'r yfory yng ngoleuni digwyddiadau ddoe. Tybed a gafodd Blunkett gyfle i ymgyfarwyddo â chynnwys a rhediad ei Ddarlith Goffa David Nicholls, 29 Medi 2005?

Yn y ddarlith honno, mae'r Dr Rowan Williams, yn null yr hanesydd medrus, yn symud o gyfnod i gyfnod, o wlad i wlad ac o gyfandir i gyfandir gan olrhain y cyfnewidiadau mawr a fu, a chynnig awgrymiadau buddiol ar sut i ddelio â bywyd y byd mewn amgylchiadau gwleidyddol a chymdeithasol sy'n newydd i ni. Mae'n galw heibio'r Eglwys yn ei dyddiau cynnar, yn ymweld â Rhufain yn nyddiau lledaeniad y ffydd Gristnogol ac yn ystyried arwyddocâd yr erledigaethau a fu. Yn ystod yr Oesoedd Canol, mae'r Eglwys yn gweithredu gyda'r awdurdod hwnnw a etifeddodd, ond yn dilyn y

Diwygiad Protestannaidd, fe'i gwelwyd yn ei drosglwyddo i'r wladwriaeth. O hyn ymlaen, cryfhaodd grym y gwladwriaethau. Bellach, roedd y Babaeth wedi ildio'i sofraniaeth a'i hawdurdod, ac yn gweld cynnau coelcerthi cenedlaetholdeb ledled Ewrop. Dyletswyddau'r gwladwriaethau hyn oedd gwarchod eu rhandiroedd a'r ffiniau amddiffynnol o'u cwmpas, gofalu am eneidiau a chyrff y trigolion, a stiwardio'r economi er lles y bobloedd.

Mae'r gair Cymraeg 'gwladwriaeth' yn cyfieithu 'nation state' yr Athro Bobbitt ac yn cyfleu yr hyn a fu i'r dim. O fewn y gwladwriaethau hyn sefydlwyd trefn lywodraethol effeithiol gyda dyfodiad moderniaeth. Ond erbyn ein dyddiau ni, rydym yn sylweddoli bod secwlariaeth yn bygwth pob awdurdod, ac yn tanseilio grym y crefyddau. Wele, fe wawriodd dydd ôl-foderniaeth, a chydag ef gyfle i arbrofi, i fentro ac i obeithio. I'r Archesgob, daeth yn amser i ni fanteisio ar bob cyfle a ddaw i'n rhan i agor trafodaeth, gwrando ar gri cymuned a chwyn cymdeithas. Iddo ef pennaf cyfrifoldeb y ddiwinyddiaeth wleidyddol heddiw yw galw am fwy o selogion i'r seiadau trafod. Mae trafod yn ymarfer sy'n troi'n rym o hyd ym mywydau y rhai sy'n agored i gyfnewidiadau. Dyma'r ffordd i ddal yr eglwys mewn deialog â'r wladwriaeth, ac yn effro i'r hyn sy'n digwydd yn y byd. Hyn a wnaed ar lawr Cadeirlan Sant Paul yn Llundain, ac mae'r gyfrol *The Worlds We Live In* yn rhoi i ni amlinelliad o'r agenda sydd ei angen arnom os ydym am osgoi'r anawsterau a adewir ar ein llwybrau gan y farchnad hudol. Fe all ei 'gwladwriaeth' hi bylu'n gweledigaeth Gristnogol, peryglu'n bywyd ysbrydol a drysu'n tystiolaeth wrth i ni geisio cenhadu.

Trwy gydol y bedwaredd ganrif ar bymtheg a'r ugeinfed ganrif blodeuodd gwladwriaethau'r Gorllewin gan eu bod wedi'u ffurfio gan genhedloedd a fynnai amddiffyn eu tir a'u traddodiadau, eu hunan-les a'u llwyddiant, costied a gostio. Yn wir, tra parhaodd y gwladwriaethau cenedlaethol mewn grym, teimlai'r cenhedloedd hyn yn bur ddiogel. Trwy ddiogelu'u ffiniau a'u hawliau a chadw'u tai mewn trefn, gellid cadw'r gelyn draw.

Yna daeth tro ar fyd. Cynhyrchwyd arfau soffistigedig ond difaol, bomiau a thaflegrau dinistriol, a gosodwyd lloerennau llygeidiog rhyngom ni a'r sêr. Bellach roedd gwarchod ffiniau a hawliau gwladwriaethau gwasgaredig yn faich ar eu llywodraethau, ac yn ychwanegol at hyn, roedd y farchnad fyd-eang yn cropian cerdded i gyfeiriad ac o gwmpas gwladwriaethau'r cenhedloedd hyn. Nid oedd yn bosibl gwrthsefyll grym oedd mor ddeniadol i laweroedd ac eto mor ddieflig i rai mwy ystyriol.

Yn sydyn daeth y farchnad fawr i Fynwy, a chodi'i stondin mewn adeilad anferthol ar gyrion Casnewydd, ychydig gaeau o faes yr Eisteddfodau Cenedlaethol llwyddiannus a fu yno ym 1988 a 2004. Tra bu'n byw yng Nghasnewydd, fe welodd yr Archesgob adeiladu'r ffatri hon gan gwmni o Corea, a'r Cynulliad hael yn buddsoddi miliynau yn y fenter, bron ar garreg drws Llys Ifor Hael o Fasaleg, a hynny rhag gadael yn segur y gweithwyr dur a gollodd eu gwaith yn Llan-wern. Ond lle mae rhai o nwyddau'r farchnad fyd-eang yn darfod, mae'r cwmnïoedd mawr yn troi ar eu sodlau ac, yn achos LG, yn gadael yr 'eliffant gwyn' wrth ymyl y draffordd brysur yn gofadail i ansicrwydd y busnesau newydd. Bydd yr Archesgob yn dal i gyfeirio at ddarpariaeth y cwmni hwn yn ei esgobaeth, a'i ddiflaniad cyn iddo gyrraedd. Pan fydd angen rhoi wynepryd newydd i set deledu, naw wfft i 'wyneb llwm y gwaith'. Wedi iddo ymado â'r de-ddwyrain diwydiannol, digwyddodd yr un peth ym Mro Morgannwg. Yn ardal Pen-y-bont ar Ogwr, gwelwyd Cwmni Sony, a fu'n noddi'r Eisteddfod Genedlaethol, yn wynebu'r un gofid pan fu'n rhaid newid sgrîn ei deledu yntau. Tra bu yng Nghymru, safodd Rowan dros gyfiawnder i'r rhai oedd wedi rhoi blynyddoedd o wasanaeth i'r diwydiannau trymion, ac ni fu'n esgeulus o gefn gwlad a phroblemau amaethwyr Cymru a ddaliwyd yn nhrafferthion rhwydwaith y farchnad Ewropeaidd. Dan ormes y fasnach fawr, gwelwyd cau ffatrïoedd llaeth a chaws yn y Gymru wledig, gan adael teuluoedd yn brwydro i gael dau ben llinyn ynghyd.

Mae'r diwinydd gwleidyddol yn gweld cyfnewidiadau mawr ar y llwyfan rhyng-genedlaethol, ac yn rhagdybio mai'r wladwriaeth farchnad a ddisgrifiwyd mor fyw gan yr Athro Bobbitt a fydd yma mwy. Dan ei hadenydd daeth yr hwylustod hwnnw sy'n dwyn cysuron i'n bywydau prysur. Ond, mae'n magu trachwant yn ogystal ymhlith y gwerthwyr a'r prynwyr diwyd, ac yn perswadio pobl ym mhob cwr o'r byd i brynu'r un pethau. Celfyddyd y gwleidydd newydd yw porthi'r awch hwnnw i gynhyrchu ac i brynu, a throi pobl at y wladwriaeth farchnad sy'n cynnig cyfle gwych i'r unigolyn i brynu'i ryddid ac i hybu ei hunan-les.

Ond nid yw prynwriaeth yn ein rhyddhau o gyffion ein gofidiau. Yn ddi-os mae'r farchnad yn agor mwy a mwy o ddrysau i'r rhai sydd ag arian yn llosgi yn eu pocedi, ond mae mwy o dwyll ym myd masnach nag erioed, a mwy o eneidiau yn y ddalfa. Ac ym mhob cwr o'r byd mae pobl yn canfod bod llanw cyson y farchnad yn gwacáu eu bywydau, yn peryglu'u diwylliant ac yn pylu'r hen werthoedd.

I'r Archesgob, y ffolineb mwyaf yn ein cymdeithas yw credu y gall y farchnad fyd-eang ddatrys holl broblemau'n dydd. Mae llawer wedi coelio y gall fod yn bopeth i bawb, ac wedi dehongli'r gair 'globaleiddio' i olygu na all neb ar y ddaear gron fod mewn gwir angen yn y dyfodol. Ond stori wahanol a gyflwynir i ni ar y sgrîn fach ac yn y papurau dyddiol. Mae pobloedd, yn llwythau ac yn deuluoedd, mewn gwir angen ledled y byd, ac nid yw'r farchnad fawr yn eu cyffwrdd. Yma a thraw yn *The Worlds We Live In* cyflwynir ystadegau i'n syfrdanu a'n gwneud yn anghyfforddus. Ar draws ein byd anghenus, mae hanner ei boblogaeth yn byw ar lai na decpunt yr wythnos, ond yn llusgo-byw rhwng pedair wal dila gan eu cynnal eu hunain â'u cynnyrch prin. Felly, mewn pulpud ac ar bapur, mae'r Dr Rowan Williams yn apelio arnom i ddadfythu'r farchnad fyd-eang ac i adweithio'n greadigol iddi.

Ni all yr Archesgob lai na chydnabod bod y farchnad fawr wedi bwrw'i gwreiddiau'n ddwfn yn naear y gwledydd cyfoethog, ond mae'n argyhoeddedig nad yw pob glin wedi plygu i famon yn y gwledydd hyn. Yn yr eglwys Gristnogol ac mewn cymunedau dyngarol a chymdeithasau sy'n gwneud gwaith dyngarol, mae cnewyllyn o bobl sy'n sefyll ar yr 'ucheldir moesol' hwnnw, grwpiau sy'n gwybod 'beth sydd dda' gan wneud beth sy'n iawn, caru teyrngarwch, ac ymostwng i rodio'n ostyngedig gyda'u Duw (Micha 6:8).

Ymhlith y trugarogion hyn roedd y saith deg o filoedd a fu'n gorymdeithio yn ninas Birmingham yn y flwyddyn 2000, gan dynnu sylw at Ymgyrch y Jwbilî a rhoi cefnogaeth yr eglwysi i'r ymdrech honno i gael y llywodraeth i ddileu dyledion y gwledydd tlotaf. Yn eu plith roedd Archesgob Cymru ar y pryd, a'i deulu, a gweithwyr Cymorth Cristnogol yng Nghymru yn gwerthfawrogi'i gefnogaeth.

Ar 26 Ebrill 2005 fe'i gwahoddwyd fel Archesgob Caergaint i bregethu ar achlysur dathlu pen-blwydd y mudiad yn drigain oed yn y fan lle y deorwyd *The Worlds We Live In*. O bulpud Cadeirlan Sant Paul, mae'n benthyca geiriau Apostol y Cenhedloedd o'i ail lythyr at yr Eglwys yng Nghorinth (4:6), gan gymell ei gyd-Gristnogion i wasgaru'r goleuni hwnnw oedd yn wyneb Iesu Grist trwy estyn llaw garedig i dlodion y byd. Dwylo pobl rwystredig yw'r dwylo hyn, ond dwylo rhai â 'lleufer yn eu llygaid'. Gwasanaeth ydyw sy'n tarddu o haelioni Duw, ac yn datguddio gogoniant Duw'r Creawdwr a Chynhaliwr cyson y cread. Ffordd o gydnabod daioni'r Tad yw hyn, ac ymgais deg ydyw i ailffurfio'r byd a'i bobl ar ei ddelw. Mae torri'r bara yn ein hatgoffa ein bod yma i gyfannu'r byd, ac mae rhoi bara i'r byd yn newid y byd a'r sawl sy'n ei roddi, ac yn ehangu gorwelion yr eglwysi a'r gymdeithas. Ger yr allor a'r bwrdd mae estyn y bara hwn i'r newynog yn dwyn i gof y cariad mwyaf a welwyd erioed, cariad y groes.

Yn y seiadau ac yn yr oedfa i ddathlu pen-blwydd Cymorth Cristnogol, manteisiodd yr Archesgob ar ei gyfle i atgoffa'r Prif Weinidog a'i Ganghellor bod 2005 yn flwyddyn o gyfle iddynt i unioni ychydig ar anghyfiawnderau'r farchnad. Prydain fyddai'n gwahodd y Grŵp 8 i Gaeredin ym mis Gorffennaf 2005, a'r Prif Weinidog fyddai'n llywyddu yn Ewrop yn niweddglo'r un flwyddyn. Nid oedd y Dr Rowan Williams wedi anghofio'r arwyddair, 'Credwn mewn byw cyn marw'. Gofynnodd am ymddiriedaeth lwyrach yn 'Cymorth Cristnogol', mudiad sy'n ceisio pontio'r agendor affwysol hwnnw rhwng y cyfoethog a'r tlawd. Heb yr ymddiriedaeth yma yn ein mysg, ni cheir datblygiad na masnach deg.

Mae'n well gan y sefydliad sy'n hybu globaleiddio sôn am y Farchnad Rydd, ond mae'r Archesgob yn dadlau o blaid tegwch yn hytrach na'r rhyddid anghyfrifol hwnnw sy'n ansefydlogi pawb a phopeth gan fygwth bywoliaeth rhai gweithwyr, siglo'r cert gwleidyddol a llygru mwy ar yr amgylchedd. Braint Cymorth Cristnogol yw noddi'r farchnad deg yn enw'r eglwys, ac ennill cefnogaeth ariannol a dyngarol i drawsnewid y farchnad ac achub bywydau'r miliynau sy'n dihoeni yn y byd. Nid oes dim yn bwysicach nag estyn i eraill y rhyddid hwnnw o fedru rhoi. Ond yn gyntaf oll rhaid i ni ddysgu diolch i Dduw, ymddiried yn ein gilydd a cheisio byd lle mae cyfiawnder yn meithrin gobaith a llawenydd.

Deufis yn ddiweddarach yn niwedd Mehefin 2005, yr un oedd ei siars yn ei anerchiad fel Llywydd Cyngor Ymgynghorol yr Anglicaniaid i'r cynrychiolwyr a gyfarfu yn Nottingham. Meddai yno, 'Mae Duw yn galw personau dynol i fywyd lle mae tlodi yn dlodi i bawb a chyfoeth yn gyfoeth i bawb'. Dyma'r math o fuchedd sy'n nodweddu eglwys Crist, buchedd gwbl newydd, bywyd sy'n deillio o greadigaeth newydd. Nid asiant ac nid mudiad i greu newid gwleidyddol yw'r eglwys. Yng ngeiriau'r Llywydd, 'Yn syml, bywyd newydd ydyw, creadigaeth newydd'.

Ac mae gwir arwyddocâd i sacrament Swper yr Arglwydd os byddwn, wrth gymryd y bara, yn cofio am gyni'r newynog. 'Pan weinyddir y Cymun Bendigaid, nid ydym yn rhoi marciau i'n gilydd am ymddwyn yn dda neu am athrawiaethu'n uniongred, ond dangos sut y bydd hi yn Nheyrnas Nefoedd – bywyd Crist yn cael ei roddi yn gydradd i bawb fel y bydd pawb yn rhannu'r un bara; gelwir pob cymunwr wrth ei enw at fwrdd Duw, ac felly, rhaid i ni edrych ar bob cymunwr fel gwestai annwyl Duw. Yma y tardd y weledigaeth o fyd a adnewyddwyd, ac sy'n cadw'n fyw ein gobaith a'n dicter tuag at system sy'n trin cynifer fel petaent yn ddigroeso yn y byd, yn ystadegau dienw heb allu gwneud yr un cyfraniad i fywydau eraill, yn hepgoradwy.' Ac yna, fe ychwanega ychydig ystadegau i gloi ei her i'r Cyngor, ei agenda i'r Anglicaniaid. 'Tra bûm i yn siarad â chwi, a cheidwadol yw'r amcangyfrif, bu farw deuddeg cant o blant o achos tlodi.'

CREFYDDWYR Y BYD YN CYFARFOD

Mae terfysgaeth wedi agor drws deialog â'r Moslemiaid i'r Archesgob. Ers blynyddoedd, ymdrechodd yn galed i ddod â Christnogion ac Iddewon ynghyd trwy ymweld â gwlad Iesu, a llafuriodd fel yr Esgob Richard Harries i greu awydd ymysg pobl y ddwy ffydd i drafod eu gwreiddiau a'u cenhadaeth. Fel ysgolhaig beiblaidd, galwyd arno yn aml i annerch yng nghyfarfodydd cymdeithasau lleol y ddwy grefydd a gynhelir yma a thraw ym Mhrydain mewn eglwysi a synagogau. Mae'n ŵr cymwys iawn i arwain Cristnogion i weld eu dyled i'r Hen

Destament ac i dywys Iddewon i gydnabod bod Iesu o Nasareth yn etifedd meddylfryd eu Tadau, a bod ei ddehongliad ef o'r traddodiad yn estyniad gwerthfawr o'r datguddiad sydd gennym o feddwl ac ewyllys Duw.

Yn ystod naw degau'r ugeinfed ganrif, roedd yr Archesgob George Carey wedi dechrau braenaru'r tir caled hwnnw rhwng y Cristnogion a'r Moslemiaid ym Mhrydain. Cyn y difrod yn Efrog Newydd ar 11 Medi 2001, rhagwelwyd ar yr ynysoedd hyn bod angen cynnal deialog ddifrifol rhwng y tair crefydd Abrahamaidd, sef Iddewiaeth, Cristnogaeth a Moslemiaeth. Galwodd nifer o ddiwinyddion am y math o drafodaeth sy'n codi calon yr Archesgob Rowan. Yn eu plith, apeliodd Hans Küng (yn ei gyfrol *Judaism*) ar i blant Abraham ddod ynghyd, a throi eu clustiau byddar i wrando ar lais plant Hagar, y ferch o'r Aifft a esgorodd ar Ismael, tad y teulu Arabaidd (Genesis 16:1-4). Apeliodd breuddwyd Dr Küng at ei ddarllenwyr. Credai y gellid dod â'r tair crefydd fawr ynghyd ar y bryncyn lle yr adeiladwyd teml Solomon ac yn ddiweddarach deml Herod, a ddinistriwyd gan y Rhufeiniaid yn 70 OC. Deil i ddweud na chawn heddwch yn y byd oni fedr crefyddwyr fyw mewn heddwch ar y ddaear.

Tu cefn i Fur yr Wylofain yn Jerwsalem, mae gwreiddiau ffydd, gweddi a mawl Iddew a Christion. Ar y graig sydd yng nghanol y llecyn cysegredig hwn y cymerodd Abraham gordyn a chyllell i'w law gyda'r bwriad o aberthu Isaac, mab yr addewid. Yn y man hwn y bu Iesu o Nasareth yn addoli, ac yn traethu. Ac i'r Moslemiaid, oddi ar y graig hon yr esgynnodd Mohamed i'r nef. Onid yw'r fath lain o dir yn arwyddlun o obaith y rhai sy'n ceisio heddwch a chymod ac yn anogaeth i arweinwyr y crefyddau mawr gyfarfod a chyd-weddïo?

Ar ôl 11 Medi 2001 ac yn amlach ar ôl 7 Gorffennaf 2005, pan ymosododd terfysgwyr ar drafnidiaeth dinas Llundain, gan ladd rhai ar drenau tanddaearol, ac ar fws deulawr, manteisiodd y Dr Rowan Williams ar bob cyfle a ddaeth i'w ran i siarad â Moslemiaid, ym Mhrydain, yn Ewrop, Asia a'r Affrig. Fe apelia'r dyngarwr Cristnogol sydd ynddo at y naws deuluol a chymunedol sy'n cynnal canlynwyr teyrngar Mohamed, a gall gamu i'w plith fel un sy'n gyfarwydd â'u daliadau crefyddol ac â'u dyheadau ysbrydol. Ef yw'n llysgennad gorau yn y Gorllewin i fynd atynt ac wrth gyfeirio at yr hyn sy'n gyffredin yn ei grefydd ef a'i ffydd yntau, mae'n llwyddo, lle mae gwleidyddion yn methu, i godi pontydd. Ymddengys bod ei bersonoliaeth gynnes, ei ymddangosiad offeiriadol dwyreiniol a'i ddynoliaeth hynaws yn fwy dylanwadol ymysg ffwndamentalwyr Moslemaidd nag ydyw ymhlith ffwndamentalwyr eithafol ei ddiadell ei hun!

Ar 15 Medi 2004, traddododd anerchiad yn Bosnia i Foslemiaid a welodd sawl blwyddyn o ddioddef a thywallt gwaed. Unwaith eto, mae'n tanlinellu'r nodweddion sy'n gyffredin i'r ddwy garfan grefyddol, ac yn gweld y gall elusengarwch eu dwyn yn nes. Fe ddychwel unwaith eto at y cwestiwn sy'n un allweddol yn *The Worlds We Live In*: 'A oes yna ddewis arall pe gwrthodid cyfalafiaeth fyd-eang?' Mae'n amlwg bod yr Archesgob yn amheus y gellir disgwyl tegwch a chyfiawnder tra mae'r pwerau mawr yn glynu wrth gyfalafiaeth.

Ategwyd at ei amheuon gan economegydd o Foslem, y Dr Muhammad Yunus, y gŵr a sefydlodd y Banc Grameen ym Mangladesh, a threfnu yno ffordd i roi benthyciadau i filoedd ar filoedd o dlodion. Mae'r Dr Yunus, a wahoddwyd i'r ail gyfarfod yng Nghadeirlan Sant Paul, yn canmol y cynllun hwn gan iddo osod cynifer o dlodion ar eu traed, teuluoedd sy'n dal i ad-dalu eu dyledion yn llawen. Mabwysiadwyd cynllun y Dr Yunus ymysg Moslemiaid yn Asia ac yn yr Affrig, a gellir dychmygu'r gwrandawiad astud a gafodd gan drigolion Bosnia wrth iddo gymell y ffordd hon ymlaen iddynt hwy.

Dywedwyd droeon bod arian yn gwneud arian, a dyma

arwyddair ac argyhoeddiad y cyfalafwr. Cynyddu busnes a'i gael i dalu yw nod y cyfoethog. Ond, mae'n bosibl defnyddio busnes i rannu'r elw er lles pobl eraill. Mae apêl y gŵr o Fangladesh am 'fentergarwch cymdeithasol' wedi gosod saeth ychwanegol yng nghawell Archesgob Caer-gaint. Mae'n syniad sy'n sawru'n gryf o elusengarwch iachusol ac yn arf a fedr helpu'r gwan i'w helpu eu hunain maes o law.

Amcan cynllun Banc Grameen yw cyflawni'r wyrth honno o droi busnes o fod yn fenter bersonol a hunanol i fod yn antur gymdeithasol er budd y llwm. Trwy roi benthyg cyfalaf i'r anghenus i ddileu eu hangenion, gall y teulu a'r llwyth fyw bywydau llawn.

Mae dosbarthu mân fenthyciadau a'u trawsblannu yng ngwelyau tlodi yn fuddsoddiad er lles tlodion y byd. Dyma'r ffordd i atal cyfalafwyr sy'n byw i chwyddo'u heiddo rhag gosod eu cyfoeth mewn cilfachau cudd lle mae'n bur anodd meithrin ysbryd dyngarol.

Rhai misoedd wedi'i orseddu yng Nghaer-gaint traddododd ddarlith yn ninas Birmingham (ym Mehefin 2003) ar y testun 'Diwinyddiaeth Gristnogol a'r Crefyddau Eraill'. Yn ddi-os, y ddarlith hon a enillodd iddo'i 'blwyf' fel dehonglwr y crefyddau mawr. Rhaid ei fod wedi cwmpasu'r maes eang hwn ymhell cyn y terfysgoedd yn Efrog Newydd a Llundain, ond yn wyneb bwriad amlwg yr Arlywydd George W. Bush a'r Prif Weinidog Tony Blair i ymosod ar Irac, rhoddodd yr Archesgob fin ar ei arfogaeth feddyliol ac ysbrydol er mwyn bod yn barod i ddelio â'r anniddigrwydd hiliol a fyddai'n rhwym o ddilyn y ffrwgwd ffiaidd yn y Dwyrain Canol.

Aeth yr heddychwr, a deimlodd yn fuan wedi'i ddyrchafiad iddo gael ei alw i fod yn gymodwr, i Birmingham, sy'n un o'r canolfannau mwyaf aml-genhedlig, i draddodi'i ddarlith. Yng nghanolbarth Lloegr, lle mae cynifer o fewnfudwyr wedi ymgartrefu, roedd papur doeth y Cymro yn air yn ei bryd yn un o'r mannau hynny lle y gallai ysbryd dicllon a dialgar y Moslemiaid fflamio'n derfysg angheuol.

Gwisgodd ei fantell ddiwinyddol yn Birmingham, ac o'r awr y gwelodd arwyddion ein dydd trwy lwch cwymp y ddau dŵr yn Efrog Newydd ar 11 Medi 2001, dadleuodd y dylai Cristnogion, Iddewon, Moslemiaid a Bwdistiaid godi'u golygon uwchlaw'r cymylau du sy'n ddychryn i ni oll, a dod ynghyd mewn deialog fel crefyddwyr. Mae credinwyr o blith y carfanau hyn wedi arfer coleddu syniadau sy'n gyffredin yn y crefyddau mawr am natur bywyd yn y byd hwn, er bod eu daliadau am y byd mwy a'i rymusterau sydd yn ein cynnal o ddydd i ddydd yn wahanol. Yn naturiol mae'n harferion a'n defodau crefyddol yn gwahaniaethu, ac fe'u hadlewyrchir yn y systemau gwahanol sydd gennym i gynnwys ein syniadau amrywiol am y dulliau a ddyfeisir gennym i ddofi'r pwerau arallfydol hynny. Ac yma y gorwedd ein hanhawster pennaf heddiw, dehongli'r systemau diwinyddol hyn yn oes y globaleiddio a'r mudo mawr. Ymhell o'n cynefin a'n cenedl, yn yr anialdir meddyliol ac ieithyddol hwnnw, megir mudandod, dieithrwch a diflastod.

Ond nid digon dod ynghyd i ddathlu'r hyn sy'n gyffredin gennym; rhaid archwilio'r moddion sydd gan y gwahanol grefyddau i gysylltu â'r byd anweledig. Amhosibl yw disgwyl y gall crefyddwyr o gredoau gwahanol gytuno ar hyn. A dyma briod faes y diwinydd, gwyntyllu'r dadleuon sy'n cadw credinwyr ar wahân yn hytrach na'u dwyn at ei gilydd. 'Defnydd crefyddol o'r meddwl' yw diwinyddiaeth i'r gŵr a fu'n Athro mewn Diwinyddiaeth cyn dod yn Archesgob. Meddai: 'Mae iaith grefyddol yn llefaru am yr amgylchedd cyfan trwy sôn amdano mewn perthynas â'r sanctaidd'. Yn yr iaith hon mae diwinyddiaeth, ffrwyth y deall crefyddol, yn ceisio rhoi mynegiant i'r oblygiadau amlwg sydd i'r broses hon o geisio gweld popeth mewn perthynas 'â'r realiti sanctaidd nad yw byth yn absennol'. Ac mae'n bywydau o ddydd i ddydd yn cael eu trawsnewid yn sylfaenol pan fônt mewn perthynas â'r 'arall sanctaidd'.

Yn naturiol, bydd myfyrio am ein perthynas â'r 'arall sanctaidd' yn gymhelliad i ni droi'n aml at ein 'llyfrau sanctaidd' a myfyrio ar yr hyn sydd ynddynt, gan anghytuno ynglŷn â'r materion sy'n annerbyniol i ni. Mae lle i anghytundeb er mwyn deall ei natur. Ni ellir clirio'r awyr heb frwydr, na darganfod y gwirionedd; a lle mae gwrthdaro, rhaid ei wynebu cyn y gallwn fyw fel cyfeillion. Mae gan yr Iddew, y Cristion a'r Moslem ei argyhoeddiadau pendant. Ni all yr Iddew a gred i Dduw ei ddewis ef a'i genedl ystyried y posibilrwydd y gallai Duw newid ei feddwl. Ni fedr y Cristion gredu y gall ei rinweddau a'i weithredoedd da orfodi Duw i'w garu, mwy nag y gall y Moslem dderbyn bod Duw yn Un yn Dri. Ond, rhaid i'r Cymro tangnefeddus, yn ôl ei arfer, hawlio trafodaeth, dadl a deialog! Ac nid ar chwarae bach y medr crefyddwyr osgoi yr hyn a alwodd Wittgenstein, 'y gêm iaith'.

Yng nghyfres Joan Bakewell, *Belief*, ar BBC 3 (radio), ac a gyhoeddwyd yn 2005 (Duckworth Overlook), cafodd ei chyfle i holi Archesgob Cymru yn y flwyddyn 2001. Ei chwestiwn cyntaf oedd, 'A yw barddoniaeth yn debyg i'r offeiriadaeth yn ymestyn eich dealltwriaeth o'r bydysawd ac ohonoch chwi eich hun?' A dyma'r ateb a gafodd:

Ar ryw ystyr byddaf yn meddwl fy hun mai gweithred o ffydd yw barddoniaeth, gweithred o ffydd mewn iaith. Mae un yn profi cyfyngiadau iaith, yn ceisio gwneud a dweud pethau newydd gan wneud cysylltiadau newydd mewn cyffelybiaethau ond gan ymddiried y bydd yr iaith yn mynd rhagddi o'r fan honno, a symud ymlaen. A dyma yw cyffro'r peth, heb fod yn gwybod yn iawn beth a ddywedaf ond yn dal ati yn yr ymddiriedaeth y bydd hyn yn egluro mwy ac yn goleuo.

Felly, swyddogaeth iaith i'r diwinydd yw ceisio cyfleu'r gwirioneddau sydd yn nyfnderoedd y crefyddau mawr. Bydd gan yr ysgolhaig a fu'n astudio'r crefyddau cymharol y cyfrifoldeb o restru daliadau'r crefyddau hyn, a'u gosod ochr yn ochr er mwyn canfod yr hyn sy'n gyffredin ynddynt. Mae gan y Dr Rowan Williams y wybodaeth a'r profiad i wneud hyn, ond nid yw'n rhoi ystyriaeth, hyd y gwelaf, i'r myrddiwn cymunedau ledled Prydain a'r byd sydd heb yr arweinwyr a fedr gynnig yr arbenigedd sydd ganddo ef. Heb y cyfarwyddyd hwn dal i edrych allan ar fywyd y byd trwy ffenestri hirgul y diwylliannau brodorol a wneir. Ond lle mae ymdrech i ddosbarthu, cymharu a chyffelybu'r gwirioneddau hanfodol yn y prif grefyddau, bydd gobaith y gwelir ehangu ar orwelion a'r drysau clo yn agor.

Oddi ar ymadawiad yr Archesgob â Chymru gwelodd y byd i gyd gyfres o drychinebau erchyll, a bu'n rhaid i Gristnogion, Moslemiaid, Iddewon, Bwdistiaid a Hindwiaid ddygymod â'r cwestiynau a ofynnwyd a'r creithiau a adawyd. Bu tymhestloedd dinistriol ar arfordir deheuol yr Unol Daleithiau, y *tsunami* a daeargrynfeydd difaol yng nghanolbarth Asia, a rhyfeloedd gwaedlyd yn y Dwyrain Canol. Bu cynnydd mewn terfysgaeth, ac yn hemisffer y De cafwyd heintiau, newyn a gwrthryfeloedd creulon. Cyfeiriodd Mr Tony Blair at holl ddoluriau'r Affrig fel 'cornwyd ar y byd', ac addawodd ei ddileu. Ond cronni a wna'r crawn ar y cyfandir hwnnw hyd heddiw. Ymunodd cenhedloedd y ddaear, ac yn amlach na neb, yr Archesgob Rowan, yn yr ochenaid drom o gydymdeimlad. Gwerthfawrogwyd empathi'r Cymro a'i gonsýrn a gwelsom barodrwydd y teulu dynol i rannu gofid y byd os nad ei olud.

Mae'r sawl sy'n darllen The Worlds We Live In yn sicr o weld bod gan y Dr Rowan Williams, y diwinydd gwleidyddol, restr, cyhyd â'i bryderon, o welliannau yn ei lasbrint i'r byd. Hawdd canfod bod ei anerchiadau ar hyn o bryd i Foslemiaid a Christnogion yn ymgais i gyflwyno'i raglen waith i wleidyddion a'r rhai sy'n gweinyddu'n byd. Mae'n galw crefyddwyr ac eraill ynghyd, fel y gwnaed yng Nghadeirlan Sant Paul, i drafod y dioddef sydd ynddo, ac i'w achub o'i wae cyn iddi fynd yn rhy hwyr.

Yn ein temlau, ein synagogau, ein heglwysi a'n capeli, byddwn yn glynu mor dyn wrth ein harferion, ein defodau a'n credoau ac, o ganlyniad, byddwn yn rhy grefyddol yn aml i boeni am ein bywyd yng nghanol byd o ofidiau. Hyn oedd ym meddwl y diweddar Brifathro Pennar Davies mewn pennill byr sy'n agor gyda'r geiriau,

Mae'n gas gennym feddwl am gyflwr y byd;
Mae'n well gennym ganu a chanu o hyd.
Cans dyna yw crefydd: cymanfa ac undeb,
A stori a llefain a dawn ac ystrydeb,
Pregethwr dagreuol neu esgob mewn rhwysg,
A phererindodau a chyrddau mawr brwysg.

('Y Crefyddwyr' allan o *Cerddi Cadwgan*)

Yn anaml y byddwn yn archwilio'n profiadau o Dduw ac yn dadansoddi'r iaith a ddefnyddiwn i sôn am y profiadau hyn yng nghyd-destun y byd.

Ond fel diwinydd sy'n ystyried bod astudio a myfyrio, deall a dehongli yn rhan anhepgor o'i waith fel diwinydd, mae'r Dr Rowan Williams yn apelio at gynrychiolwyr y gwahanol grefyddau i ddod allan o'u corneli clyd a chyfarfod i drafod y cwestiynau dwys a difrifol. Petai hyn yn digwydd, fe allai diwinyddiaeth unwaith eto gyflawni'i phriod waith, sef creu berw ac anghydfod a chodi materion llosg i'r wyneb. Meddai, 'Mae yma ofod agored lle y gall pobl gyfarfod pan na fyddant yn grefyddol' (yn Birmingham, 11 Mehefin 2003).

Yn y gofod hwn mae ein cyfle i weithio ac i wasanaethu ynghyd i ddwyn cyfiawnder, cymod a heddwch i'n *byd*. Hwn yw'r 'tir sanctaidd' lle y rhoddir iaith ein crefyddau ar waith, yr iaith a fedr ddwyn yr Anweledig i ganol ein byd bregus. Fe fydd yn y gofod hwn anghytuno ac anghydweld, ond yma y cysylltir iaith ein crefydd â'n gwaith dyngarol. Cyplysir ffydd a gweithredoedd lle y ceir deialog aeddfed, ac yno, o dipyn i beth, cleddir asgwrn y gynnen. Mae gwrthdaro'n bod erioed, ond mae'r Archesgob yn dyheu am y cyfeillgarwch creadigol a chynhwysol hwnnw a geir ar ôl i ni ddeall natur yr anghytundeb.

Mewn cyfnodau o greisis, pan fydd yn rhaid i ni werthuso defodau ac ad-drefnu'n blaenoriaethau, fe ddaw'r duwiolfrydig i ystyried moddion i ddelio ag annuwioldeb yr anghyfiawn a thrais y trachwantus. Ac yn gefn iddynt bydd y 'cyfungyrff dyngarol', yr unedau o bobl sy'n codi yma a thraw, ac yn gweithio'n dawel i roi'r byd yn ei le. Mae'r cyrff hyn yn yr Unol Daleithiau, ac yno, yn ôl Dr Bobbitt, maent yn gyrff niferus, sy'n blodeuo'n annibynnol ar y llywodraeth, rhai ohonynt â chysylltiad â'r eglwys, ac eraill o dan nawdd y Cenhedloedd Unedig.

ECOLEG AC ECONOMEG

Gwelwyd eisoes bod dau gyfarfod wedi'u neilltuo yng Nghadeirlan Sant Paul i drafod yr economi, a chadeiriwyd y trydydd gan y Canon Lucy Winkett. Y tro hwn, ymunodd y Dr Mary Midgley a'r Dr Ricardo Navarro â'r panelwr parhaol, yr Archesgob Rowan Williams, a thrafod pwnc sy'n bwnc llosg ers tro, a gwleidyddol iawn erbyn hyn, sef ecoleg. Mae cyseinedd y ddau air yn cynnal dadl yr Archesgob na ddylid dechrau trafod y farchnad fyd-eang heb ystyried mater yr amgylchedd. Mae sill gyntaf 'economi' ac 'ecoleg' yn tarddu o'r gair Groeg am dŷ – *oikos*. Fel gyda'r gair 'ecwmenaidd', mae a wnelo'r ddau air â'n hymdrech i 'gadw'n tŷ' – y byd yr ydym yn byw ynddo, y blaned a roddwyd i'n gofal. Llunio deddfau i warchod pwrs y wlad mae'r economegydd, rhoi cyfarwyddyd i'r trigolion ar sut i ddefnyddio'u synnwyr cyffredin a'u rheswm (*logos*) mae'r ecolegydd.

Unwaith eto, rhyw ddeng wythnos cyn y seiat hon, traddodwyd papur ymchwilgar a threiddgar gan yr Archesgob, 'Darlith yr Amgylchedd'. Mae cynifer yn ysgrifennu ac yn traethu ar ganlyniadau'r llygru a fu ar yr amgylchedd, fel ei bod yn dda cael agwedd ffres a gwahanol ar y pwnc. Yn ystod chwarter olaf yr ugeinfed ganrif bu diwinyddion eraill, fel y diweddar Esgob Hugh Montefiore, yn darlithio ac yn cyhoeddi llyfrau apocalyptaidd eu naws gan ein rhybuddio y gallai ein camarfer o roddion Duw ein taflu i ganol trychinebau enbyd. Ac fe fu cyfres ohonynt. Nid yw'n rhyfedd bod y Dr David King, sy'n cynghori'r llywodraeth ar y materion hyn, o'r farn bod y newid a fu ar y tywydd yn fwy o ben tost heddiw na therfysgaeth. Adroddwyd y stori yn gyson. Gollyngwyd tunelli o'r carbon a losgwyd gan ddiwydiant a cherbydau o bob math i'r awyr a pheri cynhesu bydeang. Yn raddol cododd y tymheredd gan doddi'r mynyddoedd iâ yn y pegynnau a tharfu ar fywyd yr anifeiliaid a'r adar gwyllt yn eu cynefinoedd. Ymchwyddodd y moroedd a gwelwyd llifogydd ar yr arfordir ac yn y dyffrynnoedd. Difrodwyd rhannau o'r byd gan dymhestloedd sydyn. Cythruddwyd y ddaear, a bu daeargrynfeydd llidiog. Lle bu sychder, daeth gwlybaniaeth, a lle bu cynhaliaeth ddigonol daeth prinder a newyn. Caledodd y tir cynhyrchiol yn anialdir diffrwyth, ac amddifadwyd ymlusgiaid, adar ac anifeiliaid a'u rhywogaethau o'u hawl i fyw gan y ddynoliaeth farus. Y ddynoliaeth hon fu'n tynnu a thynnu o'r ffynhonnau olew, ond bellach mae'n methu dygymod â'r prinder sydd wedi'n goddiweddyd. Ac ym marn y Dr Navarro, mae'n frwydr am ddŵr glân i'w yfed, yn enwedig yn y gwledydd lle mae diod Adda eisoes yn wenwynig, yr awyr yn afiach a'r bwyd yn brin. Yn *The Worlds We Live In* printiwyd ei ddarogan plaen: 'Mae dŵr erbyn hyn yn achos rhyfel.' Ychwanegodd, 'Gwyddom eisoes fod y galw am ddŵr yn dyblu pob ugain mlynedd. Yn gynyddol bydd dŵr yn achos trais yn y byd.'

Tristwch y sefyllfa drychinebus yr ydym ynddi yw'r gamdybiaeth gyffredinol y gall ymdrechion 'Cyfeillion y Ddaear', ac eraill sy'n galw am ddiogelu'n hamgylchfyd, beryglu hawddfyd y cyfoethogion sy'n gwarchod buddiannau'r farchnad fawr. Fe all segurdod y cyrn mawr myglyd greu diweithdra. Arwydd oedd ystyfnigrwydd yr Americanwyr yn Kyoto ac eto ym Montreal o bryder pobl bwerus sy'n byw, ac yn marw, i gadw tân a pheiriannau'r farchnad fyd-eang i losgi. Tra mae'r ecolegwyr yn galw am awyr bur mae'r cyfalafwyr yn ofni gweld yr economi yn arafu. Ac erbyn hyn, mae'r ddwy wlad fwyaf poblog ar y blaned hon, Tsieina ac India, yn croesawu'r farchnad ac yn gollwng yn rhydd i'r awyr y llygredd cynyddol hwnnw sy'n gwenwyno'r awyr iach brin ac yn caethiwo ysgyfaint y miliynau sy'n llusgo byw.

Mae ym Mhalas Lambeth Archesgob a ddaeth â llais arbenigwyr fu'n seiadu yn ei glyw i blith pobl sy'n medru dylanwadu ar rai sydd â grym ym myd busnes ac awdurdod mewn llywodraeth leol a chenedlaethol. Mewn anerchiad yn Llundain ar 15 Tachwedd 2005, ac yntau yn Llywydd y Synod Gyffredinol, fe ddywedodd nad oes yr un mater yn bwysicach na chyflwr yr amgylchfyd yr ydym yn byw ynddo. 'We do largely agree when we talk about it that it is probably the most urgent public moral issue of our time.' Ac wrth rybuddio'r eglwys bod mater yr economi yn eilradd i broblem ecoleg gyfoes, yn ôl ei arfer mae'n galw ar bawb i wneud rhywbeth ynglŷn â'n sefyllfa enbyd. Rhaid i lywodraethau'r byd symud yn gyflym, a rhaid i ni, yr etholwyr sy'n eistedd ar ein dwylo, godi a rhoi'n pleidlais a'n llais o blaid dyfodol byd Duw.

Ei safbwynt diwinyddol cadarn mai byd Duw yw'r byd a fygythir yw sylfaen ei gyfraniad mwyaf i'r drafodaeth, sef 'Darlith yr Amgylchedd', *Changing the Myths We Live By*, (5 Gorffennaf 2004). Yn amlwg, mae yma adlais o deitl cyfrol y Dr Mary Midgley, *The Myths We Live By*, ond rhaid tanlinellu'r gair a ychwanegodd yr Archesgob at deitl llyfr yr athronydd – *Newid*.

Gallai'r rhai oedd yn gwrando ar sylwadau'r Dr Midgley yn y gadeirlan amgyffred beth yw rhai o'r mythau sy'n creu a chynnal y meddwl technolegol cyfoes a'r coelion diwylliannol. Yn ddiamau, rydym wedi ein twyllo'n hunain fod gennym y rhyddid a'r hawl i'w defnyddio, a'u defnyddio weithiau i daflu llwch i lygaid ein gilydd. Cyflwynir rhai o'r mythau a ddefnyddiwn ganddi trwy ofyn ambell gwestiwn! Pam nad ydym yn gwneud rhywbeth os ydym yn credu'n wirioneddol bod y byd yn mynd â'i ben iddo? Ac ebychiad moesegol-seicolegol a allai fod yn gwestiwn o enau'r Archesgob: 'Pwy ohonom na chafodd ei demtio i ochel unrhyw drawsnewid yn ein bywydau am fod newid bob amser yn anghyfleus?' Hen, hen fyth ymhlith plant dynion yw credu mai'r nefoedd yw'n nod a'n cyrchfan, yn ôl y Dr Mary Midgley, ac felly, mae'r ddaear yn gaethle ac yn dramgwydd i ni ar ein pererindod! Ond, mae'r freuddwyd o gyrraedd 'y nefol wlad' yn dal ynom, ac yn ei barn hi dyma'r ffantasi sydd y tu ôl i'r dyhead dwfn i gael troedle allan yn y gofod petai'n gyfyng arnom i lawr yma, a bod byw ar gramen y ddaear yn anghyfleus. Ond, mae'r hen ddaear yn dal yn annwyl i'r athronydd! *Gaia* y Groegwr (daear lawr) sy'n cynnal pob peth ac yn arwyddlun o'r undeb hwnnw sydd yn bod rhwng pob dim, yr undeb y ceisiwn ni ei amlygu ac a rydd ystyr a phwrpas i'n bywydau.

Newid y mythau y tro hwn i'r Archesgob yw dychwelyd i Lyfr Genesis, i'r Beibl ac at yr athrawiaeth Gristnogol am y Creu. Erbyn hyn, rydym wedi hen gyfarwyddo â'i geid-wadaeth, a derbyn y gall droi'r cloc yn ôl ganrifoedd er mwyn i'r larwm ein deffro yn ein dyddiau ni. Trwy ddal dysgeidiaeth y Beibl ar Dduw yn creu yng ngolau esboniadaeth rhai o feddylwyr gorau Eglwys Uniongred y Dwyrain, mae'n diweddaru'r athrawiaeth honno, ac yn ei defnyddio i alw am y warchodaeth a'r stiwardiaeth sy'n angenrheidiol i ddiogelu bywyd ar ddaear Duw.

Addysgwyd y sawl sy'n gyfarwydd â stori'r Creu yn nechrau llyfr Genesis i dderbyn nad hanes sydd yma, ond myth a fenthyciwyd o lenyddiaethau'r Dwyrain Canol. Tra bu yn y Gaethglud ym Mabilon, daeth cenedl Israel yn gyfarwydd â'r fytholeg am y creu, ac fe'i defnyddiwyd gan awduron llyfr Genesis a fynnai gyflwyno'r gwirioneddau sydd ynddi i'w darllenwyr.

I ddiwinyddion y Gair mae'r byd yn bodoli am fod Duw y Creawdwr wedi llefaru ac yn dal i lefaru (cf. Salm 33:6). Mae'r cyfanfyd yn sefyll ar Air Duw, ac mae'r Iddew a'r Cristion yn dal bod Duw yn yr act o greu yn cyfathrebu â'i fyd. Mewn gair, cyfarchiad yw'r cread a gweithred sy'n fynegiant ac yn amlygiad o ddeallusrwydd mawr sy'n hawlio ymateb deallus. Mae pob realiti sy'n bodoli yn 'air' (mewn Groeg, *logos*), ac yn greadigaeth ddeallus. Etifeddodd y Cristion y syniad Iddewig fod Duw wedi rhoi ei ddelw *(imago Dei)* arnom ni ei blant. Ym Mhrolog Ioan i'w Efengyl, mae'n egluro i'w ddarllenwyr bod y Gair oedd gyda Duw yn y dechreuad yn meddu rhan allweddol yn y Creu (1:3). Yr ydym ninnau, sydd ar ei ddelw ac yn rhan o greadigaeth Duw, yn agored i dderbyn y bywyd sydd yn Nuw a dod i adnabod Duw. Arferid sôn gynt am y Cread fel llyfr Duw, ac mae ymateb i Dduw, 'awdur' y llyfr hwn, yn gam i gyfeiriad Duw. Mewn brawddeg, rhodd Duw i ni yw'r cread, a deall y cread yw bod mewn cytgord â'r Creawdwr.

O fod ar yr un donfedd â doethineb Duw, bydd yn bosibl i ni ganfod pwrpas Duw ar ein cyfer yn ei fyd a bod yn gyd-weithwyr cyson ag ef. Mae'r Dr Rowan Williams yn hoffi pwyslais y diwinydd o Romania, Dumitru Staniloae, 'bod rhaid derbyn y greadigaeth fel rhodd oddi wrth Dduw, fel rhywbeth sy'n gwneud perthynas â Duw yn bosibl, gan wneud hefyd y greadigaeth yn rhodd – i'w derbyn gan Dduw dan ei fendith ac yn ddiolchgar, a'i chynnig yn ôl i Dduw trwy'r un fendith a'r un diolch [hynny yw, gollwng y syniad ei bod yno er mwyn ein defnydd ni], a'i defnyddio fel cyfrwng i rannu'r haelioni dwyfol ag eraill'.

Yn Eglwysi Uniongred y Dwyrain, dyma'r darlun sy'n portreadu orau yr alwad a ddaw i ni fel bodau dynol, ein bod yn bobl a gafodd iaith i sôn yn ddealladwy am rodd Duw i ni ac i'w dathlu trwy fyw bywyd y Drindod.

Gosodwyd ar Adda y cyfrifoldeb o roi enwau i'r anifeiliaid oedd o'i gwmpas. Ymddiriedwyd i'r ddynoliaeth y dasg o labelu'r byd, ei gydnabod fel rhodd Duw, ymroi i wasanaethu Duw ynddo er mwyn adlewyrchu cymeriad Duw yn y byd, ei wisgo â gogoniant y Creawdwr a'i roi yn ôl iddo mewn gweddi ac mewn addoliad.

I Alexander Schmemann, diwinydd galluog Eglwys Uniongred Rwsia, byddai'n haws rhoi'r byd yn ei le petai gwŷr a gwragedd yn y byd sydd ohoni yn medru ymwrthod â'r agwedd brynwriaethol ac yn mabwysiadu agwedd offeiriadol iach tuag at y greadigaeth. Iddo ef, pechod yw ymddwyn yn anoffeiriadol yn yr amgylchfyd.

Cyfieithwyd cywydd enwog Waldo i'w fam i'r Saesneg gan yr Archesgob, ac ynddo ceir darlun o'r offeiriadaeth anhunanol a welwyd ym mywyd syml Angharad.

> Ymorol am Ei olud,
> Ail-greu â'i fawl ddilwgr fyd . . .
> Rhôi i ni yn awyr Nêr
> Offeiriadaeth ei phryder.

Beirniadaeth lem ar ein hanghenion diollwng yw un yr Archesgob, a'n parodrwydd cyfleus i wadu bod hynny'n wir. Yn ystod ei ddyddiau yn yr offeiriadaeth eglwysig, gwelodd ddau gyfnod byr o ddarogan bod olew ar ddirwyn i ben, ac y byddai'n rhaid tolio wrth y pwmp a chodi'r pris i'r entrychion. Sylwodd, mae'n amlwg, ar ymddygiad annheilwng pobl na allai wynebu prinder, heb sôn am ystyried dyddiau diolew a nos ddu byd a losgodd yn ei lygredd.

265

Galwodd arnom oll i ystyried yr angen mawr sydd arnom i feithrin gwarchodaeth a chadwraeth, gan erfyn arnom fel pobl sy'n byw yn nwyon y tŷ gwydr i beidio taflu cerrig at ein gilydd, ond i weld bod modd i ni drefnu ffordd o gydgyfeirio cyfrifol. Mae'r hil ddynol mewn perygl oni allwn fel dinasyddion y blaned las symud gyda'n gilydd i rannu'n hadnoddau crai gan barchu'n gilydd a chofio fel Cristnogion yr arwyddlun hwnnw sy'n ganolog yn ein ffydd – bwrdd y gymuned sy'n gwneud cariad, gobaith a ffydd Crist yn weledig.

GOFID AM BLANT A'U RHIENI

Mae is-deitl ei gyfrol *Lost Icons*, sef 'Myfyrdodau ar y Colledion Diwylliannol', yn cyfleu thema'r pedwar traethawd o'i mewn. Erbyn hyn, gwelsom mor hoff yw'r Dr Rowan Williams o'r eicon. Bellach, gall 'eicon' gyfeirio at berson a gaiff lot o sylw, ac a ddaeth yn enwog, ond fel arfer cyflwyniad ydyw o ddigwyddiad neu o gymeriadau beiblaidd amlwg. Mae'n dynodi mwy i'r awdur na darlun ar fur.

Fe ddylem ni'r Cymry sylweddoli bod gennym ni fantais i ddeall a gwerthfawrogi *Lost Icons* gan ein bod wedi galaru, fel cyn-Archesgob Cymru, am yr hyn a alwodd Llwyd o'r Bryn 'y pethe'. Wedi iddo ddychwelyd yn Esgob i Fynwy, a bod yn fugail yno i'w braidd, gwelodd fod rhyw wacter ym mywyd y cymunedau yn y cymoedd, ac yn y trefi. Ac onid yw'r un gwacter yng nghefn gwlad ers tro? Y newid hwn sydd y tu ôl i'r galar a'r gofid yn y gyfrol hon.

Ym myd plentyndod y mae'r drafodaeth yn cychwyn, a thrwy gydol ei weinidogaeth rhoddodd 'y plentyn yn y canol'. Ar ei ymweliadau â'r ysgolion, mawr a bach, ym Mynwy, byddai Rowan yn ymgolli ym myd y plentyn, yn cyfnewid ei gadair â phlentyn, ac yna yn adrodd hanesyn, a chael y plant i siarad a thrafod. Yn *Areithiau a Phregethau* ceir rhai o'i anerchiadau goleuedig. Fe'u traddodwyd yn yr iaith Saesneg, ond fe'u cyfieithwyd i'r Gymraeg. Cyhoeddiad yr Eglwys yw'r gyfrol, ac mae nifer o'r anerchiadau wedi'u traddodi yn y cadeirlannau. Yng nghyd-destun y plentyn a'i dwf, mae'n werth rhoi sylw i'r bregeth a draddodwyd mewn gwasanaeth i gadarnhau gwerth y plentyn, yn dilyn cyhoeddi Adroddiad Waterhouse, yn Eglwys Gadeiriol Llanelwy, 24 Mai 2000. Fe wêl yr Archesgob y bygythion cyfoes sy'n goddiweddyd plant ar eu tyfiant, a gyda'r tynerwch hwnnw a fu'n nodwedd amlwg o'i weinidogaeth yng Nghymru, mae'n manteisio ar bob cyfle a ddaw iddo i atgoffa'r eglwys sydd yn ei ofal i fugeilio a phorthi'r ŵyn er lles ein cymdeithas. Iddo ef, methiant aelwydydd ac ysgolion i gyfrannu addysg gytbwys i'n plant a'n pobl ieuainc sydd wrth wraidd yr ymddatod cymdeithasol amlwg a welir heddiw ar ein strydoedd a'r hwliganiaeth sy'n achos gofid cyson i'r awdurdodau sy'n ceisio cadw trefn. Ein camwri pennaf yw rhuthro i baratoi ein plant i fynd allan i ennill cyflog yn y byd secwlar cyn iddynt gael gafael mewn canllawiau diogel ac egwyddorion i'w cynnal. Ar frys, yn aml bydd rhieni, er mwyn eu hwylustod eu hunain yn bennaf, yn troi eu plant allan i'r byd cystadleuol a'i holl drafferthion, i ennill bywoliaeth, gan eu hamddifadu o hyfrydwch plentyndod naturiol. Go brin yr ystyrir 'y bywyd cyflawn' (Ioan 10:10) a addawodd Iesu i'r rhai a ddeuai ato gan gymryd ei iau, a dysgu ganddo (Mathew 11:29).

Anhawster pennaf yr Eglwys a'i harweinwyr y blynyddoedd hyn yw cadw'r to sy'n codi yn awyrgylch ac yn naws y bywyd ysbrydol. Amod y trawsnewid a gais yr Archesgob yw bod yr eglwys yn magu plant sy'n eiconau o'r bywyd sydd yn Nuw, y bywyd a ddatguddiwyd yn Iesu. Yng nghri a dyhead Rowan Williams, clywir Griffith Jones o Landdowror a Thomas Charles o'r Bala. Yn ei anerchiadau a'i erthyglau, daw adlais hefyd o eiriau'r 'offeiriad crac' o Langeitho, Daniel Rowland. Cerfiwyd y geiriau hyn ar ei gofeb sy'n aros rhwng y capel a'r eglwys, lle bu'n hudo'r miloedd yn y ddeunawfed ganrif: 'Nefoedd, nefoedd, byddai dy gonglau yn ddigon gwag oni bai bod Seion yn magu plant i ti ar y ddaear'. Yn y traddodiad hwn mae Archesgob presennol Caergaint, yn olyniaeth y pregethwyr diwygiadol a hiraethai am dröedigaeth y miloedd, a'r athrawon duwiolfrydig a fu'n braenaru'r ffordd iddynt trwy gynnal eu hysgolion mewn ffydd a gobaith.

Yn *Lost Icons*, yn ei araith gyntaf yn Nhŷ'r Arglwyddi ac yn ei anerchiad i gynhadledd flynyddol Prifathrawon Ysgolion Uwchradd Eglwys Loegr (11 Medi 2003), mae'n llym ar y rhieni hynny sy'n cwtogi plentyndod eu hepil a'u gollwng yn rhydd yn 'gwsmeriaid' anaeddfed yn ffair y byd, yn offrwm i dduwies ein byd materol, Prynwriaeth.

Yn y cyd-destun hwn mae'r Archesgob yn rhoi ei ddadleuon o blaid yr Ysgolion Ffydd, ac yn dal bod Ysgolion Eglwys, fel Ysgolion y Mosg ac Ysgolion y Synagog, yn fanteisiol mewn dyddiau o ddifrawder. Petai'r sawl a aeth ar gyfeiliorn yn yr oes fodern yn caru a gwasanaethu'i gilydd, gan ddiffinio trugaredd yn iaith celfyddydau'r presennol, byddai'n bosibl i ni gyfathrebu eto. Mae'r dramodydd, y bardd a'r llenor wedi cyflwyno i ni eirfa a all oleuo'n tywyllwch, a phontio'r agendor sydd wedi agor rhyngom ni a'r oes ôl-fodernaidd.

Yn ei draethodau yn *Lost Icons* ac yn ei anerchiadau, mae'r Archesgob wedi ystyried yn ddwys hynt a helynt yr hil ddynol trwy ddychwelyd at hen dermau diwinyddol a'u dehongli mewn terminoleg gyfoes a chyhyrog. Â chryman ei feddwl miniog casglodd i'w fedel o feysydd amrywiol y gwleidydd, yr athronydd a'r cymdeithasegydd, gan groesi'n ôl ac ymlaen ar draws yr Iwerydd. Twf y plentyn a thyfiant yr unigolyn mewn cymdeithas wâr yw'r ddau fater dan ei chwyddwydr, a'r ddau air *caritas* (cariad anhunanol) a *metanoia* (edifeirwch) yn amodau'r trawsnewid sy'n deillio o brofiad y ddynoliaeth o ras Duw.

MAMIAITH A THADIAITH

Rhaid wrth 'famiaith', sef tafodiaith y sgwrs rydd feunyddiol, y clebran ystrydebol, cartrefol ac ailadroddus. Ond ni ellir trawsnewid cymdeithas heb yr hyn a alwodd Ursula Le Guin yn 'dadiaith', iaith a digon o rym ynddi i osod ein breuddwydion a'n cynlluniau ar waith; iaith ac ynddi hyder ac awdurdod, yn enwedig o'i gosod ar bapur. Cyfuno'r iaith a'r dafodiaith yw'r gamp, ac mae gan yr eglwys ei chyfrifoldeb yn hyn o beth. Mae gan y diwinydd eirfa at y gwaith, a chymorth parod y meddylwyr creadigol, a fawrygir gan yr Archesgob, i ystwytho'r mynegiant.

Un o'r geiriau y dylid ei ymarfer yn llawer parotach yw'r gair 'edifeirwch'. Cyhoeddwyd *Lost Icons* rai blynyddoedd cyn rhyfel gwaedlyd Irac, ac mae darllen y cerydd a rydd i wleidyddion na all ymddiheuro a chydnabod bai, a hynny yn iaith y ddau wleidydd a ddewisodd dresbasu lle llifa'r Tigris a'r Ewffrates, yn fêl ar fysedd y rhai sy'n parhau hyd y dydd hwn i ddisgwyl ymddiheuriad gan y Prif Weinidog.

Erbyn hyn, mae'r pennawd a ddefnyddiwyd gan newydd-iadurwyr wedi'i gynnig yn arwyddair i addysgwyr ac i'r gwleidyddion a fu'n galw am gyflwyno 'agenda o barch' i'n hieuenctid. Rowan Williams piau'r arwyddair, ac mae'n amlwg wedi'i gyfeirio at rieni. A dyma a ddywedodd yn un o'i areithiau, 'Cyn i'r plant dyfu, rhaid i'w rhieni dyfu'. A ddywedwyd gair amgenach mewn dyddiau o ymddygiad gwrth-gymdeithasol amlwg? Ar ôl magu'r genhedlaeth hon i siopa ddydd a nos, gŵyl a gwaith, pa ryfedd ei bod yn boendod i athrawon, yr heddlu a'r cyhoedd. Ac ni all y sefyllfa wella pan agorir y tafarnau cyhyd â'n siopau, ac y bygythir yr hen a'r heddychlon gan derfysg a thrais, minteioedd aflywodraethus.

Beth yw diben addysg? Mae'r cyn-Athro yn Rhydychen, gŵr a gymerodd ei le ac a wnaeth ei gyfraniad ar Bwyllgor Dearing, ac a ddadleuodd wedyn fod yr ysgolion eglwysig yn werthfawr pan amherchir 'y pethe', yn rhoi ei farn onest. Nid casglu sgiliau a graddau i ennill cyflog fawr yw diben addysg. Pwrpas dysg yw meithrin ynom yr argyhoeddiadau hynny sy'n troi yn rhinweddau wrth fyw a thyfu ynghyd mewn gweddi a gwaith ac wrth addoli a dathlu. Nod addysg eglwysig yw ein cael ni i gyfrannu a chyfranogi, i dyfu a chenhadu, ac i adlewyrchu yn ein bywydau ffydd yr eglwys a gwir arwyddocâd yr Ewcharist. Diben addysg yw newid cwrs ein bywyd, trawsnewid cymdeithas a gweddnewid ein byd.

Yng Nghaerwysg (Exeter), ddwy flynedd union i'r dydd y chwalwyd y ddau dŵr yn Efrog Newydd, mae'n dyfynnu o lyfr Syr David Winkley, *Hansworth Revolution, The Odyssey of a School* ac yn cydsynio â'r awdur y gall yr ysgolion eglwys asio traddodiadau gwahanol a chydio'r plant sy'n parablu ieithoedd gwahanol wrth ei gilydd. Ac yn ychwanegol at hyn, gallant greu amodau'r berthynas glòs honno sy'n hwyluso trafodaeth ymhlith yr ifanc a'r ymdrech i rannu profiadau. O fabwysiadu'r un agweddau, mae deialog ffrwythlon yn bosibl ac fe gwyd cenhedlaeth fydd yn barotach i wrando a meddwl a rhannu llawenydd a thristwch yn greadigol. Lle mae ymdrech i greu gofod i Dduw, mae cyfle i gyfeillgarwch, gofal ac ymgeledd.

O fewn yr 'ysgolion ffydd' fel y'u gelwir erbyn hyn, mae'n bosibl ymgyfarwyddo â sawl diwylliant crefyddol, codi pontydd a chroesi'n ôl a blaen rhwng crefyddau'r Moslem, yr Iddew a'r Cristion. Wrth dramwyo ymhlith y gwahanol grefyddau, gellir (a benthyca teitl cyfrol Karen Armstrong) ymgyfarwyddo â 'hanes Duw' ac ymdeimlo â'i sancteidd-rwydd. Ar y llwybr hwn, fe berchir teyrngarwch ac fe ddysgir goddefgarwch. Yna, bydd cyfnewid syniadau'n haws ac, yn raddol, fe gilia niwloedd culni. Yng ngeiriau Waldo Williams, 'daw eiliad o olau', ac esgorir ar frawdoliaeth:

Myfi, Tydi, ynghyd
Er holl raniadau'r byd –
Efe'n cyfannu'i fyd. ('Brawdoliaeth')

Tra bu ym Mynwy, eisteddai'r Archesgob ar y Comisiwn a lywyddwyd gan yr Arglwydd Dearing, ac felly mae wedi cyfrannu at yr adroddiad a gomisiynwyd gan y Llywodraeth ar le a gwerth ysgolion ffydd. Yn sicr mae awdur *Lost Icons* yn awyddus i'r cyhoedd weld bod yna ffordd i dyfu i fyny (*adulthood*). Yn anffodus, cododd terfysg hiliol yng ngogledd Lloegr yn fuan wedi ymddangosiad yr adroddiad, mwy o helyntion yng Ngogledd Iwerddon a thrychineb 11 Medi 2001 yn Efrog Newydd. Hyn a barodd i'r Archesgob gyfeirio, yn ei araith (Ebrill 2002) i Gorff Llywodraethol yr Eglwys yng Nghymru, at y panig a gododd o ystyried beth yw ffanaticiaeth grefyddol a 'mynegwyd amheuon ynglŷn â doethineb ehangu addysg sectyddol yn yr awyrgylch yma'.

Mae'n anodd credu bod rhai wedi cwyno yn y wasg nad yw Rowan Williams yn wynebu problemau dyrys ein dyddiau cythryblus, nac yn rhoi'r arweiniad y dylai dyn yn ei safle ef roi i'n cymdeithas. Wrth baratoi'r gyfrol hon, y broblem oedd dilyn ei holl ddatganiadau ar faterion llosg ein dydd. Mewn anerchiadau, papurau dyddiol, cylchgronau, darlithoedd, seminarau, clyweliadau, yn y llyfrau a ddilynodd *Lost Icons* a'r hyn a ysgrifennodd o fewn cloriau cyfrolau awduron eraill, bu ei gyfraniad i gynifer o'r trafodaethau yn aruthrol fawr ac amserol. Mae'n anodd gennyf gredu i ni weld dim byd tebyg o'r blaen. Yn ogystal â'r materion sy'n rhwym o gyrraedd Palas Lambeth, materion eglwysig pur, daw'r trafferthion y mae'r llywodraeth ym Mhalas Westminster cyfagos yn ceisio eu cymoni yn ddyddiol i'w aflonyddu.

Araf iawn wyf fi i ddysgu
amyneddgar iawn wyt Ti

meddai Elfed yn un o'i emynau poblogaidd. Yr amharodrwydd hwn i ddysgu, a rhoi llawer mwy o'n hamser i ymlwybro'n weddigar a disgwylgar trwy'r Ysgrythurau sydd wrth wraidd ein helbulon a'n pryderon poenus. Mae'r ymgais ddiweddar i gwtogi'r Beibl a'i grynhoi i gan munud o ddarllen yn dweud ein stori syfrdanol. Cyn y gallwn rannu'r newyddion da, a'r stori ryfeddol am awyddfryd Duw i drawsnewid ac achub ei fyd, rhaid wrth y darllen trylwyr hwnnw y cyfeiriwyd ato'n barod. Darllen ac ailddarllen, ymgodymu er mwyn dysgu a thyfu. Hwn yw'r darllen diachronig sydd ganddo mewn golwg yn ei anerchiad olaf i Gynhadledd Esgobaethol Mynwy, 12 Hydref 2002. 'Darganfyddiad enfawr a rhyddhaol y Diwygiad Protestannaidd oedd oedd mai yn y Beibl y gellid clywed Duw yn ein herio' (*Areithiau a Phregethau*, tud. 88).

Crud y Gair a ddaeth yn gnawd yw'r efengylau, ac o'u darllen a'u cymharu, fe wawria rhyfeddod 'Duw yn y byd mewn dyn bach' ar ein calonnau. Rhaid rhannu'r rhyfeddod hwn, a dod gyda'n gilydd i fyfyrio arno, fel petai Iesu, a fu farw, ond a atgyfododd, yn dal y Beibl ar agor o flaen llygaid y rhai sy'n ceisio'i ddarllen. Fe'n cyfareddir gan ei stori, a'n dal gan ei gwestiwn. Yn ôl awdur *The Wound of Knowledge* rhaid gweld yr Eglwys fel y corff hwnnw sy'n ymdrechu byw yng nghanol gwrthdaro a thyfiant poenus ond sy'n trosglwyddo ymlaen o genhedlaeth i genhedlaeth y cwestiwn hwn (tud. 2). Cristnogion ymchwilgar, gweddigar a dadleugar sy'n gosod y cwestiwn hwn gerbron y byd.

Arferid gofyn ddegawdau'n ôl ai 'amgueddfa'r saint' ynteu 'ysgol i bechaduriaid' oedd yr eglwys. Yn bendifaddau, i'r Archesgob Rowan, ysgol ydyw lle y gall pechaduriaid ddarllen yr Ysgrythur yn drylwyr. Yr unig ffordd o wybod pwy oedd Iesu Grist i'r Eglwys gynnar, 'a phwy yw Iesu Grist i ni heddiw' (chwedl D. Bonhoeffer), yw trwy droi tudalennau'r Beibl.

Gwn fod rhai wedi synnu ei fod wedi cefnogi'r Cwrs Alffa,

ac yntau, ar ôl dilyn cyrsiau yng Nghaer-grawnt, wedi derbyn na ellid gwrthod beirniadaeth feiblaidd na'i chanlyniadau. Fel darlithydd, athro ac awdur manteisiodd a chymeradwyodd yr astudiaethau hynny a wnaeth y Beibl yn llyfrgell gyfoethocach i bawb. Nid deuoliaeth ynddo yw hyn, ond argyhoeddiad bod yn rhaid i ganlynwyr Iesu unwaith eto roi blaenoriaeth i'r Beibl, ffynhonnell ein ffydd yn y Crist byw. Mae unrhyw fudiad sy'n rhoi'r Beibl yn ôl ym mywydau pobl, mudiad neu fudiadau sydd ar ymylon eglwys Dduw, ac weithiau'n feirniadol o'r gynulleidfa draddodiadol, yn haeddu pob cefnogaeth.

A hyn oll, nid i alluogi'r eglwys i ateb holl gwestiynau pobl ymholgar, ond i'w harfogi i *holi* y cwestiynau mawr. Dwy ochr yr un geiniog yw holi ac addoli iddo ef, dau ymarfer sy'n dwyn ystyr a chyfeiriad i'n bywydau. Weithiau, pan fydd yn trafod awyddfryd pobl i gael atebion slic i'w problemau, ceir adlais o ambell ymadrodd a boblogeiddiwyd yma yng Nghymru gan y diweddar Athro J.R. Jones. Yn Abertawe roedd y ddau yn darllen Tillich, Bultmann a Bonhoeffer, ac i ddau a gredai mewn pregethu proffwydol, fe fyddai ymadroddion fel 'crefydd swcwr' a 'gwacter ystyr' a 'babaneiddiwch' yn anogaeth iddynt hwy ac eraill i ofyn y cwestiynau iawn yn hytrach na cheisio cynnig yr ateb cywir. Mewn gair, mae codi cwestiwn yn hytrach na cheisio cysuro, cychwyn deialog yn hytrach na tharanu dogma, yn fwy tebygol o lanw'r gwacter yn ein bywydau a'n tynnu allan o'r babandod hwnnw sy'n crefu am swcwr. Rhoi sylw i'r cwestiynau hynny sy'n ein gorfodi i fod mewn ymrafael dwfn â ni ein hunain yw'r munudau mwyaf yn ein bywydau. Ar yr adegau hyn o ymholi ac o fyfyrio dwys y genir yr 'enaid'. Gall y seicdreiddiwr fod yn 'fydwraig' effeithiol ar yr awr hon o esgor ar yr enaid. Fe ddeall ef ein rhwystredigaethau fel pobl sy'n methu deall ein gwir awyddfryd. Fe all y therapydd ryddhau'r hunan sydd ynom, a'n gollwng o faglau'n rhwystredigaethau. Cawn ein trawsffurfio fel unigolion pan ryddheir yr hunan anfodlon hwn gan y sawl sy'n gwrando ar ochenaid yr hunan caeth. Dyma'r foment fawr pan esgorir ar yr enaid.

Mae David F. Ford, sy'n Athro yng Nghaer-grawnt, wedi dynesu at anthropoleg Gristnogol gyda chymorth seiciatreg a seicoleg. Ac yntau'n Wyddel, mae ei fethod diwinyddol yn dwyn ar gof yr 'anamchara' ym mywyd Iwerddon – cyfaill yr enaid clwyfus. I'r sawl sy'n gyfarwydd â 'Drws y Society Profiad', brawd agos yw hwn i'r Stiward neu'r Cynghorwr. Swyddogaeth y naill fel y llall yw tywys un trwy fwlch yr argyhoeddiad; yn wir, pob un sy'n barod i wynebu'r 'hunan' blin a dioddefaint y dadansoddi hanfodol. Ac yn yr olaf o'i draethodau yn *Lost Icons*, mae'r Archesgob yn cydnabod ei ddyled i'r Athro Ford, sy'n ddyledus ei hun i Emmanuel Levinas, Iddew o Lithwania a ddioddefodd dan orthrwm y Natsïaid.

Mae'n anodd cyfieithu i'r Gymraeg y gair 'desire' yn yr ystyr a rydd yr Archesgob a'r ysgolheigion a enwir ganddo yn y traethawd 'Lost Souls' sy'n cloi *Lost Icons*. Mae un peth yn gwbl glir, ei fod yn air sy'n cyfleu bod yn ein heneidiau ddyhead angerddol am y peth hwnnw yr ydym yn wirioneddol yn ei chwennych. Rydym yn hiraethu am rywbeth mwy na'r hyn sydd ynom, rhywbeth mwy nag a gawn yn y byd hwn. Mae'r Pêr Ganiedydd wedi rhoi mynegiant i'r argyhoeddiad hwn yn y cwpled cofiadwy:

'Does dim difyrrwch yma i'w gael
a leinw f'enaid cu.

Dyma ddisgrifiad o'n bodolaeth yn wŷr a gwragedd yn y byd i'r Athro David Ford, awdur *Self and Salvation*, ac is-deitl y gyfrol hon yw 'Being transformed'. Yn ei hanfod, cenadwri'r athrawiaeth am Iachawdwriaeth yw bod y ddelwedd o wyneb yn angenrheidiol i drawsffurfio'r hunan, i esgor ar yr enaid.

Meddai'r Athro Ford, 'Mae enw Iesu Grist yn cyfeirio at yr wyneb sydd yng nghalon y weledigaeth o iachawdwriaeth'. Gweld wyneb Iesu, a'i arwyddocâd wrth addoli Duw'r Tad yw amod trawsffurfiad yr hunan gerbron Duw. Nodweddir hunaniaeth arbennig y sawl a drawsffurfiwyd gan lawenydd ac aberth. Ac mae Pantycelyn unwaith eto ar y blaen!

Gweld ŵyneb fy Anwylyd
wna i'm henaid lawenhau
drwy'r cwbwl ges i eto
neu fyth gaf ei fwynhau;
pan elont hwy yn eisiau,
pam byddaf fi yn drist
tra caffwyf weled ŵyneb
siriolaf Iesu Grist?

Yma, yn y byd yr ydym yn byw ynddo, fe ddaw trafferthion a threialon i'n cyfarfod, ac i'w canlyn rwystredigaethau a gorthrymder. Ni allwn ni, fwy na'r Athro Ford a'r Archesgob, amau gwerth yr hunanymholi hwnnw a ddaw â ni i weld na fyddwn ni byth yn gyflawn neu'n orffenedig yr ochr hon i angau. Bodau meidrol ydym ac anorffenedig, pererinion ar daith hirfaith, ac ynom awydd, dyhead a hiraeth am yr Anweledig a'r Anfeidrol. I'r Iddew Emmanuel Levinas yn ei *Totality and Infinity*, y prototeip o'r dyn aflonydd, anturus ac ymchwilgar yw Abraham, tad ei genedl. Darganfu hwnnw y Cwbwl Arall, ynghyd â mwynhad, cyfrifoldeb a dyhead. Lle y cyferfydd y rhain mae croeso neu letygarwch. Mae'r Athro Ford yn bathu'r ymadrodd 'yr hunan croesawgar' am y person sy'n medru cyfuno a gwahaniaethu rhwng mwynhad a chyfrifoldeb. Gyda Levinas, Eberhard Jüngel a Paul Ricoeur ac eraill, â yn ei flaen i ystyried beth a olygwn wrth 'hunan' yng ngoleuni'r Ysgrythur, defodaeth ac addoliad, bywyd, marwolaeth ac atgyfodiad Iesu a bucheddau saint yr oesoedd. A'i fwriad wrth ymdrin â'r hunan a'r iachawdwriaeth yng

Nghrist yw disgrifio'r profiad o drawsffurfiad. Ac ni all yr Archesgob Rowan, â'i gribyn prysur a phellgyrhaeddol, ymwrthod â'r un o'r ymdrechion lluosog sy'n cynnig eu hunain i un sy'n awyddus i ddiweddaru'r hen athrawiaethau a'u rhoi mewn geiriau ystyrlon i ni heddiw.

Yn niweddglo *Lost Icons* daw â ni yn nes at realiti'r trawsffurfiad trwy gynnwys y profiad cyffredin hwnnw o syrthio mewn cariad a'i effaith ar yr 'hunan'. Mae mab a merch a brofodd gariad ysgytwol a dwfn yn deall y trawsnewidiad hwnnw a all ddigwydd iddynt, ac yn gwybod bod y profiad wedi rhyddhau eu heneidiau. Yn dilyn y ddaeargryn fewnol mae'r ddau yn awyddus i ddod i adnabod ei gilydd yn nyfnder eu profiadau o fod yn ddedwydd, ac mewn cytgord. Mae'r berthynas sy'n drydanol yn mynnu dealltwriaeth ddyfnach o'r hunan yng nghwlwm cariad ac o'r hyn sy'n digwydd i'r cymar. Yn y fath gyflwr, rhaid i'r cariadon barhau i gynnal deialog, a gwrando ar storïau'i gilydd. O fewn i'r cwlwm parablus hwn gall dau ollwng eu heneidiau'n rhydd, a chreu'r agosatrwydd hwnnw lle y digwydd *adnabod*. Weithiau bydd amheuon hefyd, ac ofnau a drwgdybiaeth. Ond fel arfer, lle mae llawenydd, gobaith a chydymdeimlad dwfn, ceir yr adnabyddiaeth sydd wrth wraidd pob gwybod.

MEDI YR UNFED AR DDEG

Yn anaml y bydd dyddiad a digwyddiad yn anwahanadwy, neu un dydd golau yn gyfnod neu'n stori o dywyllwch annileadwy a all newid cwrs y byd. Dyna oedd dydd Mawrth, 11 Medi 2001. Bore braf oedd hi yn Efrog Newydd, a phobl yn tyrru fel morgrug ymhlith y nendyrau at eu tasgau dyddiol. Prynhawn oedd hi yma yng Nghymru a bydd pawb ohonom yn cofio lle roeddem ar y pryd, a beth oedd yn cael ein sylw. Roeddwn i newydd gau'r Beibl ar ôl rhoi pregeth Ddiolchgarwch yng nghapel Maesyffynnon ar y ffordd rhwng

Llanbedr Pont Steffan a Thregaron ac wedi galw i weld Elwyn y crydd ym mhentref Llangybi. Er ei fod yn wael, rhoddodd waedd o'i ystafell fyw: 'Dere miwn i ti ga'l gweld y peth rhyfedda erio'd'. Ar y sgrîn fach, roedd yr ail awyren yn anelu at frest un o'r tyrau mawr, a'r un wrth ei ochr eisoes yn wenfflam. Ym mherfeddion Cymru, a hithau'n ddiwrnod Gŵyl Ddiolchgarwch, roeddem yn dystion byw i derfysgaeth ddigywilydd ac i ganrif allai fod mor wahanol. Ni fydd bywyd na rhyfel byth yr un fath eto.

Ar 11 Medi 2001, roedd Archesgob Cymru, y Dr Rowan Williams, yn Efrog Newydd. Ar ei ffordd adref, lluniodd yr hyn a alwodd ef yn fyfyrdod am y digwyddiad, ac ymhen ychydig wythnosau, roedd *Writing in the Dust*, llyfryn o 80 tudalen ar werth yn y siopau.

Roedd yr Archesgob yng nghyffiniau'r ddau dŵr pan gawsant eu chwalu gan ddwy awyren a gipiwyd gan derfysgwyr al-Qaeda i'w dymchwel gerbron y byd. Fel yr heidiau oedd ar ffo, ymunodd yr Archesgob â'r tyrfaoedd oedd yn dianc am eu bywydau. Ond yn erwau'r farchnad fawr, aeth miloedd o'r llwch a'r rwbel i'w tranc, yn 'lludw i'r lludw, yn llwch i'r llwch'. Yn yr ysgarmes i gael dihangfa gwelodd y Cymro arwyddocâd sobreiddiol yn y llwch a'r lludw, ac mae'r gyfrol gwta, fel ei theitl, yn dwyn ar gof i ni ein deunydd, 'Llwch wyt ti . . .' ond llwch sy'n dal anadl Duw. Ac mae'r profiad a gafodd o ymladd am 'ofod i anadlu' yn rhoi iddi naws ddirfodol. Yn y caddug boreol profodd 'nos ddu'r enaid' a ddaliwyd yn annisgwyl mewn 'moment o wirionedd'. Goleuwyd ei feddyliau dwys, a gososdd hwy, fel y medr ef, yn gyfres o fyfyrdodau.

Bu'r gwrthryfelgar a'r treisgar, Osama bin Laden a'i wersyll, yn pendroni hefyd, cyn iddynt ddifodi'r tyrau. Gweld y Ganolfan Fasnach yn Efrog Newydd a'r Pentagon yn Washington yn wrthgloddiau economaidd a militaraidd llachar a wnaethant hwy, ac yn symbolau o rwysg, balchder a haerllugrwydd yr Americanwyr a'r Gorllewinwyr. Fe wêl yr Archesgob yn y profiad ofnadwy a gafodd yn Efrog Newydd ar Fedi'r 11eg ei fod yntau a ninnau yn cynaeafu ffrwyth y globaleiddio a fu, a'r annhegwch oedd yn rhwym o'i ddilyn. Lle nad oes rhannu'r manteision masnachol a ddaw yn sgîl y twf economaidd, fe ddaw'r anghyfiawnder yn amlycach i dlodion daear a thrais cynyddol i'w ganlyn. Yn ei fyfyrdodau dwys wedi iddo ddod allan o'r llwch a'r mwg mae'n galw am ailddosbarthu grym ar lwyfan byd sy'n ffyrnigo yn ei anniddigrwydd, ac yn dyfeisio ffyrdd o ddial.

Mae'n cofnodi pam yr oedd yng nghanol dinas fawr Efrog Newydd y diwrnod hwnnw. 'Ar Fedi'r 11eg, roeddwn i mewn adeilad a ddefnyddid gan staff Eglwys y Drindod, Wall Street, rhai blociau i ffwrdd o Ganolfan Fasnach y Byd gyda grŵp o bobl oedd yn cynllunio i recordio rhai oriau o drafodaeth o gwmpas materion yn ymwneud ag ysbrydoledd a oedd i'w darlledu trwy gyfrwng rhaglen addysgiadol eang a soffistigedig y Drindod' (allan o Ragair Writing in the Dust).

Gwahoddiad i ni i ddysgu yw'r llyfryn hwn. Apêl llenor sy'n sylwebydd craff ydyw, ac un sy'n gwisgo mantell newyddiadurwr am y tro. Mae'n defnyddio'i ddawn gyda geiriau i gyfleu drama a thrasiedi un diwrnod a newidiodd yr Amerig a'r byd, ac yn creu awyrgylch y ddihangfa o'r caddug, wrth ystyried sut y gall ffydd ymdopi â'r fath argyfwng, a thyfu. Yn ei adroddiad, mae'n cynnwys ambell air crefyddol gyda chynildeb bardd, a seibiau ac ebychiadau i gyfleu'r wasgfa wedi i'r fflamau losgi'r tyrau a'u chwydu'n blu o eira llwyd dros Efrog Newydd. Pan wrthodir crefydd a'i geirfa, rhaid bod yn barod am ddiwrnodau fel Medi'r 11eg. Ac wedi'r danchwa, a ellir maddau a chymodi? A welir gwireddu proffwydoliaeth Eseia: 'Ni chyfyd cenedl gleddyf yn erbyn cenedl, ac ni ddysgant ryfel mwyach' (2:4). Ar y lefel yma mae'r Dr Rowan yn ystyried amodau gwneud a chadw'r heddwch.

Ymhen rhai dyddiau wedi iddo ddychwelyd roedd Corff Llywodraethol yr Eglwys yng Nghymru yn cyfarfod yn Llanbedr Pont Steffan ar 20 Medi 2001, â'r Dr Rowan Williams yn rhoi un o'i anerchiadau mwyaf gwefreiddiol fel Archesgob Cymru. Fe allai fod ymhlith y miloedd a gollodd eu bywydau yn Efrog Newydd, ond dychwelodd adref yn ddiogel i sôn ac i ysgrifennu am yr oriau apocalyptaidd hyn. Traddododd ei anerchiad dan deimlad, ac roedd angerdd ac argyhoeddiad yn ei apêl i'w Eglwys. Wrth ail-fyw y profiad ei hun, galwodd i gof 'erchyllterau dydd Mawrth diwethaf' a gofyn i bawb ddysgu gwersi'r dwthwn du hwnnw er mwyn tyfu yn y Ffydd. Mae'r anerchiad wedi'i gyhoeddi yn Saesneg ac yn y Gymraeg yn *Areithiau a Phregethau* y Dr Rowan Williams 'tra'n Archesgob Cymru'. Fe ddylai'r gyfrol hon fod yn nwylo'r teuluoedd hynny sy'n cymryd diddordeb yng ngwaith a meddwl yr un sydd bellach yn Archesgob Caer-gaint.

Anghyfiawnder, meddai'r Archesgob yn ei baragraff cyntaf, yw achos terfysgaeth, ac mae hwnnw'n arf defnyddiol i'r gwan, pobloedd sy'n rhy dlawd i feddiannu ac i arfogi. Darganfod hyn a wnaeth terfysgwyr fel al-Qaeda, sy'n creu ofn parlysol ymysg y cyfoethogion yn America ac yn y Gorllewin. Trwy gydol dau dymor arlywyddiaeth Mr Bush, bu byddinoedd ar drywydd y rhain, a'i nod fu eu dal a'u cosbi. Ni ddaeth i'w feddwl (yng ngeiriau'r anerchiad) i 'ofyn paham fod yna gynifer o bobl yn y byd sy'n credu nad oes ganddynt ddim i'w golli'. I'r trueiniaid llwm sy'n gorfod gwrthryfela cyn cael gwrandawiad, mae'n amlwg bod y grym i newid y byd yn eiddo'r cyfoethog sy'n dewis cadw popeth heddiw, ddoe ac yfory yr un peth.

Er iddo weld â'i lygaid ei hun y llanastr yn Efrog Newydd a'r difrod a wnaeth y dihirod ar Fedi'r 11eg, erbyn yr ugeinfed o Fedi, mae'n gweld pam mae'r cyfalafwr a'r gormeswr yn gorfod talu'r pris eithaf am amddifadu trueiniaid y byd. Daw yn ôl i Lanbedr Pont Steffan fel petai wedi gweld rhywbeth na welodd y byd, sef merthyrdod y rhai a fethodd â chael y byd i wrando, heb sôn am glywed.

Mae'n amlwg yn cyfeirio at yr Arlywydd Bush pan ddywed: 'Pan fydd y rhai sydd â grym ganddynt yn ymateb trwy fygythiadau enfawr ac areithio huawdl am ymlid didrugaredd, maent hwythau hefyd yn dangos dicter sy'n tarddu o fod yn ddiymadferth'. Dau beth sy'n dal i'w gythryblu, dawns y dathlu ymysg pobl y terfysgwyr yn y Dwyrain, a'r addunedu yn yr Unol Daleithiau i gryfhau caerau eu balchder. Ac felly, dyma ddwy garfan yn eu diymadferthedd cyffelyb yn magu ysbryd treisgar, a'r ddwy yn gwrthdaro am nad oedd gan 'y naill ddim amgyffred o ddioddefaint y llall'.

Myfyrdod ar rym oedd ganddo yn Llanbedr Pont Steffan. Onid oedd wedi gweld grym dinistr yn nhiriogaeth y tyrau yn ogystal â grym cariad a gwasanaeth y rhai a ddaeth i ymgeleddu'r trueiniaid yn yr heldrin? Yn ystod ei dymor cymharol fyr fel Archesgob Caer-gaint, gwelodd aml gyflafan flin. Ym mis Medi 2004, saethwyd 350 o bobl yn Beslan yn Rwsia gan derfysgwyr o Chechnya. Aeth y gwŷr arfog i mewn i'r ysgol yn y dref, a dal y plant yno, gyda'u hathrawon a nifer o rieni, yn wystlon. Holwyd yr Archesgob drannoeth gan Mr John Humphrys ar ei raglen foreol *Today*, ac ymhlith y cwestiynau yr un arferol: 'Ym mhle roedd Duw bore ddoe?' Mae'n rhaid dyfynnu'i ateb, oherwydd tebyg yw'r ateb a roddwyd ganddo wedi Medi'r 11eg, trannoeth i'r *tsunami* ac ar ôl y ddaeargryn fawr ym Mhacistan.

Lle roedd Duw? Lle roedd Duw yn nhrychineb Aber-fan? Lle roedd Duw ar Fedi'r 11eg? Yr ateb yn fyr yw bod Duw lle mae Duw pob amser, sef gyda'r rhai sy'n ceisio cysuro a dwyn goleuni i ganol unrhyw sefyllfa debyg.

Ar Fedi'r 11eg, teimlodd y Cymro hwn iddo dderbyn bendith fawr yng nghwmni criw o Gristnogion a phob un ohonynt wyneb yn wyneb â marwolaeth. Meddai wrth ei bobl yn Llanbed, 'Mae'r Eglwys i fod yn gymdeithas o bobl y byddech yn falch o farw gyda nhw'. Fel y cawn weld, mae'r Archesgob â'i wyneb ar Galfaria pan fydd yn trafod heddwch. Iddo ef, gosodwyd grym Duw ar waith ar y dydd Gwener hwnnw pan fu farw Iesu. Cariad yn cyfannu ac yn iacháu ocdd cariad y Groes, ond fe'i gwrthodwyd gan bobl dreisgar a chreulon, Iddewon a Rhufeiniaid. Gyda'r hwyr, ymhen tridiau, daeth Iesu i blith ei ddisgyblion. Cynigiodd iddynt ei dangnefedd, dangosodd iddynt greithiau'i ddioddefaint, anadlodd arnynt, maddau iddynt, a'u paratoi i agor y drws clo a'u gollwng yn rhydd unwaith eto yn y byd i dystio i rym y cariad sy'n gorchfygu. Cariad yn gorchfygu yw grym yr atgyfodiad, ac mae'n allu sy'n medru meirioli'r drwgdeimlad a'r atgasedd sy'n llechu yng nghalonnau'r didostur a'r dicllon. Oni fedr y sawl a ddoluriwyd dderbyn maddeuant yr un neu'r rhai fu'n troseddu, bydd yn magu ei ddigofaint, a bydd teimladau'r troseddwyr, a'i deimladau yntau yn crawnu a throi'r clwyf yn gancr. Yna, daw pryder a phanig, a dial a thrais yn y man. Oni ellir delio â sefyllfa neu drychineb fel un Medi'r 11eg, bydd rhyfel fel yr un yn Irac yn siŵr o ddilyn a'i ganlyniadau'n garthbwll o gythreuldeb. Oni ellir ffrwyno'r teimladau ffrwydrol sy'n rhwym o ddilyn trychineb fel honno yn Efrog Newydd ar Fedi'r 11eg, fe feginir gwreichion drwgdeimlad yn rhyfel na ellir mesur ymlaen llaw ei effeithiau.

Heddychwr pragmatig a gawn yn *Writing in the Dust* ac yn yr anerchiad a roddwyd yn Llanbedr Pont Steffan. Ynddynt mae'n manteisio ar ei brofiad unigryw o fod yno, ac felly, yn gymwys i ddiffinio mewn terminoleg gyfoes rai geiriau sy'n allweddol mewn diwinyddiaeth wleidyddol. Ar ôl Medi'r 11eg ni ellir osgoi ystyried ystyr a chynnwys geiriau fel 'trais', 'terfysg', 'grym', 'dial', 'rhyddid', 'maddeuant' a 'gwirionedd'. Dyma un o gymwynasau'r Archesgob trwy gydol y blynyddoedd, ac mewn un paragraff yn ei sgwrs â Joan Bakewell (*Belief*, BBC, tud. 74) mae'n dal bod a wnelo'i gefndir Cymreig a'n traddodiad barddol â'i hoffter o eiriau a'r iawn ddefnydd ohonynt. Meddai: 'Mae rhywbeth ynglŷn â thyfu i fyny gyda llawer o Gymraeg o'ch cwmpas sy'n peri i chwi gymryd iaith o ddifri . . . seiniau pregethwyr mawr y gorffennol a sain yr emynau mawr'. Ac mae'n honni bod canu caeth cymhleth y traddodiad barddol a chlasurol, a llefaru coeth y pulpud yng Nghymru yn gymorth i ymestyn iaith a'i hystwytho ar gyfer diffinio a deall yr hyn sydd o bwys mewn bywyd.

Yn ystod 2002, byddai'n cael ei wahodd i fod yn Archesgob Caer-gaint, a'i alw i roi ei farn i'r wasg, a'i gyngor i'r Prif Weinidog cyn iddo gydsynio i anfon milwyr o Brydain i Irac. Bu'r profiad o fod yn Efrog Newydd ar Fedi'r 11eg, o roi ar bapur ei fyfyrdodau cyn i'r mwg ddiflannu, a'i adwaith mewn geiriau dethol a diffiniadol, o fantais iddo wrth fyw gyda'i bobl yn y dryswch sy'n dal yma. Rhoddodd ei arweiniad, ond ni chafodd dderbyniad.

Cyn iddo roi ei anerchiad yn Llanbedr Pont Steffan, roedd yr Arlywydd Bush wedi codi ar ei draed gerbron cynulleidfa fawr yn y Gadeirlan Genedlaethol yn Efrog Newydd i gyhoeddi gwae ar derfysgwyr. Wedi'i aileni dan weinidogaeth y Dr Billy Graham, ymwrthododd yn llwyr â'r ddiod gadarn a fu'n broblem iddo, ac ymuno â'i briod Laura mewn capel gyda'r Methodistiaid. Ei freuddwyd a'i addewid wedi'i achubiaeth oedd gwella amodau byw yn yr Unol Daleithiau. Ond ar ôl Medi'r 11eg, ac yntau'n parhau i weddïo llawer, clywodd lais ei Greawdwr yn galw arno y tro hwn i ymosod ar Irac a thynnu Saddam Hussein oddi ar ei domen. Gwelodd y genhadaeth hon yng nghyd-destun diwedd amser, a'i fraint ef fyddai gollwng yn rhydd bwerau'r drwg a phwerau'r da, a rhoi cyfle unwaith ac am byth i'r da drechu'r drwg. Roedd wedi lleoli 'echel y drwg' ym Mesopotamia, lle mae'r archaeolegwyr wedi lleoli Gardd Eden, man cychwyn y frwydr rhwng y drwg a'r da!

Ar Fedi'r 8fed, talodd criw o arweinwyr eglwysig yn yr Unol Daleithiau am dudalen gyfan yn y *New York Times* er mwyn mynegi eu teimladau a theimladau miloedd o bobl eraill oedd yn erbyn y rhyfel yn Affganistan ac a fyddai'n fuan yn lledu i Irac. Pennawd y dudalen o brotest oedd: 'President Bush, Jesus changed your heart. Now let him change your mind'.

Yn yr un gadeirlan, flynyddoedd ynghynt, ac yn yr un pulpud y llefarodd y Dr Martin Luther King y ddwy frawddeg oedd ar feddwl llawer drannoeth a thrennydd i Fedi'r 11eg: 'Nid yw'r dewis mwyach, fy nghyfeillion, rhwng trais a di-drais. Mae naill ai'n ddi-drais neu'n ddifodiant'.

GORLENWI'R GOFOD

Yn ystod yr wyth degau, cyn i'r llen haearn ymddatod, roedd yr Arlywydd Reagan a Mrs Margaret Thatcher, arweinyddion y Gorllewin ar y pryd, yn ystyried dulliau effeithiol i gadw arfau'r gelyn yn y Dwyrain rhag cyrraedd Prydain a'r Amerig. Cynllun yr Unol Daleithiau oedd manteisio ar ei thechnoleg a'i chyfoeth a darparu rhwydwaith fyddai'n darian amddiffynnol yn yr entrychion. Gobaith yr Americanwyr oedd defnyddio'r ddarpariaeth hon i dynnu'r colyn allan o daflegrau balistig rhyng-gyfandirol y gelyn, ac os byddai angen, eu defnyddio i ymosod ar y gelyn. Roedd yn eitem gostus iawn, ond yn ôl yr Arlywydd Reagan roedd medru cyfuno'r amddiffynnol a'r ymosodol o fewn i un strategaeth yn mynd i 'gynnal ei addewid o newid cwrs hanes y ddynoliaeth'. Ni wireddwyd 'Star Wars', ac o'r holl erthyglau a ysgrifennodd y Dr Rowan Williams, prin bod yr un yn datgelu'i ddawn ddadleuol a'i safiad dros heddwch yn yr wyth degau yn well na 'The Ethics of SDI' (*Strategic Defence Initiative*). Ymddangosodd yn *The*

Nuclear Weapons Debate: Theological and Ethical Issues,
(golygyddion Richard J. Bauckham ac R. John Elford, SCM
1989).

Dadlau a wna na ellir cyfiawnhau'n foesol y syniad o
'gydbwysedd ataliadol', ac nad yw'n ymarferol i greu
clytwaith amddiffynnol a fedr atal ymosodiad niwclear a dial
gydag arfau o'r un rhwydwaith ar yr un pryd. Dadleuwyd gan
y rhyfelgar am sawl degawd bod pentyrru arfau niwclear o'n
cwmpas ar y ddacar yn gwarantu ein diogelwch. Ond go brin
y byddai gosod unrhyw system ddeuol ar y cyd yn yr awyr yn
ddoeth, y naill i gribo gwybodaeth am gynlluniau'r gelyn a'r
llall i daro'n ôl, yn ychwanegu at ein diogelwch! Mae cyplysu'r
amddiffynnol a'r dinistriol o fewn i'r un rhwydwaith yn
peryglu dyfodol yr hil. Ac fe allai seren wib gychwyn rhyfel ar
lwybrau'r sêr. Amlygodd y diwinydd i'r gwleidyddion y
mannau gwan yng nghynlluniau costus y technolegwyr, a bod
Reagan a'i dîm yn camliwio'r sefyllfa trwy sôn am 'darian
dechnolegol' ac am 'gromen o sêr' amddiffynnol.

Yn ôl ei arfer, cynt ac wedyn, galw a wna am ddiplomat-
iaeth a thrafodaeth. Mae un peth yn gwbl glir iddo, sef na ellir
setlo problemau'r byd trwy drosglwyddo mater heddwch i
dechnolegwyr. Mae technoleg wedi bod yn gymwynasgar i'r
ddynolryw, ond ni all roi'r byd yn ei le. Yn aml, ein ffordd ni o
osgoi datrys ein problemau moesol yw eu trosglwyddo i bobl
sy'n amddifad o'r iaith honno sy'n delio â dyn fel bod
crefyddol a moesol.

Wrth ddelio â'r camwri hwn o'n heiddom, mae'n troi'n ôl at
un o'i arwyr, Awstin Sant, ac yn galw i gof ei gyngor i'w
ddarllenwyr. Rhaid ystyried yn gyson y gwahaniaeth rhwng y
ddau air Lladin *scientia* a *sapientia*. O'r gair *scientia* y daw'r gair
Saesneg am wyddoniaeth, sy'n dynodi'r 'medrusrwydd'
hwnnw a roddwyd i ni i drin yr hyn a gawn yn yr amgylchfyd
sydd at ein gwasanaeth. Ond, oni fyddwn yn barod i
gydnabod y gwerthoedd mawr, y canllawiau moesol a'r

defodau sy'n cyfoethogi'n bywydau, ofer pob medrusrwydd. Rhaid wrth *sapientia*, y doethineb 'oddi uchod' a gynhwysir yn Llên Doethineb yr Iddew. Wrth ddarllen Llyfr Job, rhai o'r Salmau, Llyfr y Diarhebion, Llyfr y Pregethwr a Chaniad Solomon deuwn o hyd i berlau o ddoethineb ymarferol a gwyd o brofiadau cymysg yr awduron hyn. Yn ôl Gerhard von Rad, pobl oedd yr awduron hyn a fyddai'n ymgodymu gyda'u profiadau o lawenydd a thristwch bywyd. Byddent yn perthyn i wahanol Ysgolion, ond roedd yr Ysgolion i gyd yn cyfarfod i *drafod* eu hamheuon ac i wyntyllu'u hatebion.

Ac mae'r wythïen hon yn rhedeg trwy lyfrau, erthyglau a phapurau'r Archesgob Rowan. Mae'n sicr o fod yn wir am yr hyn a ysgrifennodd yn ystod y mileniwm newydd, ac yn amlwg o wir am *Lost Icons* (2000), *Ponder These Things* (2002), *Writing in the Dust* (2002), ei gyfrol *Christ on Trial* (2002) ac yn y dwsinau o bapurau a ddilynodd Medi'r 11eg.

Yn ystod ei dymor byr fel Archesgob Cymru derbyniodd y Dr Rowan Williams wahoddiad gan weinidogion Eglwys Bresbyteraidd Cymru i 'Athrofa'r Bala' sy'n cwrdd yn flynyddol yn Festri Seilo, Llandudno. Ond gan ei fod yn symud i Lambeth ar y pryd, ni allodd gadw'i gyhoeddiad, a threfnodd Ysgrifennydd yr Athrofa, y Parchedig E.R. Lloyd Jones, i rai o'r selogion sôn am ei feddwl a'i waith. Roedd cynnwys ei gyfrol yntau, *Llais Tros Ddyfodol Byd* (Seiliau Diwinyddol Heddychiaeth 1999), llyfr hynod o werthfawr, yn ffres ym meddyliau'r cynadleddwyr, a'r teitl yn crynhoi daliadau'r Archesgob. Onid her y dyfodol i ddiogelwch a heddwch y byd oedd mater y pedair Seiat yng Nghadeirlan Sant Paul yn Llundain? Y Parchedig John Owen, Bethesda oedd yn cadeirio, ac ef a gyflwynodd y Parchedig John Owen, Rhuthun, a'r testun a roddwyd iddo, 'Rowan Williams a'r Dimensiwn Militaraidd'. Roedd hyn tua'r adeg y cyhoeddodd yr Arlywydd Bush fod y rhyfel yn Irac wedi dirwyn i ben. Ond fe aeth cyflafan waedlyd Irac rhagddi hyd y dydd hwn, fel mae'r drafodaeth a ddilynodd ddarlith glir a chytbwys y Parchedig John Owen ar y modd y mae'r Archesgob yn adeiladu'i ddadleuon ar seiliau beiblaidd sy'n cadarnhau ei safbwynt gwleidyddol a'i ddoethineb ymarferol – *sapientia* Awstin Sant.

Yn gynnar yn ei ddarlith, cyfeiriodd y darlithydd at ateb y Dr Rowan Williams i gwestiwn Charles Moore (*Daily Telegraph*, 12/2/03) ychydig ddyddiau cyn ei orseddu yng Nghaer-gaint. Y cwestiwn a gafodd gan ddyn papur yr adain dde oedd 'Pam y chwith?' Yn ôl ei ateb parod, roedd dau ysgogiad. 'Pryder dwfn, anhapusrwydd a diflastod ynglŷn â'r unigolyddiaeth sydd wedi nodweddu'r dde yn ystod y ddau a'r tri degawd diwethaf; ynghyd â rhywbeth a gwyd mi gredaf o ddyfnder y traddodiad Anghydffurfiol Cymreig, nid pasiffistiaeth yn hollol, ond rhyng-genedlaetholdeb sy'n fy ngwneud yn amheus iawn ynglŷn â rhyfel fel yr ateb i broblemau rhyngwladol'.

Ar ôl marw'r Dr Gwynfor Evans, tystiodd ei blant, a phobl oedd yn ei adnabod yn dda, mai heddychwr oedd ef yn gyntaf ac yn bennaf. Ond ni ellir mynd mor bell â dweud hyn am y Dr Rowan Williams. Weithiau mae'n derbyn, yn unol â safbwynt y rhai sy'n credu mewn rhyfel cyfiawn, y gellir cyfiawnhau trais os ydyw'n adweithiol; ond wrth ymateb yn y fath fodd, mae'n gweld bod yn rhaid i'r sawl sy'n gorfod gwneud penderfyniad anodd gofio bod bywydau oedolion a phlant yn y fantol.

Yn gynnar yn *The Truce of God* (tud. 26) mae'n cydnabod ei fod yn amheus a oes un rhaglen sy'n cyfarfod ac yn bodloni'r dyhead Cristionogol am heddwch. Meddai: 'Rwy'n ysgrifennu fel un sy'n credu'n danbaid mewn diarfogi gan un ochr, ond nid fel heddychwr absoliwt (un a fyddai ym mhob amgylchiad yn gwrthod cymryd rhan weithredol mewn gwrthdaro treisgar)'. Yna, fe ychwanega: 'Rwy'n credu bod dadansoddiad ymarferol a moesol y diarfogydd amlochrog neu'r heddychwr absoliwt, y naill fel y llall, yn anobeithiol o annigonol'. Ac wedi iddo annog Mr Blair i ddal ati i ymchwilio mewn cilfachau cudd am y 'gwn oedd yn mygu', ei rybuddio i beidio â diystyru'r Cenhedloedd Unedig ac i gofio y byddai canlyniadau gwleidyddol a dyngarol rhyfel arall yn y Gwlff yn anrhagweladwy, cydsyniodd i offrymu gweddi dros y milwyr oedd yn mynd i ymladd unwaith eto i'r Dwyrain Canol. Bu hyn yn siom i'r heddychwyr o fewn i'r traddodiad Anghydffurfiol Cymreig, traddodiad a diwylliant a fu'n ddylanwadol yn ei fywyd.

Ond, erbyn 2003, nid Archesgob Cymru ydoedd, ond Archesgob Caer-gaint. Fodd bynnag, fe gytunai pobl y tu allan i Gymru, gan gynnwys llawer o Saeson yn ei ddiadell, ei bod yn amheuthun cael Archesgob sy'n credu bod rhyfel a heddwch yn faterion ysbrydol. Dyma'i reswm dros alw ar Gristnogion i amlygu'u hunain a'r Eglwys fel 'arwydd' o heddwch mewn byd rhwystredig a rhwygedig. Mae elfennau dinistriol wedi'u gwasgaru ledled y byd, ac mae'r Efengyl yn galw arnom i ddeffro o'n breuddwydion ffantasïol cyn iddynt droi yn hunllefau hyll. Y tristwch mwyaf fyddai i ni dderbyn bod rhyfel niwclear yn anochel, ac i'n plant gael eu cyflyru i gredu hyn, ac i dderbyn bod trais yn rhan o batrwm bywyd pob dydd. Daw rhyfel â'i golledion, ac fel yr ydym wedi dysgu eto'n ddiweddar, daw â chelwydd i'w ganlyn, ac fe gollir y gwirionedd. Chwarter canrif wedi i'r Archesgob ddinoethi'r celwyddau hyn (cf. ei bregeth 'Beth yw'r Gwirionedd' yn *Open to Judgement*' (tud. 127), mae anwireddau eto'n duo'r ffurfafen yn y Dwyrain Canol a'r bygythion y gallai rhyfel niwclear ddigwydd eto yn yr awyr. Nid yw Arlywydd Iran, a alwodd am ddileu Israel oddi ar wyneb y ddaear yn 2005, yn celu'i ymdrechion ers tro i gynhyrchu'r union fom fyddai'n gwireddu'i freuddwyd wyrgam. A beth petai Israel yn penderfynu gwasgaru'r nythaid enfawr sydd ganddi'n stôr yn niffeithwch Jwdea i roi taw am byth ar benboethiaid gelyniaethus cylch y Gwlff? Bregus iawn yw'n byd unwaith eto.

Gwahoddwyd Rowan Williams i ysgrifennu 'Cyfrol y Grawys' ddwywaith gan yr Archesgob George Carey, ei ragflaenydd yng Nghaer-gaint. Cyfeiriwyd uchod at y gyntaf o'r ddwy gyfrol, *The Truce of God* (1983), sy'n galw i gof rai o broblemau astrus y rhai oedd yn ceisio rhoi rhyw fath o drefn ar gwrs y byd yn yr wyth degau. Mae'n cwmpasu pennod go nodedig yn hanes cymdeithas oedd yn wir ansicr ohono'i hunan, ac i ddyfynnu'r diweddar Athro J.R. Jones, Abertawe, mewn pryder 'yn wyneb tynged a thranc'. Wrth i'r sefyllfa gymhlethu, roedd rhwystredigaeth y rhai oedd yn ceisio cadw'r heddwch ar gynnydd, ac mae'r bennod a drafodwyd uchod, 'The Ethics of SDI' (1989) yn dilyn Cyfrol y Garawys (1983). Cyn y saith degau, roedd yr Athro J.R. Jones wedi tynnu sylw at 'y dreif i ddod yn wyddonol a thechnolegol hunanddigonol', ac yn yr wyth degau, mae'r Dr Rowan Williams yn taeru bod cenhedlaeth wrthnysig wedi codi, cenhedlaeth a oedd yn hwyrfrydig i edifarhau. Hon oedd y genhedlaeth a gyflyrwyd i gredu bod pentyrru arfau o bob math yn mynd i ddiogelu'r heddwch. Credai hefyd y byddai'r arfau niwclear yn atal y ddau bŵer mawr ar y pryd, yr Unol Daleithiau a Rwsia, rhag ymosod y naill ar y llall. Oes y ffantasïau oedd chwarter olaf yr hen ganrif iddo, a lluniwyd ffilmiau a ffuglenni i gyflyru'r genhedlaeth oedd yn codi i dderbyn bod trais yn rhan o fywyd pawb.

Aeth awdur *The Truce of God* i fynachlog ym Mwrgwyn (Burgundy) i esbonio teitl y gyfrol, ond medrai'r Parchedig John Owen, Bethesda, fynd i'r sir y'i magwyd ynddi, Môn, am yr esboniad. Fel hyn y mae'n adrodd ei stori: 'Cofiaf yn blentyn ym mlynyddoedd yr Ail Ryfel Byd ac ar ôl hynny, chwarae tic ar iard yr ysgol, ond os oeddech am dynnu allan o'r chwarae, rhaid oedd gweiddi "triws". Dyna oedd ystyr "triws" mewn un fynachlog yn yr Oesoedd Canol yn ôl y Dr

Rowan Williams, cyfle i bleidiau rhyfelgar ym mro'r fynachlog dynnu allan o bob ymrafael am dridiau yn wythnosol.' Trwy gydol y blynyddoedd bu'r Dr Rowan Williams yn galw ar genhedloedd y byd i dynnu allan o'r ras arfau. Cred ef mai dyletswydd pob aelod o Eglwys Iesu Grist yw gweiddi 'triws' a chymell pob aelod o Gorff Crist i godi baner cariad Duw. 'Byd-eang' yw ystyr 'catholigrwydd' iddo, gair sy'n apelio at ŵr o ddychymyg ymledol. A'i freuddwyd ef yw cymdeithas agored a chynhwysol, teulu dedwydd a chymodlon sy'n cofleidio dynoliaeth gyfan. Ond mae codi baner heddwch yn costio'n ddrud, ac fel Arglwydd yr Eglwys rhaid i'w ganlynwyr fod yn barod i dalu'r pris.

Mae teitl ei ail gyfrol ar gyfer y Garawys, *Christ on Trial*, yn awgrymu ei fod yn awr am amgyffred y pris, neu o leiaf am gael ei ddarllenwyr i ystyried y gost o roi'r byd yn ei le. Mae'n ganrif newydd erbyn i'r gyfrol gael ei chyhoeddi, ond cynnyrch meddwl un sy'n efengylu ar y bont rhwng y ddwy ganrif ydyw. Oddi ar hynny, aeth llawer o ddŵr terfysglyd dan y bont, ond mae gwirioneddau Efengyl y Pasg a ddistyllwyd yma yn aros yn obaith ac yn gysur. Treialon Iesu o Nasareth, wrth iddo gael ei lusgo o lys i lys a ddaw â ni at y gwirionedd. Filwaith a mwy, rydym wedi gofyn i'n Tad nefol, trwy offrymu'r weddi a ddysgodd Iesu i ni, iddo beidio â'n 'dwyn i brawf'. Ond ni allodd Iesu, ac ni allwn ninnau osgoi'r treialon a'r trasiedïau a gyfyd o'n mewn yn sgil ysbryd gwrthryfelgar a thrais, ond sy'n ein harwain yr un pryd yn nes at y gwirionedd sy'n ein rhyddhau.

I ni a fu'n gweld Drama'r Dioddefaint yn Oberammergau mae'r olygfa lle y croesholir Iesu gan Pilat yn un i'w chofio am byth, ac mae'n amlwg bod awdur y sgript wedi pwyso'n drwm ar y bedwaredd Efengyl. Ac i osod seiliau beiblaidd a diogel i'w ddadleuon o blaid heddwch a chymod, mae'r Archesgob yn troi at yr union olygfa ac yn lloffa ambell adnod yma a thraw yn Efengyl Ioan i gryfhau ei achos.

Mae cwestiynau Pilat yn bryfoclyd, ac yn abwyd i'r rhai sy'n caru dadl. Gwyddom fod awdur *Christ on Trial* yn un sy'n cymell trafodaeth, ac mae'r olygfa hon yn y Praetoriwm (18:28) yn cynnig i ni'r cyfle i ystyried y materion hynny sy'n ymwneud ag amodau heddwch, a'r sefyllfaoedd a gwyd i ddad-wneud heddwch.

'Ai ti yw Brenin yr Iddewon?' yw'r union gwestiwn y disgwylid i Raglaw Rhufeinig ei ofyn. Ond mae ateb Iesu yn annisgwyl: 'Nid yw fy nheyrnas i o'r byd hwn'. Mae'n amlwg na ellir amddiffyn y math o allu a roddwyd i'r Athro hwn trwy ddefnyddio grym byddin a thrwy ymarfer trais.

Mewn gwendid mae perffeithio grym, a grym yr anallu yw 'arf' Iesu wrth fynd o lys i lys. A dyma yw gallu'r Efengyl, y gallu a welwyd ar y ffordd i'r groes, ac a amlygwyd yn ei farwolaeth, ac ar ôl hynny, yn atgyfodiad Iesu.

Yn nhyb yr Archesgob, ofn ac ansicrwydd pobl sy'n gorfod byw mewn byd rhanedig sydd y tu ôl i'r arfogi cyson yn ystod rhan helaeth o'r ganrif ddiwethaf. Yn ei erthygl 'The Ethics of SDI' mae'n diffinio gallu'r Duw a gynrychiolir gan Iesu gerbron Pilat, cynrychiolydd yr Ymerodraeth Rufeinig a'i grym militaraidd. Fe ddywed yn yr erthygl honno, rhyw chwarter canrif yn ôl bellach, mai grym yw hwn 'i ddod â phwrpas Duw i ben', sef newid y byd. Yn y termau hyn mae sôn yn ystyrlon am Dduw, y Creawdwr sy'n medru creu amgylchfyd i ni ei blant i dyfu ac i ymddiried ynddo.

Gerbron Pilat, fe welir cynrychiolydd y ddynoliaeth newydd, Iesu o Nasareth, 'wedi'i fradychu ac yn ddi-ymadferth, wedi'i ddinoethi o amddiffyniaeth, ymadrodd a gweithred'. Dyma'r darlun a welir o Dduw yn y llys, ac fe wyddom am y dioddef hyd at eiliad ei farw ar Galfaria. Yng nghefndir yr Wythnos Fawr mae'n dadlau mai stori o ymddiriedaeth lwyr yn Nuw yw stori bywyd Iesu. I ddiogelu'n hunaniaeth ac i ddileu'r ofn parlysol hwnnw sy'n rhwygo'n byd ar ôl Medi'r 11eg, rhaid dal i edrych ar ffolineb a gallu'r groes. I drwch poblogaeth y byd gorllewinol mae'r cyfundrefnau crefyddol anystwyth yn fwy cyfrifol na neb am y dirywiad a'r trais cynyddol. A dal i annog Cristnogion mae'r Dr Rowan Williams yn ei fyfyrdodau a gyhoeddwyd wedi cyfres o derfysgoedd chwerw'r ganrif newydd i fyw cariad y Gŵr atalgar yn y llys ac a faddeuodd i'w elynion ar y groes. Nid yw technoleg yn abl i ddiogelu'n hunaniaeth na chadw'n gobaith yn fyw. Gellir ychwanegu at ein deddfau, cyflogi mwy o blismyn ac ehangu'n byddinoedd, ond am arian y gellid ei ddefnyddio i leddfu poen y byd. Mae'n bosibl i ni orlenwi'r gofod â thechnoleg fodern, ond ar draul gwacáu'n bywydau o'r 'pethe' neu'r 'eiconau'. Mae cau allan y bygythiadau y gwyddom amdanynt yn ein gwneud yn rhwystr i ras Duw, gwyrth y dröedigaeth a phrofiad o wir edifeirwch.

Wrth geisio ein hamddiffyn ein hunain, fe allwn golli'n hunaniaeth, a cholli'n cysylltiad â'r gymuned. Oni allwn fod yn agored i'n gilydd, fe fydd ein cariad yn oeri, a'n calonnau'n caledu. Yn y plisgyn brau hwnnw o ddiogelwch a nyddir gennym, fe gollwn ein hunain, a'n cymunedau, a chau allan yr Ysbryd sy'n cyfannu ac yn iacháu.

Os collwn ein hymddiriedaeth yn Nuw trwy droi at ddyfeisiadau ein *scientia* cyfoes, byddwn yn cau allan o'n bywydau y dylanwadau llesol sy'n dod o gyfeiriad diwylliant iachusol, gwleidyddiaeth adferol, a phob gwrthdaro sy'n medru trywanu plisgyn ein hystyfnigrwydd a'n bywydau di-ddim, di-dda.

Mae profiad yr emynydd hwnnw sy'n dal 'bod munud o edrych ar aberth y groes' yn fwy tebygol na dim a wnawn ni i 'lonyddu môr tonnog ein hoes' yn fwy gwir heddiw nag mewn un cyfnod.

DYMA'R DYN

Agorwyd y bennod hon trwy dderbyn damcaniaeth Dorothee Sölle mai cynnyrch stori argyfyngus dyn a'i fyd yn yr ugeinfed ganrif yw'r diwinydd gwleidyddol. Plentyn Almaen Hitler a'r drydedd Reich ydoedd hi, yn anesmwyth ei chydwybod dyner ac yn cario pwysau euogrwydd ei phobl trwy gydol ei gyrfa gythryblus. Tua diwedd ei hoes gymharol gwta, addefodd yn ei chyfrolau hunangofiannol bod cyfriniaeth a gwleidyddiaeth wedi cyd-gyfarfod yn ei 'henaid clwyfus' ac wedi'i chadw'n effro a sylwgar, yn feddylgar a phrotestgar. Dyma darddle ei gwrthdystiad a'i haflonyddwch.

Peguy, y Ffrancwr, a ddywedodd fod crefydd yn cychwyn mewn cyfriniaeth ac yn diweddu mewn gwleidyddiaeth. Yn hanes Sölle, a fagwyd yng Nghwlen, tyfu yn y cyfuniad a wnaeth hi yn ystod ei bywyd. Ond mae cefndir yr Archesgob, a oedd bymtheng mlynedd yn iau na'r Almaenes, yn wahanol iawn. Gweld effeithiau'r rhyfel wnaeth ef, ond roedd hi yn ei ganol, a'i phobl wedi colli'r dydd. Mae ymlyniad y ferch o'r Almaen wrth gyfriniaeth yn un llawer mwy goddrychol ac emosiynol na'r math o gyfriniaeth sy'n apelio at y Cymro. Mae'r Dr Rowan Williams yn canmol rhagoriaethau'r gyfriniaeth greadigol honno sy'n tarddu allan o fywyd y duwdod ac yn ymgnawdoli ynom ni. Mae oblygiadau amlwg yn dilyn. Fel mae'r Gair 'yn trigo ynom' gan ein gwneud yn Grist-debyg, fe'n hadnewyddir ar ddelw Crist Iesu, ac fe rydd yntau i ni gyfran yn ei waith achubol. Trwy ein haddasu i'w wasanaethu fe'n gwneir yn gyfryngau i drawsnewid y byd.

Yn ôl y Tadau daeth Duw yn ddyn er mwyn ein dwyfoli. Byd anweledig, ond gwrthrychol yw un y Tadau, ond mae'r gyfriniaeth oddrychol yn tueddu i ganolbwyntio ar ein profiadau seicolegol sy'n ddeniadol yn nyddiau seiciatreg boblogaidd, ond yn rhy haniaethol ac annelwig i'r Archesgob (Gwel. *Teresa of Ávila*, pen. 5: 'Mysticism and Incarnation'). Fel y byddai rhywun yn disgwyl mae gwythïen gref o resymoleg yn ei ysbrydoledd. Fe'i magwyd ef yn Gymro, ac er iddo 'fwynhau' y teimladau crefyddol a gysylltir â'n ffordd ni o addoli, mae'n awyddus i ni fedru gwahaniaethu rhwng y cyffroadau gogleisiol abnormal a'r profiadau dilys ac adeiladol. Iddo ef mae'n hollbwysig diogelu'r 'ymarferol' a gwrthod i gyfriniaeth yr hawl o fod yn ddim byd mwy na'r 'teimladol' neu'r 'profiadol'. Sail Cristionogaeth yw'r ymgnawdoliad a'r hanes am Dduw yn cymryd ein natur er mwyn ei newid. I'r storïwr enwog J.R.R. Tolkien, mae'r stori am Iesu Grist yn cychwyn mewn llawenydd ar y Nadolig cyntaf hwnnw, ac yn diweddu yn y llawenydd a brofwyd mewn amrywiol ffyrdd gan ei ganlynwyr ar fore'r atgyfodiad. Ymwelodd â'r byd a dychwelodd gan ymddiried i'r Eglwys, ei gymuned ar y ddaear, y cyfrifoldeb o adfer iddo'r greadigaeth. Ac ym mawl ac addoliad yr Eglwys, ac yn arbennig yn ei gweddïau, mae nef a daear yn parhau i gyd-ddyheu am fyd newydd.

Diffiniad Dorothee Sölle o gyfriniaeth yw 'adnabyddiaeth o Dduw ynghanol profiadau bywyd'. I'r Archesgob Rowan Williams, sy'n hoffi troi i'r bedwaredd Efengyl am ei atebion, ffynhonnell cyfriniaeth gytbwys yw'r Gair ymgnawdoledig. Fe gofir am ddyfarniad Pilat ar achlysur y treial: 'Ecce homo', 'Dyma'r dyn' (Ioan 19:5). Mae yn y ddalfa, yn dawedog, yn enigma, ond yn rhydd! Ond pan ofynnir iddo gan y Rhaglaw beth yw ei drosedd, mae ei ateb yn barod: 'Nid yw fy nheyrnas i o'r byd hwn. Pe bai fy nheyrnas i o'r byd hwn, byddai fy ngwasanaethwyr i yn ymladd . . .' (18:36). Yn y ddeialog hon ac yn y gwrthdaro o'i mewn mae'r Archesgob yn gweld arweiniad yn yr Efengyl i faterion dyrys rhyfel a heddwch, a'r ateb yn y 'Person rhyfedd hwn'.

Yn hwn, yn ei ddysgeidiaeth am y Deyrnas, ac yn ei fyw, ei farw a'i atgyfodiad y cesglir ynghyd ein gorffennol a'n presennol, ac ynddo mae holl addewidion ein dyfodol.

Disgrifiad awdur *Christ on Trial* ohono yw'r 'canolbwynt magnetig'. Ac mewn termau tebyg y mae'r Apostol Paul yn ei ddisgrifio: 'Hwn yw delw'r Duw anweledig, cyntafanedig yr holl greadigaeth; oherwydd ynddo ef y crëwyd pob peth yn y nefoedd ac ar y ddaear, pethau gweledig a phethau anweledig, gorseddau, arglwyddiaethau, tywysogaethau ac awdurdodau. Trwyddo ef ac er ei fwyn ef y mae pob peth wedi ei greu. Y mae ef yn bod cyn pob peth, ac ynddo ef y mae pob peth yn cydsefyll. Ef hefyd yw pen y corff, sef yr eglwys' (Colosiaid 1:15-18a).

Delfryd a breuddwyd y corff hwn, y gymuned Gristnogol, yw dynoliaeth yn un yn y dyn Iesu. Ar adegau, yn enwedig pan fydd yn creu anghydfod ac yn bygwth codi cledd a thaflu tân ar y ddaear, ymddengys fel ffigwr sy'n peryglu'n heddwch. Ond i fenthyca ymadrodd yr athronydd Heidegger, 'bugail bodolaeth' ydyw, un sy'n llawenhau yn ei gorlan a'i diogelwch.

Go brin y ceir gwell portread o'r gorlan heddychol na'r un yn *Silence and Honey Cakes,* ei gyfraniad cwbl arbennig i gronfa'r doethineb (*sapientia*) a· allai sychu yn ein dyddiau hesb. Disgrifir bywydau'r cymunedau gwir frawdol a fodolai ymhlith mynachod duwiolfrydig a gweddigar yr Aifft. Galwyd hwy yn Dadau'r Anialwch am iddynt ddewis byw yn ystod y bedwaredd a'r bumed ganrif OC ym mherfeddion anialdir gwlad y pyramidiau. Ffurfiwyd ganddynt gelloedd bychain iachusol yn nistawrwydd eu rhandiroedd moel. Anghydffurfwyr oedd yr alltudion hyn, anniddig a phrotestgar, teimladol a dyngarol. Roeddent wedi *ffoi* (pennawd un o'i benodau), ac wedi *aros* (pennawd y bennod sy'n dilyn). Ond, yn wahanol i ni, nid oeddent yn gweld 'man gwyn man draw' nac yn cael eu temtio i ffoi o'r man lle yr oeddent wedi iddynt gael tir i aros a thyfu.

Roedd dygymod â threialon bywyd a sut i fyw'n raslon gyda'r cymydog yn fater difrifol i'r awdur ei hun yn 2003, ei flwyddyn anodd. Weithiau, gwelaf ambell awgrym iddo gael dogn o gysur ynghanol ei ofidiau wrth roi tro (unwaith yn rhagor) am y Tadau. Meddylier am y diddanwch sydd i bawb ohonom yn y dywediad: 'Mae'n bywyd a'n marwolaeth gyda'n cymydog. Os gallwn ennill ein brawd, fe enillwn Dduw. Os achoswn i'n brawd lithro, yr ydym wedi pechu yn erbyn Crist'.

Crist yw penconglfaen y gymdeithas Gristnogol, a'n cymdogion yng Nghrist yw'r meini bywiol. Dilyn eu camre ar lwybrau distawrwydd a chymwynasgarwch yw'r ffordd i gymod a'r ffordd i buro iaith y llwyth ac i symleiddio'n ymadroddi. Y camddeall cyson yw'r cam cyntaf i anghydfod a rhyfel. Nod y Cristion yw ennill cymydog, peidio â'i farnu rhag ei golli, ond ei garu a pharhau mewn cymod â Duw a dyn.

Trwy ddisgrifio'n delynegol a storïol fywydau hen fynachod yr Aifft daw'r Dr Rowan Williams â ni i werthfawrogi'r Eglwys fel y dylai fyw yn ein dyddiau ni. Un o'i gampau mwyaf yn ei holl astudiaethau, hanesyddol a diwinyddol, yw dychwelyd i'r gorffennol pell a'n helpu i weld ein llwybr ymlaen i'r dyfodol.

Mae'r Dr Robert Rhys (golygydd *Waldo Williams: Cyfres y Meistri*, tud. 117) wedi dyfynnu cwestiwn rhyw gyfaill dienw i'r bardd o Benfro. Dyma'r cwestiwn: 'Wrth gwrs ma' hwnna'n rhan bwysig o'ch barddoni chi on'd yw e – y gymdeithas a'r perthyn a'r nabod ein gilydd 'ma'. Cwta a chadarnhaol oedd ateb y bardd 'Odi mae e'. Yna, ychwanegodd Waldo: 'Hanfod y peth hwn oedd y teimlad brawdol 'ma trwy'r gymdeithas i gyd – y peth sy'n tystio bod gynnom ni rywbeth sydd o'r tu hwnt i'r ddaear yma'.

PENNOD 9

MYFYRDOD
Y BARDD-DDIWINYDD

'Dydw i ddim yn hoffi'r syniad o fod yn fardd crefyddol.
Byddai'n well gennyf fod yn fardd â phethau crefyddol o bwys
angerddol i mi' (geiriau'r Archesgob Rowan Williams).

'Byddaf yn meddwl mai gweithred o ffydd ar un ystyr yw
barddoniaeth. Byddwch yn rhoi cyfyngiadau iaith ar brawf, yn
ceisio gwneud a dweud pethau newydd, yn creu cysylltiadau
newydd mewn cyfatebiaethau ac yn ymddiried i'r iaith fynd
rhagddi o'r fan honno' (yn ei sgwrs â Joan Bakewell yn *Belief*,
cyhoeddiad y BBC).

• • •

Erbyn hyn, mi wn o brofiad na ellir darllen diwinyddiaeth a
rhyddiaith Archesgob Caer-gaint mewn byr amser! Dywedir
iddo ysgrifennu tua phum i chwe miliwn o eiriau, a gyda'r
galw mawr sydd arno i annerch, i ddarlithio ac i bregethu,
rhaid ei fod wedi parablu miliynau'n ychwanegol.

Hyd yn hyn, ychydig yw ei gynnyrch barddol. O dro i dro
ymddangosodd rhyw drigain a phump o gerddi o'i eiddo, ac
fe'u corlannwyd yn *The Poems of Rowan Williams* (The Perpetua
Press, Rhydychen, 2002). Yn eu plith, mae hanner dwsin o'i
gyfieithiadau o gerddi cyfarwydd Waldo Williams, ac mae hyn

yn adlewyrchu tueddfryd y diwinydd sy'n ddiwyd yn ceisio rhoi'r byd yn ei le. Mae'r myfyrdod hwn yn gyfle i gyfeirio at edmygedd, parch a dyled yr Archesgob Rowan Williams i un o feirdd mawr ein cenedl.

Rwy'n digwydd gwybod bod un o edmygwyr Dr Rowan wedi troi at y Cerddi yn y gobaith y byddent yn gymorth iddo ddeall ei gyfraniad diwinyddol. Ond, cafodd ei siomi! Cynghorais ef i ddychwelyd at ei bregethau a'i fyfyrdodau, ac yna rhai o'i lyfrau defosiynol sy'n taflu goleuni ar ei farddoniaeth a'i ddiwinyddiaeth. Go brin y gall neb sugno'r holl faeth sydd yn ei farddoniaeth heb bori yn y meysydd lle bu'r bardd-offeiriad yn troi. Cyn i mi orfod dilyn ei ddadleuon a'i fethod diwinyddol a cheisio fy ngorau i ddechrau cwmpasu ei astudiaethau a'i ddiddordebau niferus, prin y gallwn werthfawrogi hyd yn oed y cerddi sydd yn awr yn cyffroi'r cof a'r galon. Wedi llunio'r bennod 'Mair a'r Gair', mae'r gân 'Our Lady of Vladimir' yn gloywi'r eicon a'i symbylodd i ganu i'r fam hon. Bellach, mae ei fyfyrdodau ar oblygiadau'r ymgnawdoliad mor ddisglair â'r sêr sy'n llenwi ffurfafen ei awen. Fel yr emynydd hwnnw, Griffith Penar Griffiths, mae'n hoff iawn o 'gysgod hwyr' ac o 'gwmni'r sêr'.

Fe fu ei hoffter o eicon Rublev yn gymorth i lawer fel i minnau i amgyffred dirgelwch y Drindod, ac yn gymorth iddo yntau i gyflwyno un o'r athrawiaethau mwyaf dyrys. Efallai y byddai darllen y chweched bennod yn y gyfrol hon, 'Cymdeithas gref o Gariad', a cherdd yr Archesgob i Rublev a'i eicon byd-enwog ar y cyd, yn ennyn ynom ddiddordeb yn syniadaeth yr Eglwys Uniongred ac yn y celfyddydau yn gyffredinol. Hwyrach y gallai'r eiconau cyfarwydd a gwaith yr arlunwyr byd-enwog ein helpu ni, fel ein cyfaill Rowan Williams, i dreiddio i ddyfnderoedd y bywyd ysbrydol. Ni chafodd ef, ac ni chawn ninnau ein llenwi â gras heb ymchwil a llafur.

• • •

Fe gefais i fudd a bendith yn darllen ei gerdd i 'Gethsemane'. Fel yntau, bûm yn y Wlad Sanctaidd ac yn Jerwsalem droeon yn ystod chwarter olaf yr ugeinfed ganrif. Gwn am ei ymweliadau yno y blynyddoedd hyn, a'i eiriol yno am heddwch i Iddew ac Arab. 'Gweddïwch am heddwch i Jerwsalem . . . bydded heddwch o fewn dy furiau, a diogelwch o fewn dy geyrydd' (Salm 122:6-7).

Fel y cofia'r cyfarwydd â'r ddinas, man cyfarfod yr Iddewon defosiynol yw un o geyrydd yr hen deml a ddinistriwyd gan y Rhufeiniaid yn 70 OC. Ym Mur yr Wylofain, mae agennau amlwg rhwng y cerrig mawrion sy'n dal yn eu lle ers dyddiau Herod Fawr. Fe fydd y craff yn sylwi ei bod yn arfer gan yr Iddewon gweddigar, ar ôl gwyro ymlaen ac yna ymsythu ugeiniau o weithiau, i osod darn o bapur yn yr agennau hyn. Gweddïau ysgrifenedig pobl sydd mewn dygn angen am bethau a gymerwn ni'n ganiataol yw'r rhain. Wedi iddi nosi, daw gweithwyr cymdeithasol heibio'r mur, a chasglu'r gweddïau ysgrifenedig. Ac fe atebir gweddïau'r hen a'r anghenus gan y wladwriaeth!

Erw gweddïau'r Cristnogion yw gardd Gethsemane, lle saif Eglwys yr Holl Genhedloedd. O gwmpas yr eglwys hardd mae nifer o hen, hen olewydd, ac yno, yng nghysgod Mynydd yr Olewydd y gweddïai Iesu a'i ddisgyblion. Bu'r Archesgob yno, ac â'i ddau lygad mawr, gwelodd y bardd o Gymro y craciau dwfn yn yr hen goed. Cysylltodd ei feddwl chwim yr Iddew a'r Cristion yn offrymu eu gweddïau.

O agennau angau a dioddefaint y cwyd llawer o'i gerddi, fel ei bregethau a'i fyfyrdodau. Diwinydd a bardd y Pasg ydyw. Y Pasg iddo ef yw pair y geiriau sydd arnom eu hangen i roi mynegiant i'n profiadau. Yng ngardd yr ing a'r chwys mae deall ystyr 'nos ddu yr enaid'. Ond yn bur agos i Ffordd y Dioddefaint mae Gardd y Bedd Gwag, llecyn i brofi bendithion gwlith y bore.

• • •

Yn y traddodiad Cymreig, mae'n canu ambell gân i gofffáu ffrindiau a gollodd, a rhai o'r teulu yng Nghwm Tawe, ewythr a modryb o blith y Morganiaid, Jim a Letty Morgan. Ac yn dyner atgofus, mae'n marwnadu'i rieni Aneurin a Delphine Williams. Bu farw'r ddau o fewn mis i'w gilydd ym 1999, ei fam ym mis Awst a'i dad ym Medi. Ar ôl ei fagu'n ofalus, ni chafodd y ddau y fraint o fyw i'w weld yn Archesgob Cymru. Tra oedd yn Esgob Mynwy, ac yn byw yng Nghasnewydd, ymwelai â'r ddau yn Ystumllwynarth, ac fe all y cyfarwydd â'r De olrhain y daith ar draffordd yr M4 yn y gerdd i'w fam, a'r tro 'penelin' gyferbyn â Llansawel sy'n codi'r llenni ar Fro Gŵyr. Nid yw'n agor y llenni led y pen yn ei brofiad o golli'i anwyliaid, ond nid yw'n cadw'n ôl y chwithod a deimla wrth golli'r rhai a roddodd iddo'i fodolaeth. Mae darllen y ddwy gerdd yn dwyn i gof y teimladau a geir yn 'Tŷ'r Ysgol', soned Syr T.H. Parry-Williams.

Eisteddodd lawer gyda'i fam trwy ei chystudd blin a chael cyfle i gofio'i phrydau blasus a'i chymwynasau lawer. Yn 2005, cododd ei lef yn erbyn rhoi cymorth i glaf i farw, ac adroddodd ei brofiad yn eistedd gyda'i fam trwy boenau angau diollwng. Ni allai fod yn Nhŷ'r Arglwyddi ar ddydd y ddadl ond gofalodd bod ei brotest wâr yno. Er iddo weld ei fam yn dihoeni, ni allai ystyried y syniad o drosglwyddo'n teimladau a'n penderfyniadau i awdurdodau meddygol a chyfreithiol.

• • •

Yn achlysurol, bydd yr Archesgob wrth ddiwinydda, yn gwahaniaethu rhwng barddoniaeth a rhyddiaith. Mae'r bardd, fel y diwinydd, yn delio â'r 'aflonyddwch dwfn' sydd ynom, gyda'n 'hanfodlonrwydd â'r cyffredin a'r materol'. Eto, deunydd crai barddoniaeth yw'n profiadau cyffredin ond dwfn wedi'u gwisgo yn ein hiaith feunyddiol. 'Ond,' meddai'r bardd-ddiwinydd, 'mae bron pob un o'r traddodiadau crefyddol yn mynnu bod sancteiddrwydd yn golygu gwrthdaro newydd yn rhyw fan â'r rhyddieithol ar y ffordd i drawsffurfiad.' Ac mae'r Ffydd Gristnogol, am resymau diwinyddol amlwg, yn cofleidio'r materol a'r lleol. Mae ffydd a phrydyddiaeth yn agos iawn i'w gilydd, ac yn ffynnu lle mae profiadau dyn yn y byd yn fater o ystyriaeth fanwl (*Silence and Honey Cakes*, tud. 93). Trwy ymgnawdoli, defnyddiodd y Creawdwr fater, a'i leoli yn ein plith. Yn ein hamgylchfyd fe allwn barhau i weld ein bod ni'n agored i'r elfennau hynny oedd yn bygwth Iesu yn ei holl gyflawnder, yn gorff, ysbryd a meddwl. Pwysleisiwyd gan yr Eglwys gynnar bod dwyfoldeb Iesu 'wedi treiddio trwy ei hunaniaeth' yn llwyr.

Mewn gair, mae'n rhaid wrth ryddiaith i ddisgrifio'r materol a'r hyn sy'n ddarfodedig. Ond, fe drefnodd Duw i'r hyn y gellir ei golli gael ei adfer a'i sancteiddio gan Iesu. Dyma dasg y bardd a'r diwinydd, ymestyn iaith a dychymyg, brawddeg a chystrawen er mwyn cynnwys a dehongli'r profiad o'r trawsnewid hwn. O fewn i gymdeithas yr Eglwys, mae'n bosibl adfer iaith trwy berffeithio'r mawl a'r addoliad, a thrwy wrando'n astud wrth ddisgwyl am y distawrwydd.

• • •

Mae'r gerdd 'Great Sabbath' yn enghraifft wych o'r modd y mae'r Archesgob yn lledu llwybrau iaith, ac yn dihuno ynom y chwilfrydedd hwnnw sy'n ein gorfodi i ailystyried yr athrawiaethau mawr, yn enwedig y rhai a wthiwyd gennym i waelodion yr isymwybod. Mae'n anodd penderfynu sawl athrawiaeth a blethwyd gan y bardd yn nhri phennill ar ddeg y gerdd!

Mae athrawiaeth y Creu yn amlwg drwyddi. Bu Duw'r Creawdwr yn rhodio yng ngardd ei freuddwyd, ac yno rhoddodd fywyd i ddau sy'n ceisio dygymod â'u hamgylchfyd newydd a'u priod le yn y byd. Dyn a grëwyd gyntaf i fod yn flaenaf, a rhoddwyd iddo ryddid i orffwys, a'r dewis iddo ef a'i gymar ar sut i greu eu bywydau eu hunain. Dynion

300

a merched piau hanes a'r hawl i newid y byd. Gallant greu nef iddynt eu hunain ar y ddaear, neu droi'r byd yn uffern. Ar y Saboth mawr, wedi i'r Creawdwr goroni'i waith trwy greu dau i gynhesu'i gilydd, daeth yn amser i Dduw i orffwys. A ddychwel y Duw absennol at y ddau yr ymddiriedwyd iddynt y cread crwn a'r gofal amdano? Ni all y bardd ymwrthod â'r *via negativa* a dull apoffatig y diwinydd. Bellach y ddynoliaeth piau'r hawl i holi. 'You shall make change'. Yn awr, 'We make, he sleeps'.

Sut mae'r bardd yn ymdopi ag athrawiaeth yr Ailddyfodiad? Mae'n anodd ateb y cwestiwn, ond mae'n gwestiwn sy'n codi mwy o gwestiynau a thrafodaeth. Fel yn adroddiadau'r pedair Efengyl, fe ddigwydd yr annisgwyliadwy yn yr ardd. Yn y cyfamser, rhaid byw yn 'yr aflonyddwch dwfn'.

Daw i'm cof i un o hen Dadau'r Eglwys gynnar ddal bod Duw yn gohirio'r ailddyfodiad er mwyn rhoi i ni'r cyfle i bregethu'r newyddion da i'r rhai sydd heb glustiau i wrando, ac i'r rhai sydd heb gael eu geni eto. Yn ail Lythyr Pedr (3:9) ceir y geiriau calonogol mai 'bod yn amyneddgar wrthych y mae [Duw] am nad yw'n cwyllysio i neb gael ei ddinistrio, ond i bawb ddod i edifeirwch'. Fe ddychwel, ond mewn dull gwahanol. Daw fel uchelwr, ysbeiliwr neu leidr i buro'n bywydau a'n heiddo. Yn ddiarwybod i ni bu'n 'halltu'n clai' trwy gydol y blynyddoedd, ac ar ddiwedd y dydd daw atom yn null y 'Brenin Alltud' i'n hiacháu ni a'n tiroedd.

Yn nechrau'i gyfrol nodedig, *Y Brenin Alltud*, mae'r diweddar Ddr Pennar Davies yn trafod cerdd fwyaf Waldo Williams, sef 'Mewn Dau Gae'. Mewn llyfr sy'n trafod diwinyddiaeth a barddoniaeth, mae darllen ymdriniaeth barddddiwinydd mwyaf yr ugeinfed ganrif ar un o gerddi mwyaf ysbrydol a phersonol llenyddiaeth Gristionogol Cymru yn amheuthun. Mae nifer o feirniaid llenyddol wedi'i thrafod, ond yn yr ysgrif gwta hon, 'A'r Brwyn yn Hollti', mae gan y

Dr Pennar Davies sylw a ddaeth i'm cof droeon wrth ddarllen diwinyddiaeth a barddoniaeth yr Archesgob Rowan. Meddai'r ysgolhaig a'r diwinydd gwylaidd am ei gyfaill hoffus, y bardd Waldo: 'prin y gallai rhywrai gredu ei fod wedi ei wneud o'r un deunydd â'r rhelyw o blant dynion. Cynrychiolai yn ein mysg y "dyn newydd" y dylem i gyd ei wisgo. Ond ein clai ni oedd ei glai ef; ac un o ryfeddodau ei unig gyfrol yw ei bod yn rhychwantu'r cyffredinedd isaf a'r anghyffredinedd uchaf' (tud. 7).

Efallai fy mod i erbyn hyn yn ymestyn fy nychymyg, ond gwelais yn 'Great Sabbath' ymddangosiad grymus y Brenin Alltud, 'Tawel ostegwr helbul hunan'. Disgrifio'i dröedigaeth ysbrydol a wnaeth Waldo yn 'Mewn Dau Gae'. Yn 'Great Sabbath', ceir unwaith eto aileni, ond aileni cosmig. Dyhead yr Archesgob yw gweld 'creadigaeth newydd' a 'bod newydd' ar 'ddaear newydd' Duw.

• • •

Yn ei gerddi, fel yn ei bregethau a'i bortreadau o rai o saint mawr y canrifoedd (cf. *The Wound of Knowledge*), mae Rowan yn rhoi lle blaenllaw i 'greaduriaid newydd', y dychweledigion hynny yn Eglwys y Duw byw. Maent yn griw amrywiol, ac mae'r hanesydd ymchwilgar, fel y byddid yn disgwyl, wedi eu 'nabod hwy bob un' (chwedl Waldo). Pobl wedi'u haileni yw Awstin Sant, Martin Luther, John Wesley a Thomas Merton, i enwi rhai ohonynt. Yn eu gwewyr ysbrydol, arweiniwyd Awstin, Luther a Wesley yn eu tro i ddarllen rhan o'r drydedd bennod yn y Llythyr at y Rhufeiniaid (adn.21-26).

Ceir stori Thomas Owen Merton yn ei hunangofiant: *The Seven Storey Mountain*. Mae'r ail enw a roddodd ei rieni iddo yn dynodi cysylltiadau Cymreig y gŵr rhyfedd ac amryddawn hwn, ac wrth sôn am ei bererindod anturiaethus, mae'n cyfeirio at y 'peth Cymreig hwn sydd ynof', sef yr aflonyddwch Celtaidd, yr elfen ramantus yn ei bersonoliaeth

– pwnc cerdd Rowan iddo – a'r dychymyg llenyddol beiddgar. Dylanwadodd ei lenyddiaeth fel ei heddychiaeth ar yr Archesgob.

Adroddodd Awstin ei stori yn y *Cyffesion*, ei hunangofiant yntau, a gyfieithwyd i'r Gymraeg flynyddoedd yn ôl gan y Parchedig Awstin M. Thomas a fu'n weinidog ym mro Ann Griffiths. Mae gan yr Archesgob nifer o arwyr ymhlith y Tadau cynnar ond Awstin, Esgob Hippo yng ngogledd yr Affrig, yw'r mwyaf, a chyfeiriwyd uchod at y modd y gwahaniaethodd Awstin Sant rhwng *scientia* (gwyddoniaeth) a *sapientia* (doethineb). Perthyn y cyntaf i fyd y meddwl dadansoddol, gwyddonol a thechnolegol. Hwn yw'r byd a grëwyd gennym i wneud bywyd yn haws ac i'n diogelu rhag y peryglon a'r pŵer sy'n dinistrio. Ond erbyn hyn byd y bom yw hwn, byd trais a dinistr dial a rhyfel.

Mae'n gwbl naturiol bod rhai yn gofyn i'r Dr Rowan Williams, 'Pam yr ydych yn meddwl cymaint o farddoniaeth Waldo Williams a'ch edmygedd ohono fel dyn mor fawr?' Deuair yw'r ateb: 'ei ddoethineb'. Doethineb ydyw a etifeddodd o fewn 'mur fy mebyd' ('Preseli'). Ym 'mro brawdoliaeth' mae *sapientia*. Yno mae 'fy nghri, fy nghrefydd'. A'r cyfan yn gwarchod ac yn 'Cadw y mur rhag y bwystfil, cadw y ffynnon rhag y baw'. 'Nid y 'bydol-ddoethyn' (chwedl y Dr Pennar Davies) yw'r bardd a ddywed hyn, ond un 'â'i obaith yn y ddynol-ryw a'i dyfodol er gwaethaf pob coll a distryw'.

Ni fydd y sawl sydd wedi darllen *Christ on Trial* yn synnu bod cyfieithiadau o ddwy gerdd Waldo i ferthyron yn *The Poems of Rowan Williams*. Yn 'Wedi'r Canrifoedd Mudan' cofio rhai o ferthyron y Pabyddion yng Nghymru mae Waldo'r Crynwr ac, yn 'Die Bibelforscher', ferthyron Protestannaidd o gyfnod Hitler. 'Gwaed y merthyri yw had yr Eglwys' ac i'r Archesgob mae addewid o fywyd newydd bob amser ym merthyrdod y saint, a'u hufudd-dod yn dwyn i gof farwolaeth

Iesu, a ffrwyth ei aberth. Yn dilyn yr ufudd-dod hwn, dyrchafwyd Iesu, ac mae ei atgyfodiad a'i esgyniad yn ernes o'r bywyd newydd a ollyngwyd yn rhydd yn y byd.

I ddau enaid mawr, Waldo Williams a Rowan Williams, mae cofio Pabyddion a Phrotestaniaid gyda'i gilydd yn gwbl naturiol ac yn amlygiad o ecwmeniaeth iach ac o'r ysbryd tangnefeddus ddylai fodoli ymysg Cristnogion ym mhob man. Bu tywallt gwaed merthyron ym mhob cangen o'r Eglwys, ac mae hanes eu dioddefaint ar hyd y canrifoedd yn dystiolaeth i'r undod hwnnw sydd yn yr Arglwydd Iesu. Ffordd y byd yw dial, gormesu a lladd, ond mae teyrngarwch i Arglwydd yr Eglwys wedi arwain llaweroedd i'r crocbren. Aeth Iesu i'r groes i drechu trais, ac yn ei dawedogrwydd a'i ddibristod, amlygwyd ffordd y cariad yn ei farw fel yn ei fyw. Cael bywyd mae'r merthyr, nid pŵer, ac mae'r storïau am eu marw gwrol yn dystiolaeth sicr i fywyd y tu hwnt i'r byd a'r bywyd hwn.

Eilradd yw gallu'r wladwriaeth i Waldo a'i gyfieithydd, ond nid ydynt am gefnu ar wleidyddiaeth. Teimlodd Waldo reidrwydd i ymladd etholiad ym Mhenfro ac, fel y gwelsom, mae'r Archesgob beunydd yng nghanol brwydrau'r dydd. Ond mae ffydd y ddau yn y Duw trosgynnol sy'n bodoli tu allan i fyd y galluoedd a'r pwerau bygythiol. Fel y dywed y Dr Rowan Williams yn 'Ysbiwyr Duw: Credinwyr ar Brawf', ei bennod ar ferthyrdod yn *Christ on Trial*, nid yw rhoi eich bywyd i lawr yn gwneud synnwyr onid yw'r sawl sy'n gwneud hynny yn credu ac yn gobeithio yn y Duw anweledig a chwbl arall.

Bu'n rhaid i'r merthyron cynnar, fel yr hynafgwr Polycarp, gyffesu Iesu yn gyhoeddus, a thrwy hynny, dynnu'r 'frenhiniaeth' a'r llewod am ei ben. Mae ei farwolaeth ef a marwolaeth merthyron y canrifoedd yn aros i'n hatgoffa o gyfarfyddiad anorfod y frawdoliaeth a'r frenhiniaeth neu'r ymerodraeth. Lle bu'r frenhiniaeth imperialaidd yn greulon, mae'r Archesgob, yn yr un ysbryd â Waldo, a'i rieni, yn galw am dosturi a maddeuant. Heb yr ysbryd hwn, fe gwyd gwrth-Semitiaeth, ac yn nyddiau'r globaleiddio, trais a therfysgaeth byd-eang.

Heddiw, daeth yr 'hunanfomwyr' i aflonyddu arnom ac i darfu ar dangnefedd y rhai sy'n caru heddwch. Fe all mai dyhead am arwriaeth sydd tu ôl i'r bom gudd a gymer fywyd y 'merthyron' newydd hyn sy'n troi'n llechwraidd ymysg y cyhoedd, ar drên neu mewn man cyfarfod. Yn fynych, chwilio am gyfle i roi drama eu dial ar lwyfan mae'r terfysgwyr hyn, fel y rhai sy'n gloddesta mewn rhyfeloedd ac yn y farchnad arfau. Ac yn gibddall i'r hyn sy'n digwydd mae'r mwyafrif yn filiynau rhwystredig a diffrwyth, ac yn disgwyl am fardd, neu ddiwinydd neu wleidydd, neu gyfuniad ohonynt mewn gŵr doeth i roi arweiniad.

Ni fyddai Waldo yn dewis credu am funud ei fod yn arweinydd. Dod i weld ei fawredd a wnaethom yn anialdir y blynyddoedd hyn. Gosodwyd yr Archesgob i arwain, ac mae'n gwneud hynny mewn amgylchiadau dyrys. Yn ein gweddïau rhaid i ni ddal ei freichiau a chynnal ei achos.

Mewn adolygiad canmoliaethus o *The Poems of Rowan Williams*, mae'r nofelydd a'r beirniad llenyddol A.N. Wilson yn ystyried y cyfieithiadau o 'Mewn Dau Gae', 'Die Bibelforscher', 'Yn Nyddiau'r Cesar', 'Cân Bom', 'Wedi'r Canrifoedd Mudan' ac 'Angharad' yn orchest. Ni fyddid yn disgwyl i un sy'n anghyfarwydd â thraddodiad llenyddol y Cymry a'u hiaith ddirnad yr hyn a alwodd y diweddar Ddr Pennar Davies yn 'feddylfryd Waldo'. Ond dyma a ddigwyddodd i A.N. Wilson a synhwyrodd fod Waldo Williams a Rowan Williams yn eneidiau cydnaws. Mae'n annhebyg bod Wilson yn gwybod bod y ddau ar adegau yn eu bywydau heb eu mamiaith, a'r naill wedi ymdrechu wrth ddrws 'y down belows' a'r llall wrth ddrws Bro Gŵyr i'w hailddysgu. Dau ydynt o gyffelyb fryd â brawdoliaeth a chymod yn ddelfryd iddynt. Rhyngddynt fe lwyddodd y ddau i agor drws calon yr arch-amheuwr hwn o Sais, un a fu'n ei baratoi'i hun ar un cyfnod yn ei fywyd i fod yn offeiriad. Yn ei adolygiad hynod o ddifyr mae'n dal bod y Dr Rowan Williams wedi llwyddo i ddweud nifer o bethau newydd a phwysig, a rhai pethau ffres am Dduw. Fe'i cyffrowyd yn wir. Melys, moes mwy!

Lluniwyd 'Yn Nyddiau'r Cesar', sy'n fawlgan i fugeiliaid syml Effrata, gan fardd o fro'r Preselau oedd yn edmygu amaethwyr syml a dirodres ucheldir Gogledd Penfro. I Waldo Williams, cynrychiolydd llywodraeth lwgr a phŵer rhyfelgar oedd Cesar Awgwstus, yn byw yng nghanol sŵn a rhialtwch Rhufain, prifddinas ymerodraeth gwbl filitaraidd a chreulon. Yno, ni chlywyd y 'fwyn beroriaeth' ac ni ddaeth i'r plasty wahoddiad i fynd at y preseb i roi gwrogaeth i'r baban. Gwerinwyr llwm ucheldir Jwdea gafodd y gwahoddiad, a'i dderbyn yn llawen. Roeddent yn barod i newid eu byd.

Gwir y dywedodd y bardd a'r beirniad llenyddol, Mr Alun Llywelyn-Williams (a fu'n blentyn yng Nghaerdydd fel y Dr Rowan Williams), 'mai un o feirdd y trawsnewid annisgwyl hwn oedd Waldo, bardd Cristnogol ymwybodol fel Saunders Lewis, Gwenallt, Bobi Jones ac Euros Bowen'. A dyma grynhoi'r hyn a apeliodd at yr Archesgob yn y bersonoliaeth unigryw hon a fu'n cerdded tir Cymru yn Gristion mawr, yn heddychwr, yn Grynwr a chenedlaetholwr. Yn hyfrydwch Dyfed, ym mro Dewi a'r saint, canfu rhwng môr a mynydd orwelion y cariad hwnnw sy'n medru cynnwys pawb a phopeth. Cyhoeddwyd rhifyn arbennig o *Clebran* yn 2004 i ddathlu canmlwyddiant geni Waldo Williams, ac meddai'r Athro Hywel Teifi Edwards, un arall o eneidiau aflonydd Dyfed: 'Gymaint yw ein dyled i fardd fel ef sy'n gallu troi ein gweld yn ganfyddiad ac yn ddatguddiad' – priodoledd arall sy'n amlwg wedi denu'i gyfieithydd i'w fawrygu a nodwedd amlwg yng ngwaith ysgrifenedig y bardd-ddiwinydd.

• • •

Pan oedd yn grwtyn ysgol yn Abertawe, mae'n rhaid bod Rowan Williams wedi clywed adrodd a chanu 'Y Tangnefeddwyr'. Mae nifer wedi rhoi cynnig ar ei chyfieithu, ond ni welais gynnig yr Archesgob, os oes un. Ond, mae'n rhaid bod y pum pennill wedi apelio at fachgen o'i anian heddychlon ef, un a siaradai dros gyfiawnder yn Neuadd y Brangwyn yn ei arddegau. Yn unig blentyn i'w rieni hoff, efallai iddo ddotio at y cwpled,

Mae Gwirionedd gyda 'nhad,
Mae Maddeuant gyda 'mam'.

Ac fe fyddai ef a'r Parchedig John Walters, dau gyfaill llengar yn Ysgol Dinefwr, yn gwybod pam y rhoddwyd Waldo yng ngharchar Abertawe tua milltir a hanner o'i aelwyd. Ni allodd Waldo dderbyn ar dir cydwybod y dylai ef dalu trethi i goffrau gwlad oedd yn cefnogi'r Americanwyr yn eu rhyfel yng Nghorea. Tybed a ddaeth brwydr yr addfwyn Waldo i'w feddwl pan fu'n cynghori Mr Tony Blair i beidio â chanlyn yr Americanwyr i Irac?

Ym marn ei gyfeillion agos a phobl bro'r Preselau, rhai sy'n ei gofio'n ymuno â'r Crynwyr, y dylanwad mwyaf ar Waldo Williams oedd gweinidogion radicalaidd Gogledd Penfro, pobl fel D.J. Michael ac R. Parry Roberts. Roedd y gwroniaid hyn wedi gorfod brwydro'n galed i gadw'r ardaloedd hyn rhag mynd i ddwylo'r Swyddfa Ryfel. Roeddent wedi pregethu hawliau'r Deyrnas a chyhoeddi efengyl cymod Iesu o Nasareth. Gwelent yn y Bregeth ar y Mynydd faniffesto sosialydd a heddychwr argyhoeddedig. Mae'n dyled yn fawr i'r cyn-Archdderwydd James Nicholas am gofnodi hanes Waldo Williams ymhlith ei bobl, a'r dylanwadau lleol a fu arno.

Ond, fe berchenogwyd tair ardal gan y Swyddfa Ryfel, ac mae'n eironig bod un o edmygwyr mawr Waldo, y Dr Rowan Williams, wedi'i dderbyn i'r Orsedd ar un o'r rhandiroedd hyn! Ymfalchïodd Waldo na ildiodd pobl Mynachlog-ddu i'r peiriant militaraidd, ac yn y gerdd i 'Preseli' mae'n clodfori'r gymuned gymdogol o gwmpas ei gartref. Rhaid bod yr ymadrodd 'bro brawdoliaeth' yn fiwsig persain i glust y Dr Rowan Williams. Diolchodd bardd mawr Dyfed i'w bobl am warchod y gwerthoedd a'r drefn yn 'fy mhalas draw'. Fe'i hysbrydolwyd gan annibyniaeth barn ei gyfeillion a'i gydwladwyr. Pwy feddyliodd wrth fwynhau darllen *Dail Pren* y byddai yn Lambeth, 'y palas draw', fesur helaeth o ddylanwad Bedyddiwr a Chrynwr, bardd a heddychwr o ardal y Preselau. Nid yw'n syndod iddo gyfieithu 'Cân Bom'. Onid oedd cawodydd o fomiau wedi disgyn ar Abertawe? Yn nyddiau paradwysaidd Ysgol Dinefwr, gwelai greithiau'r difodiant creulon ar bob llaw. Yn sgil y bom, fe ddychwelai'r codwm. Meddai'r bom yn y gân: 'Mae'r codwm yn fy nghodwm.' Drosodd a thro dewisodd y ddynoliaeth ddilyn y llwybr at bren gwybodaeth (*scientia*) ac esgeuluso ffrwyth pren y bywyd (*sapientia*). Yn y termau hyn y dehonglodd Franz Kafka drasiedi'r teulu dynol yn un o'i ddamhegion cwta. Ar y llwybr at bren gwybodaeth y darganfuwyd bom.

Ar y llwybr a esgeuluswyd, y llwybr at bren y bywyd, y gwelodd Waldo y dail gwyrddlas a fyddai'n 'iacháu'r cenhedloedd'. Roedd hiraeth dwfn yn ei galon am 'nef newydd a daear newydd'. Ac mae'n rhaid bod y pwyslais hwn ar gymod, cyfiawnder, cariad, brawdgarwch a heddwch wedi cynorthwyo'r gŵr ifanc o Abertawe i dderbyn bod yn y Beibl yr adnoddau angenrheidiol i newid dyn a thrawsnewid y byd. Ac mae'r cerddi a gyfieithodd, fel y gwelodd A.N. Wilson, yn rym trawsnewidiol yn awr i'r di-Gymraeg fel i ninnau.

LLYFRYDDIAETH

LLYFRAU GAN YR ARCHESGOB ROWAN WILLIAMS

The Wound of Knowledge (DLT, 1979)
Resurrection (DLT, 1982)
The Truce of God (Fount Paperbacks, 1983)
Arius: heresy and tradition (DLT, 1987. Ailgyhoeddwyd gan SCM, 2001))
Teresa of Avila (Geoffrey Chapman, 1991)
Open to Judgement: Sermons and addresses (DLT, 1994)
Sergei Bulgakov: Towards a Russian political theology (T&T Clark, 1999)
On Christian Theology (Blackwell, 2000)
Lost Icons (T&T Clark, 2000)
Christ on Trial (Harper Collins, 2000)
The Poems of Rowan Williams (Perpetua Press, 2002)
Writing in the Dust: Reflections on 11th September and its aftermath (Hodder & Stoughton, 2002)
Ponder These Things: Praying with Icons of the Virgin (Canterbury Press, 2002)
Silence and Honey Cakes: The wisdom of the desert (Lion, 2003)
Areithiau a Phregethau (Yr Eglwys yng Nghymru, 2003)
The Dwelling of the Light: Praying with Icons of Christ (Canterbury Press, 2003)
Anglican Identities (DLT, 2004)
Why Study the Past? (DLT, 2005)

DARLITHIAU, ANERCHIADAU A CHYFRANIADAU

Gellir cael nifer mawr o'i ddarlithiau a'i anerchiadau oddi ar wefan Archesgob Caer-gaint: *www.archbishopofcanterbury.org*

Bakewell, Joan (gol.) *Belief* (Duckworth Overlook, 2005) (Cyfweliad gyda Rowan Williams)
Cotter, Jim (gol.), *Darkness Yielding: Angles on Christmas, Holy Week and Easter* (Cairns Publications, 2001). (Rhagymadrodd a phum pennod gan Rowan Williams)

Seven Words for the 21st Century, Edmund Newell (gol.), Richard Harries (Abington Press, 2003)

Foster, Claire a Newell, Edmund (gol.), *The Worlds We Live In* (DLT, 2005) (Pedair trafodaeth yng Nghadeirlan Sant Paul, Medi 2004)

Words and Music: The Welsh Experience (Cyhoeddwyd gan Noddwyr yr Ŵyl Gerddorol Ryngwladol a Choleg Harlech, WEA (N), 2001) (Darlith a draddodwyd i Gymdeithas y Gweithwyr yn Eglwys Gadeiriol Llanelwy ar 24 Medi 2001)

LLYFRAU AM YR ARCHESGOB A'I WAITH

Higton, Mike, *Difficult Gospel: The theology of Rowan Williams* (SCM, 2004)

Hobson, Theo, *Anarchy, Church and Utopia: Rowan Williams on the Church* (DLT, 2005)

Shortt, Rupert, *Rowan Williams: An introduction* (DLT, 2003)

LLYFRAU A FYDD YN GYMORTH I DDEALL TWF EI FEDDWL DIWINYDDOL

Bates, Stephen, *The Church at War: Anglicans and homosexuality* (Hodder and Stoughton, 2004)

Chadwick, Owen, *Michael Ramsey: A Life* (Oxford University Press, 1990)

Davies, Damien Walford, *Waldo Williams: Rhyddiaith* (Gwasg Prifysgol Cymru, 2001)

Davies, David Protheroe, *Diwinyddiaeth ar Waith* (Cyhoeddiadau Modern Cymreig, 1984)

Davies, Oliver a Turner, Denys (gol.), *Silence and the Word: Negative theology and incarnation* (Cambridge University Press, 2002)

Davies, Pennar, *Y Brenin Alltud* (Christopher Davies, 1974)

Ford, David F. (gol.), *The Modern Theologians* (Blackwell, 1997) (Ysgrif gan yr Archesgob ar ddiwinyddiaeth Eglwys Uniongred y Dwyrain)

Ford, David F., *Self and Salvation: Being transformed* (Cambridge University Press, 1999)

Kehland, M. a Löser, W. (gol.), *Hans Urs von Balthasar Reader* (T&T Clark, 1982)

Lossky,Vladimir, *The Mystical Theology of the Eastern Church* (James Clarke, 1957)

MacKinnon, Donald, *Explorations in Theology (5)* (SCM, 1979)

Norman, Edward, *Anglican Difficulties* (Morehouse Publishing, 2004)

Nicholas, James (gol.), *Waldo* (Gwasg Gomer, 1977)

Nicholls, David a Williams, Rowan D. (gol.), *Politics and Theological Identity: Two Anglican essays* (Jubilee Group, 1983) (Ei sylwadau ar ddiwinyddiaeth rhyddhad yn y traddodiad Anglicanaidd)

Rhys, Robert (gol.), *Waldo Williams* (Gwasg Christopher Davies, 1981) (Cyfres y Meistri)

Sheldrake, Philip, *Spirituality and Theology* (DLT, 1998)

Shortt, Rupert, *God's Advocates: Christian thinkers in conversation* (DLT, 2005)

Sölle, Dorothee, *The Silent Cry: Mysticism and resistance* (Fortress Press, 2001)

Sölle, Dorothee, *Against the Wind: Memoir of a radical Christian* (Fortress Press, 2001)

Sölle, Dorothee, *Thinking about God: An introduction to theology* (SCM, 1990)

Thomas, Ned, *Waldo* (Gwasg Pantycelyn, 1985) (Cyfres Llên y Llenor)

Van de Weyer, Robert, *Dear Rowan . . . Please save the Church of England* (John Hunt Publishing, 2002)

Ware, Kallistos, *The Orthodox Way* (Mowbray, 1979)

Ware, Timothy, *The Orthodox Church* (Pelican, 1963)

Young, Frances, *Sacrifice and the Death of Christ* (SPCK, 1975)

Young, Frances, *Can These Dry Bones Live?* (SCM, 1982)

Young, Frances, *From Nicaea to Chalcedon* (SCM, 1983)